PANORAMA
PRAHA

země má

FOTOGRAFIE
MILADA A ERICH EINHORNOVI

FOTOGRAFIE
MILADA A ERICH
EINHORNOVI

SLOVEM DOPROVÁZÍ
MIROSLAV
IVANOV

země
má

PANORAMA
PRAHA
1981

Nízke Tatry
z Ďumbieru

Pernštejn -
věž čtyř ročních dob

Česká krajina
z Drábských světniček

Prehistorická soška ženy
ze Štěpánovic

12 · 13

N EŽ PŘIJDEME K POČÁTKU VYPRÁVĚNÍ DĚJIN, pokusíme se stručně vylíčiti polohu naší země české a odkud dostala jméno, — poznamenává autor Kroniky české Kosmas, žijící v letech 1045 až 1125, a pokračuje: „Podle učení geometrů se dělí povrch zemský na dvě polovice, z nichž jednu zaujímá pod svým jménem Asie, druhou Evropa s Afrikou. V Evropě leží Germanie a v jejich končinách směrem k severní straně daleko široko se rozkládá kraj, kolem dokola obklíčený horami, jež se podivuhodným způsobem táhnou po obvodu celé země, že se na pohled zdá, jako by jedno souvislé pohoří celou tu zemi obklopovalo a chránilo ... Zvěře bylo ve hvozdech bez počtu jako písku v moři nebo jako hvězd na nebi ... Když do těchto pustin vstoupil člověk, ať to byl kdokoli — neznámo s kolika lidmi — hledaje příhodných míst k lidským příbytkům, přehlédl bystrým zrakem hory a doly, pláně a stráně, a tuším kolem hory Řípu mezi dvěma řekami, Ohří a Vltavou, prvá zařídil sídla, prvá založil obydlí a radostně na zemi postavil bůžky, jež s sebou na ramenou přinesl. Tehdy starosta, jehož ostatní jako pána provázeli, mezi jiným takto promluvil k své družině: »Druhové, kteří jste nejednou snášeli se mnou těžké trudy cesty po neschůdných lesích, zastavte se a obětujte oběť příjemnou svým bůžkům, jejichž zázračnou pomocí jste konečně přišli do této vlasti, kdysi osudem vám předurčené. To jest ona, to jest ona země, kterou jsem vám — jak se pamatuji — častokrát sliboval, země nikomu nepoddaná, zvěře a ptactva plná, sladkým medem a mlékem vlhnoucí ... Ale když takový, tak krásný a tak veliký kraj jest ve vašich rukou, rozvažte, jaké by bylo vhodné jméno pro tu zemi.« Ti hned, jako z božského vnuknutí, zvolali: »Poněvadž ty, otče, sloveš Čech, kde najdeme lepší nebo vhodnější jméno, než aby i země slula Čechy?«
Tehdy starosta, jsa dojat touto předpovědí svých druhů, jal se z radosti líbati zemi, maje radost, že se má nazývati jeho jménem, pak vstal a obojí dlaň zdvíhaje k nebeským hvězdám, takto počal mluviti: »Vítej mi, země zaslíbená, tisícerými tužbami od nás vyhledávaná, kdysi v čas potopy lidu zbavená, nyní jako na památku lidstva nás zachovej bez pohromy a rozmnožuj naše potomstvo od pokolení do pokolení.«"
Proto jsme tady. Proto žijeme v těchto krajinách, kterým říkáme vlast.
Ach, příteli Kosmo, krásně jste popsal příchod praotců — a Vaše slova už přes osm set let naplňují naše srdce potěchou. Vím, vymýšlel jste si, protože ani Vy jste tehdy nevěděl nic přesného o původních obyvatelích toho kousku země, která se dnes jmenuje Československo, fabuloval jste však dobře i poeticky. Ve Vaší Kronice se zrodil »muž za svého věku naprosto dokonalý« Krok, který měl tři dcery: Kazi, Tetu a Libuši, ve Vaší fantazii ožil i Přemysl Oráč, jehož si vyvolila Libuše za manžela: „Zatím byli určeni poslové, aby tomu muži přednesli vzkaz své paní i lidu. Když paní (Libuše) viděla, že, jaksi neznajíce cestu, váhají, pravila: »Co váháte? Jděte bez starosti, sledujte mého koně, on vás povede pravou cestou a dovede zase zpět, neboť tu cestu nejednou šlapal.«"
A protože jste nadmíru dobře znal lidskou povahu, učený příteli, poznamenal jste s úsměvem a pochopením, které Vám dal Váš vysoký věk: „Lichá šíří se pověst

a zároveň mínění křivé, že paní sama vždy za nočního ticha tu bájnou cestu na koni tam konávala a před kuropěním se vracívala ..."

Ano, díky Vám ožily pověsti těchto krajin, plné porozumění pro štěstí i trápení, plné pochopení ctností i nectností lidských pokolení.

Před okamžikem jsem poznamenal: vymýšlel jste si. Ale současně musím upřímně dodat: vymýšlel jste si krásně ... V jedné věci jste ovšem zcela pravdivý, dalo by se říct, že jste použil dokonce brýlí literatury faktu: v popisu této země.

Této nádherné země, která má hrdé jméno Československo.

Ano, lemují ji hory a lesy protkané provázky cest, protékají ji řeky se zelenými břehy; kdo by neznal pojmy Vltava (a vybaví se Smetanova hudba), Labe s Krakonošovým požehnáním, spěchající k moři, Morava (zavřu oči a vidím lidové kroje, převládá červená), Váh či Dunaj (kolika zbojníkům šuměly do spánku ...). Ta země má svá údolí s voňavými loukami, kterým se o senoseči nemůže nic vyrovnat, má široké lány nahnědlého obilí (jděte v červenci po mezi a naslouchejte praskotu stébel), má všechno, co patří k pojmu vlast. K pojmu domov.

Jsou slova, která časem ztratí svůj obsah nebo se tento obsah výrazně změní. Stačí si přečíst text vzniklý před několika staletími — co výrazů, u nichž váháme a neznáme přesně jejich význam! Někdy je to však zase opačně, slovo »domov« má například už desítky let pro každého Čecha a Slováka stejnou vůni. Nemění se, tak jako se nemění vůně chleba. Asi ne náhodou se jedna část státní hymny jmenuje Kde domov můj ... Voda tam hučí po lučinách, bory šumí mezi skalisky, to je ta země má, tvá, naše.

Země krásná na pohled. I ve skutečnosti.

A Vy, příteli Kosmo, jste popsal její krásy tak, jak jste je viděl ve své době. Tedy začátkem 12. století. Od té chvíle uplynulo víc jak 850 let. Kdybyste dnes šel po mém boku nebo kdybych Vás mohl provázet touto krajinou, kterou jste znal, byl byste nadmíru udiven. Neboť hory a údolí a někde i řeky zůstaly sice na svých místech, ale vše ostatní se proměnilo. V pohádce k tomu postačí mávnutí čarovným proutkem, v životě je k tomu třeba práce. Lidské práce, lidského umu. Čeští a slovenští lidé jsou moudří i pracovití. Dokázali to.

Ale nebylo to lehké ani jednoduché. Cesta od slovanské radlice z 8.—9. století (nalezené v Klučově u Českého Brodu) k polarografu akademika Heyrovského, nositele Nobelovy ceny, nebo k první československé družici Magionu měla své zákruty, nesnáze i vítězství.

Už Ibráhím ibn Jakúb, jenž v letech 965—966 navštívil naše země, vyjádřil uznání: „Město Frága (Praha) je vystavěno z kamene a vápna a je největším městem co do obchodu ... Slované jsou vcelku odvážní a stateční a kdyby nebyli roztříštěni na množství kmenů a oddělených skupin, žádný národ by je nezdolal silou. Obývají země nejbohatší co do úrodnosti a nejvíce zásobené potravinami ..."

To jsme měli za sebou už existenci Sámovy říše (zanikla ve druhé polovině 7. století) i pád říše Velkomoravské; maďarské kočovné kmeny, které vnikly do Uher-

ČESKÉ
KORUNOVAČNÍ KLENOTY

16 · 17

ské nížiny, způsobily v letech 903 až 907 její zánik a podstatně ovlivnily další vývoj slovanského obyvatelstva našich krajin. To se rozštěpilo na dvě skupiny a každá z nich se pak tisíc let vyvíjela jinak. Tím byly vytvořeny předpoklady pro vznik české a slovenské národnosti: Slované usazení v Čechách a na Moravě si vytvořili stát pod vedením Přemyslovců, kteří postupně sjednotili toto území; Slovanům žijícím na území Slovenska se však něco podobného po pádu Velkomoravské říše uskutečnit nepodařilo. Byli podrobeni a včleněni do uherské říše, čímž se utváření slovenského národa na dlouhá staletí zpomalilo.

V Čechách zatím stát sílil, přispělo k tomu i založení pražského biskupství v sedmdesátých letech desátého století. Také fakt, že přemyslovský stát měl už vlastního svatého (knížete Václava dal zabít jeho bratr Boleslav, rodil se mýtus »patrona české země«), značně přispěl k vytvoření dobré mezinárodní prestiže. V roce 1085 byl kníže Vratislav dokonce jmenován prvním českým králem, titul měl sice platnost jen pro jeho osobu, ale dokumentoval rostoucí význam přemyslovského státu.

Druhým českým králem se stal Vladislav II., psal se rok 1158. Nebyl to opět titul dědičný, ale trvalo pouhých čtyřicet let a zrodilo se české království: v roce 1198 se dědičného královského titulu dočkal Přemysl Otakar I.

Války, vítězství, porážky, rozmach (vždyť český král byl za Václava II. i králem polským a uherským!), úpadek.

Zavražděním Václava III. v Olomouci roku 1306 vymřeli Přemyslovci po meči. Nastává éra Lucemburků, císař a král Karel IV. činí z Prahy střed Evropy. Zakládá univerzitu, Nové Město pražské, staví nový kamenný most přes Vltavu, Karlštejn, dává zhotovit nové korunovační klenoty. Český stát má váhu i zvuk.

Za husitských bouří se jméno našich předků rozletělo Evropou jako ohnivý blesk. Někomu přinášelo hrůzu, jinému pocit bezpečí. Ideje husitského revolučního hnutí vrůstaly do duše národa — a byly to dobré ideje.

Jiřík Poděbradský posílá v roce 1464 evropským vladařům mírové poselství a stává se tak jedním z prvních panovníků nové doby: „Slibujeme, že ... od toho času napříště řečení králové budou mezi sebou zachovávati vzájemnou lásku, milování a bratrství a že budou bratry, přáteli a spojenci na věčné časy pro dobro, prospěch a důstojenství svých království a osob i obecné víry a veškerého křesťanstva.“

O tři léta později zakládá v Bratislavě uherský král Matyáš Korvín univerzitu Academia Istropolitana.

Po roce 1468 vzniká v Plzni první česká knihtiskárna, brána světla.

Léta plynou stále rychleji, města bohatnou, v roce 1526 nastupuje na český trůn dynastie Habsburků, s níž zůstane navždy spojena představa útlaku ... Nešťastná bitva na Bílé hoře otevřela pak v roce 1620 další smutnou etapu. Odchod desetitisíců nekatolíků ze země, zabavení jejich majetku, poddanské bouře, hlad a nouze. Je popraven Jan Sladký-Kozina (1695), je popraven slovenský zbojník Juraj Jánošík (1713). Venkovští lidé se bouří a v roce 1775 dochází k největšímu poddanskému povstání, krvavě potlačenému před Prahou a Chlumcem nad Cidlinou.

Šibenice »zdobí« krajinu, ale pokrok se zastavit nedá.

Po tolerančním patentu a zrušení nevolnictví (1781) se přibližuje rok 1848 — zrušení roboty. A revoluční bouře toho léta naznačily, že Jan Neruda měl pravdu: „Čas oponou trhnul a změněn svět..."
Pak už to jde všechno ráz naráz. Pokládá se základní kámen k Národnímu divadlu (1868), v roce 1878 je založena Československá sociální demokracie, obnovuje se česká univerzita. Přichází první světová válka — a v roce 1918 samostatnost, oba národy se opět spojují v jednom státě — republice.
A běh se ještě zrychluje: v roce 1921 se koná ustavující sjezd KSČ, do jejíhož čela se v roce 1929 dostává Klement Gottwald. Nezlomí ho mnichovská zrada, za II. světové války vytyčuje v Moskvě program nové republiky. A doma zatím čeští a slovenští lidé vzdorují nacistickým okupantům. Lidice a Ležáky.
Povstání v roce 1944, které se rozhořelo v Banské Bystrici, ukázalo světu, na čí straně stojí Slováci. Z východu přicházela svoboda, vládní program přijatý v Košicích narýsoval cestu. Květnové povstání končilo jednu epochu a otvíralo druhou, májová Praha přivítala Rudou armádu. Tehdy básník vroucně vyzpíval naše štěstí:
„Ach, Čechy krásné, Čechy mé! Opánku tvrdě uchozený, v úvoze nebes pohozený, tys nebyl ztracen po prvé! Kolikrát vlast, když tma ji štvala, řeménky řek si rozvázala a bosa šlápla do krve.
Ach, Čechy krásné, Čechy mé."
Co bylo dál? Dvouletka, obnova republiky, Únor 1948.
V každém tom slově jsou ztajeny osudy lidí, jejich práce, nadšení, jednota, síla.
Lidé se stali hospodáři ve svém domově.
Daleká byla cesta, příteli Kosmo, od Vašich časů až k okamžiku, kdy Národní shromáždění republiky schválilo roku 1960 novou ústavu, v jejímž úvodu se říká:
„My, pracující lid Československa, prohlašujeme slavnostně:
Společenské zřízení, za které bojovaly celé generace našich dělníků i ostatních pracujících a které měly od vítězství Velké říjnové socialistické revoluce před očima jako vzor, stalo se pod vedením Komunistické strany Československa skutečností i u nás. Socialismus v naší vlasti zvítězil!
Vstoupili jsme do nového období našich dějin a jsme odhodláni jít dále k novým, ještě vyšším cílům. Dovršujíce socialistickou výstavbu, přecházíme k budování vyspělé socialistické společnosti a shromažďujeme síly pro přechod ke komunismu.
Po této cestě půjdeme dále ruku v ruce s naším velkým spojencem, bratrským Svazem sovětských socialistických republik, a se všemi ostatními přátelskými zeměmi světové socialistické soustavy, jejímž je naše republika pevným článkem.
Chceme žít v míru a přátelství se všemi národy světa a přispívat k mírovému soužití a k dobrým vztahům mezi státy s různým společenským zřízením. Důslednou mírovou politikou a všestranným rozvojem své země budeme napomáhat k tomu, aby se všechny národy přesvědčily o přednostech socialismu, který jediný vede k blahu všeho lidstva...
Československý stát, ve který se zorganizoval pracující lid v čele s dělnickou třídou, stal se lidovou organizací v nejvlastnějším slova smyslu — socialistickým státem."
To praví ústava Československé socialistické republiky.

PRAHA - BUDOVA FEDERÁLNÍHO SHROMÁŽDĚNÍ, SNĚMOVNA LIDU

BRATISLAVA - MOST SLOVENSKÉHO NÁRODNÍHO POVSTÁNÍ >

JESTLIŽE TUTO ČÁST svého vyprávění nazvu PŘÍBĚH BOJOVNÍKA, vím, že mnozí tázavě vysloví větu: může podobný příběh vypovědět všechno, co člověk cítí při pohledu na českou zemi? Na její krajinu, památky, hrady a chrámy, sochy i řeky? Jistěže ne... Ale jakými neotřelými slovy vylíčit chvíli, kdy poutník stane před majestátním Karlštejnem, symbolem české moci a slávy, jak vyjádřit okamžik na ochozu hrdého Křivoklátu, hradu českých králů, kde mladičký Karel IV. (tehdy ještě nazývaný Václav) prožíval své dětství... A jak vyslovit dojetí před prostým dřevěným křížem v Lidicích, památníkem českých lidí-obětí fašismu, jak popsat zamyšlení nad soutokem Labe a Vltavy, kde země tvoří klín, jak vylíčit to zvláštní ticho rovinaté krajiny, kde v pozadí se tyčí Říp...

Nespočetně básní se už pokoušelo vyjádřit rozmanitost, půvabnost české země. Je jako nevěsta a nikdy snad nebude jiná. Okouzlující, hebká, zasněná, přísná, něžná, krásná. Obsahuje v sobě víc než tisíciletou kulturu, která má nekonečně tváří. Patří k ní právě tak dřevěný kostelík z Kočí nebo kamenné žebroví kolínského a kutnohorského chrámu, jako lidská ruka, která vybrousila zářící polodrahokamy z Českého ráje, patří k ní sochy Matyáše Brauna stejně jako silueta Bezdězu, Pravčická brána či hradní kaple v Chebu. To všechno jsou Čechy: krajina u Deštného v Orlických horách právě jako rašeliniště u Kvildy, středověký oltář z Netolic (cítím z něho jižní Čechy) stejně jako zákruty Labe v Českém středohoří.

Ano, to všechno jsou Čechy. Hrdinské, spravedlivé, neohrožené, prosté.

I on byl takový.

Řekl jsem »Příběh bojovníka«. Kolik jich už měla tato země ve své minulosti. Kolikrát musela bránit svou svobodu, svou duši. Přicházeli nájezdníci, přicházeli s nejrůznějším znamením, ale s jedním úmyslem. Pokořit, podrobit. A čeští lidé — v nejrůznějších staletích, ale vždy se stejným zápalem — se jim postavili v cestu. Nejdříve to zkoušeli obvykle po dobrém (kdy ovšem pomůže pouhé slovo?), později se zbraní v ruce, jednou měli luky a šípy, jindy samopaly.

Když byl 6. července 1415 upálen v Kostnici mistr Jan Hus, zvedla se v české zemi vlna odporu a rozhořčení. Už 2. září toho roku byl poslán kostnickému koncilu protestní list, přijatý na sjezdu české a moravské šlechty v Praze, k němuž bylo přivěšeno 452 pečetí. Říkalo se v něm:

„Nejvelebnějším v Kristu otcům a pánům, pánům kardinálům, patriarchům, primasům, arcibiskupům, biskupům, vyslancům, doktorům a mistrům a všemu kostnickému koncilu my rytíři, vladyky, panoši a ostatní korunní erbovníci nejkřesťanštějšího království Českého, zde kolem dokola svými jmény a pečeťmi popsaní..." si stěžujeme:

„Plnost zákona jest milování, a všecek zákon v jediné řeči se naplňuje: Milovati budeš bližního svého jako sebe samého; tudíž my dbajíce s pomocí boží, jak můžeme, o řečený zákon boží a o milování bližního, (se zasazujeme) za nejmilejšího bližního našeho, dobré paměti ctihodného M. Jana Husa, zřízeného bakaláře svatého písma, evangelického kazatele, kteréhož jste nedávno na koncilu kostnickém — nevíme, jakým duchem vedeni — bez jeho vyznání a bez řádného, jak slušelo,

.

usvědčení, a nedovedše naň aniž ukázavše nijaké bludy nebo kacířství, nýbrž toliko na liché, falešné a nevhodné žaloby, udání a nabádání hlavních nepřátel jeho, našeho království i markrabství moravského, jakožto tvrdošíjného kacíře odsoudili, a odsoudivše krutou a přepotupnou smrtí zachvátili na věčnou hanbu a poznamenání našeho nejkřesťanštějšího království Českého…“ Vyznávají a prohlašují „veřejně srdcem i ústy, že ten M. Jan Hus byl zajisté muž dobrý, spravedlivý a křesťanský, ode mnoha let v našem království, životem, mravy i pověstí zachovalý a osvědčený…“ Protestují proti podobným činům a slibují, že chtějí hájit a chránit zákony „až do prolití krve, beze všeho strachu…“

Ano, tato země byla a je vždy stejná: kdekoliv a kdykoliv se dělo a děje bezpráví, postaví se na obranu spravedlnosti.

PRAHA -
MALOSTRANSKÉ
NÁMĚSTÍ

KARLŠTEJN

Takový byl i Jan Žižka.

Jeho socha bdí v táborské radnici, jeho duch vsákl do české země, jeho potomci — jací jsou?

Nechť vypovídají výsledky jejich rukou. Nechť vypovídá země, její města, nová sídliště, vesnice, továrny, přehrady, nechť vypovídají doly, hutě i mosty.

Tou zemí táhl Jan Žižka mnohokrát. Znal její údolí i řeky, hluboké lesy, brody a tůně, znal pěšiny, zemské i kupecké stezky, znal hrady a tvrze, ovládal terén jak málokdo před ním i po něm. Snad prožil víc dnů svého života v poli než pod střechou domu. Lidové pověsti vyprávějí, že se narodil pod dubem uprostřed obilních lánů. Kdesi na tmavém obzoru se právě chystalo hromobití, obloha se tměla — a tehdy přichází na svět. On, který jako bouře otřásl zpuchřelou společností, takže

Z POUTNÍHO AREÁLU
V PŘÍBRAMI
DETAIL
PLASTICKÉ VÝZDOBY

KŘIVOKLÁT

PANENSKÝ TÝNEC -
PRESBYTERIUM
NEDOKONČENÉHO
KOSTELA
≫

se mocní chvěli, kdykoliv zaslechli jeho pouhé jméno. Pověstem nevadí, že neexistují určité zprávy, že neznáme datum Žižkova zrození. Pověstem nevadí, že prameny mlčí — poeticky zpodobňují událost, které dávají i symbolické zabarvení. Dub, obilní pole, bouře a blesky — ta scéna má v sobě českou vůni, českou atmosféru.

V Trocnově měl Žižkův otec menší zemanský dvorec. Do Českých Budějovic nebylo daleko, opodál Český Krumlov, Třeboň; kam ses podíval, všude zboží mocných feudálů světských i církevních. Rožmberská latifundia se rozpínala stále víc, pohlcovala zcela nenasytně všechny ty drobné a většinou nepatrné statečky, které tedy časem mizely ze světa. Někdy i válkou.

Ani trocnovský dvorec neušel svému osudu.

Kdy se tu narodil Jan Žižka? Někdo uvádí datum kolem roku 1360, jiní historikové

LIDICE - PIETNÍ ÚZEMÍ   SOUTOK LABE S VLTAVOU   HRAD
VYHLAZENÉ OBCE   U MĚLNÍKA   KOST
≪

se přiklánějí k letům 1380—85. Poprvé se v listinách mluví o jakémsi Janu (Ješkovi) z Trocnova v letech 1378 až 1385. Byl to otec pozdějšího slavného vojevůdce či samotný husitský hrdina?

Dvě místa v Čechách jsou od nepaměti uctívána v souvislosti s Janem Žižkou: rodiště Trocnov a úmrtní pole u Přibyslavi. Dochovaná lebka, pravděpodobně Jana Žižky, by podle antropologů dokládala, že muži bylo ve chvíli smrti — psal se 11. říjen 1424 — kolem čtyřiceti let ... Pak by ovšem listina z 11. července 1378, opatřená pečetí Jana Žižky, přinášela doklad o vojevůdcově otci. A potom by se také listina z roku 1384, kterou prodával Jan Žižka lán pole (asi 20 ha) v nedaleké obci Čeřejově — patřil Žižkově manželce Kateřině — znovu vztahovala k vojevůdcovu otci, což není příliš pravděpodobné.

POHLED Z MUŽSKÉHO
K SEMTÍNSKÉ LÍPĚ

ČESKÝ RÁJ,
HRUBOSKALSKÉ
SKALNÍ MĚSTO

Přesnou odpověď neznáme — a ani nás to v tuto chvíli příliš netrápí.

Česká krajina má tady na jihu svůj zvláštní ráz. Trochu zádumčivý, přemýšlivý.

Dub, pod nímž se měl Žižka narodit, už dávno nestojí. Namítnete, že je to logické: uplynulo příliš mnoho let ... Ano, uplynulo, jenže strom nebyl přemožen časem, ale lidskou zlobou. V knize s pěkným názvem Poselkyně starých příběhů českých vzpomíná roku 1700 její autor, Jan František Beckovský, že kdysi přicházeli z celého okolí k tomuto dubu řemeslníci (tesaři, zámečníci, kováři i další) a řezali si z jeho větví topůrka a rukojeti k rozličným nástrojům. Aby jejich paže, až budou s těmito násadami pracovat, měly Žižkovu sílu i vytrvalost ...

V nedalekých Borovanech byl už předtím založen klášter, jenž měl působit v duchu protireformace: nyní se Žižkův dub stával nepohodlným, pověsti o jeho síle byly

ACHÁT
Z OKOLÍ KOZÁKOVA

CÍSAŘSKÁ CHODBA
V PRACHOVSKÝCH
SKALÁCH

TROSKY -
DOMINANTA
ČESKÉHO RÁJE
≫

nebezpečné. Proto dal v roce 1682 probošt Konrád košatý, mohutný dub porazit. Sejde z očí, sejde z mysli.

Poražený strom přikázal rozřezat a spálit. A aby případný další kult tohoto místa orientoval »správným směrem«, dal zde postavit kapličku s latinským nápisem. Kdybychom si ho přeložili, dozvěděli bychom se, že „toto místo narození Jana z Trocnova, řečeného Žižky, kdysi zlopověstné, ku cti narození předchůdce páně, sv. Jana Křtitele věnováno a zasvěceno. — Konrád, probošt řeholních kanovníků borovanských, dal zříditi ..."

Tak tedy »zlopověstné místo«. Jak pro koho.

Prostí lidé sem chodili dál, aby se v úctě poklonili památce velkého Čecha a kapličku nazvali Žižkovou. Také nedaleká studánka nesla jeho jméno, nabírali odtud

vodu a mezi trávou hledali úlomky kamení a zdiva z bývalého zemanského dvorce.

Památku na husitského bojovníka se proboštovi Konrádovi nepodařilo vymýtit, naopak, pověst rostla a sílila. Kolem roku 1820 dostala proto kaplička i český nápis.

Aby se ti naivní Čechové, putující sem a vzpomínající na starou národní slávu, poučili, říkali si mocní, kteří rozhodovali:

»Jan Žižka z Trocznova slepeg zle pamieti tu se narodil.«

Znovu obdobná charakteristika jako v původním latinském nápisu: slepej zlé paměti ...

Chápeme. Ti, kterým bořil mocné hrady, kterým bral majetek a dával ho chudým, kterým ničil spánek a klid jejich duší, ti na něj v dobrém vzpomínat nemohli.

SEDLEC -
BAROKNĚGOTICKÝ CHRÁM P. MARIE
«

KOČÍ U CHRUDIMĚ -
KOSTEL SV. BARTOLOMĚJE

PRŮHLED ARKÁDAMI
ZÁMKU V LITOMYŠLI

44 · 45

Za nějaký čas kdosi nápis poopravil a některá písmena vyškrabal, ozvalo se totiž svědomí lidu, a to dalo textu tuto podobu:

»Jan Žižka z Trocznova slepeg ... pan ... tu se narodil.«

A zástupy putujících ke kapličce se zvětšovaly, Žižka i husitství se stávaly symbolem boje za svobodu — a kapličku proto v roce 1867 na panský rozkaz zbořili.

Zase stejná chyba jako v případě příkazu probošta Konráda: tím, že se porazí strom, že se zničí a odstraní kaplička, se myšlenka nezabije.

Dnes na těch místech stojí prostý pomník z několika balvanů, podle pověsti jeden z nich sloužil jako práh trocnovské usedlosti a jeho část byla poslána do Prahy do základů Národního divadla. Nápis stručně oznamuje: Zde se narodil Jan Žižka z Trocnova.

KUKS · BETLÉM,
SOCHA GARINA

NOVÉ MĚSTO
NAD METUJÍ

SLAVOŇOV · STROP
DŘEVĚNÉHO KOSTELÍKA
SV. JANA KŘTITELE
≫

Podhůří
Orlických hor

Pohled
od Harrachových
kamenů
v Krkonoších

Čertův důl
a Čertova louka

Člověk, který měl rád tuto zem víc než svůj život. Který ji i proslavil. Který vyvolal stovky vášnivých diskusí a vědeckých i politických sporů. Jeho život se stal příběhem bojovníka, jenž ovlivnil — protože vyjadřoval vůli lidu — dějiny.

Jak málo toho o něm víme ...

Stará kamenná křtitelnice ve střížovském kostelíku mlčí, prý zde byl Žižka pokřtěn. Kdy odcházel z Trocnova »do světa«, už nikdo nikde nezjistí ... Snad v letech 1406 až 1409 byl členem zbojnické roty, ta plenila rožmberské statky, pravděpodobně ve službách pánů z Moravy, kteří byli v nepřátelském poměru k Rožmberkům. Hovoří o tom popravčí rožmberské knihy, v nichž jsou zapsány výpovědi jiných zajatých členů skupiny. Zkušenosti z těchto let měly později pro Žižku cenu zlata. Co dělal dál? Jakousi stopu poskytují listy krále Václava IV. První, do Českých Budějovic, na-

psal 25. dubna 1409 na hradě Žebráku a dal v něm příkaz k »narovnání« mezi Budějovickými a Žižkou, v druhém dopise z 27. července 1409 nařídil témuž městu, že musí svůj spor se Žižkou uzavřít... Zdá se, že už tenkrát sloužil budoucí vojevůdce na Pražském hradě, snad se potom na čas odebral bojovat do Polska — v roce 1414 je však opět v Praze u dvora, hovoří se tu o »Janku Jednookém«.

Pak dochází k Husovu upálení v Kostnici, v Čechách to vře, v Kronice velmi pěkné o Janu Žižkovi, čeledínu krále Václava, se vypráví:

„Tehdy povstal jeden Čech z řádu rytieřského velmi udatný, jednooký, jménem Žižka..."

Hlásí se husitské revoluční hnutí.

Národní umělec Miloš V. Kratochvíl o Janu Žižkovi říká: „Od chvíle, kdy začíná

Pohled
z Krakonošovy
zahrádky
na Sněžku

Rašeliniště Jizerky,
Velká
jizerská louka

propukat husitská revoluční bouře, roste Žižka ... rychle úkoly, které na sebe dobrovolně béře. Z chudého zemana, který se od prostého sedláka lišil jen zemanským přídomkem a nezávislostí, jež ho však hnala do cizího žoldu, dosahuje postupně vůdčího postavení v národě, které ho činí nakonec jeho otcem, vůdcem a jeho železnou pěstí."

Revoluční Tábor, založený roku 1420, se stal dočasně jeho domovem. Přišel sem v čele husitů z Plzeňska, kde pobýval pět měsíců, když se předtím přesvědčil, že Praha není ve svých názorech jednotná — a cestou měl první příležitost projevit se jako vojevůdce: 25. března 1420 zvítězil u Sudoměře nad nepřátelským panstvem. Za pár týdnů — 14. července — dochází k další významné bitvě: Žižka v čele husitů poráží na Vítkově křižáky, pak táhne jižními Čechami, dobyl Vodňany, Prachatice,

BEZDĚZ - POHLED
K ČERTOVĚ VĚŽI

NOVOZÁMECKÝ RYBNÍK
NA ČESKOLIPSKU

Lomnici, Novou Bystřici, Trhové Sviny, vrací se k Horažďovicům a tady opět vítězí v bitvě nad Oldřichem z Rožmberka a dalšími pány . . .

Kolikrát se už ozvaly hlasy, že husité svými taženími ničili českou zemi. Že se nesilo, nesklízelo. Že byly vypalovány vesnice, hrady, města. Že země pustla . . . Žádná válka nepřináší zvýšení životní úrovně. To platilo v antice, ve středověku, ve dvacátém století. Jestliže však Zikmundovi věrní vraždili Husovy stoupence, co měli dělat husité? V Kronice Vavřince z Březové se píše: „V krátkém čase více než 1600 lidu pod obojí způsobou skrze ně (německé kutnohorské měšťany) jest zahubeno a do šacht metáno, takže jsou častokráte katové pro své katovství od díla ustávali.“

Podobně se dělo i jinde. Bylo tedy třeba, aby Husovi následovníci vzali do ruky zbraň, bránili se a postupně přecházeli do útoku. Obsadili Kladruby, hrad Krasíkov

ZŘÍCENINY PORTA BOHEMICA PRAVČICKÁ BRÁNA
HRADU HÁZMBURK V ČESKÉM STŘEDOHOŘÍ V ČESKÉM ŠVÝCARSKU

i Příběnice, Rokycany, Chomutov a Žatec, pak Louny i Slaný, o velikonocích 1421 Beroun, Mělník — a řada by mohla pokračovat. Vznikl tzv. Táborský městský svaz (Tábor, Písek, Prachatice, Horažďovice, Sušice, Klatovy a Domažlice) a hnutí se šířilo po celých Čechách. Byl to obrovský nástup husitských bojovníků, nástup pro krále Zikmunda a ostatní cizinu zcela nepochopitelný... A přitom pravda byla docela prostá: ti obyčejní lidé šli za Žižkou a dalšími táborskými vůdci, protože hledali spravedlnost. V tom byla jejich síla a nepřemožitelnost.

Uvažme, že v 15. století, kdy platily všechny společenské přehrady, kdy se knížata dívala spatra na rytíře, ti zas na měšťany — a měšťané pohrdali obyčejným venkovanem, že v tomto 15. století vzniká Žižkův vojenský řád, který jako první na světě rušil tento »odvěký« pořádek. Vojenský řád vyvolával obdiv mnohých myslitelů dalších staletí, ale současně i nenávist jeho nepřátel. I křižáci a Zikmundova vojska měli své řády, pravda, ty však velice přesně rozlišovaly — ať už při výpočtu povinností či trestů — původ toho kterého bojovníka. Pro šlechtice platilo něco jiného než pro měšťana či prostého, obyčejného člověka. Naproti tomu Žižkův vojenský řád byl zcela jiný. Například: „... jestliže by kde Pán Buoh dal nepřátely přemoci a poraziti, města, tvrze, hradu dobýti," takže by se husité zmocnili kořisti, „aby ten vzatek a ty kořisti sneseny, svedeny, svezeny a na hromadu skladeny byly". Poté budou zvoleni ti, kteří se postarají, aby věci „spravedlivě, jakž na koho sluší, rozdány a rozděleny byly, aby nižádný sám sobě nebral ..." Kdyby snad někdo přece něco vzal, „žádných osob nevyjímajíce ... buďto kníže, pán, rytíř nebo panoše, měštěnín, řemeslník nebo sedlák ...", bude přísně potrestán „k jeho hrdlu i k statku".

To bylo společensky zcela převratné, cizincům neuvěřitelné, aby pro pány i kmány platil stejný řád. A ten neúplatně pokračoval:

„Dále vězte, že kdo by se kolivěk kradl nebo šel nebo jel aneb vezl od nás z vojsky... bez odpuštění starších jmenovaných svrchu, a znamení jistého nebude míti, buď kníže, pán, rytíř, panoše, měštěnín, řemeslník nebo robotěz nebo kterýžkolivěk člověk, a byl by popaden" (tady dopaden při útěku z vojska), bude přísně potrestán jako »zloděj nevěrný«."

Vědomí, že vládne spravedlnost, dodávalo husitům křídla. Věděli, proč hájí svou zemi. Řád jim dával čestný program a současně i přikazoval, jakými býti nemají:

„Také nechceme trpěti mezi sebou nevěrných, neposlušných, lhářuov, zlodějův, kostkářův, loupežníkuov, plundréřuov, opilcuov, lajcí (utrhačů), smilníkuov, cizolož-

níkuov, smilnic a cizoložnic i všech zjevných hříšníkuov a hříšnic, ty všeckny z sebe chceme puditi a honiti ..."

Těžko nalézt ve středověku podobný vojenský řád ... Není. Tak jako je pouze jedno husitské hnutí:

„... buď kdo buď, kteréhožkoli řádu (stavu), žádných osob nevynímajíce ..." — pro všechny platí stejné právo, stejné povinnosti.

Bylo to něco neobvyklého, jako by vichr přešel lidskými dušemi a ukázal jim nový svět.

Minuly roky, prostí nezapomínali. Když pražská chudina v roce 1483 útočila na bohatý patriciát, zpívala píseň o Žižkovi. V roce 1524 byl dokonce na sněmu vyhlášen Husův svátek, i když v pozdějších časech se ho církev snažila potlačit. I památ-

NÁMĚSTÍ
V DOMAŽLICÍCH

JEZERNÍ SLAŤ
U KVILDY

ku na Žižku. V roce 1589 si stěžoval pražský arcibiskup papeži Sixtu V., že „ohavným zvykem jest, že v království Českém ... slaví se svátek Jana Husa ... V ten den chudí žáci, výrostci a chasa veřejně prozpěvují potupné písničky ... Třebas by nebylo dobře možno z obavy před vzpourou a pozdvižením ďábelský svátek ten veřejným mandátem odstranit, J. M. císařská mohla by aspoň způsobiti, aby z kalendáře byl vypuštěn ...“

V roce 1602 vzniká Píseň horlivá, která burcuje statečnost Čechů poukazem na Žižkovy činy, o pár let později se objevuje píseň Vzhůru Čechové a ta začíná verši:

ŽELEZNÁ RUDA - KOSTEL P. MARIE POMOCNÉ

KLADSKÉ RAŠELINIŠTĚ

Kde jest Jan Žižka na ty jezovce,
by jim připínal palcátem věnce?
Vstane zas, již jde hlas,

budou mít mniši nový kvas.
Již své peleše zase stavějí
na Jana Žižku zapomínají ...

Bylo to hrdé sebevědomí, které vtisklo husitství české zemi. Kdykoliv nastala zlá doba, vzpomínalo se na ně. V roce 1618 — na počátku třicetileté války — byl dokonce přetištěn Žižkův list Domažlickým a nazván Mandátem Jana Žižky z Kalicha, generál-obrsta evangelíků v Čechách všem pravověrným křesťanům..., v jehož závěru byly připojeny verše: „Vstalť jest již z mrtvých svatý Hus, Žižka jde za ním, prost smrti už ...“

I proslulý Mikuláš Dačický z Heslova nezapomene napsat:
Nebuďmež bídní otrokové, zůstávejme věrní Čechové ...
Ano, husitství dodávalo v dějinách českému národu sílu, Žižkův vojenský řád položil základy k demokratismu. Husitství se stalo postupem doby kritériem, kterým měřili lidé té či oné doby svou současnost. Tak básník Vojtěch Nejedlý otiskl v roce 1818 v časopise Hlasatel český dialog mezi Žižkou a obrozencem Františkem Martinem Pelclem (1734—1801), v němž Žižka hájí své činy: „Oniť (křižáci) mé bratří pálili, a já jako žena měl jsem hleděti, jak se nevinní lidé na rožni smaží a bolestí do nebe křičí? Oniť vesnice bořili, dítky na kusy trhali a ženám těhotným meče do srdcí vráželi — a já jsem měl nechati svých sousedů bez ochrany? ... ještěry vypleniv, jsem v zemi pořádek a bezpečnost uvedl. Tak milý bratře! byli naši časové plni

PŘEDJAŘÍ   MAŠKARNÍ SÁL   ČESKÉ BUDĚJOVICE -
NA LIPNĚ   ZÁMKU V ČESKÉM KRUMLOVĚ   NÁMĚSTÍ SE SAMSONOVOU KAŠNOU A RADNICÍ
<

HLUBOKÁ - ALŠOVA JIHOČESKÁ GALERIE,
GOTICKÝ OBRAZ ADORACE DĚCKA

RYBNÍK SVĚT
U TŘEBONĚ

78 · 79

ukrutnosti, zmatenice, ale i mužnosti lidské. Pravda mezi námi panovala ... i moudrost jasná s námi přebývala, ač pleticháři zmatené hlavy majíce, svou horlivostí pramen čistý zkalili a bahnem žízeň hasívali. Než to jináče není ... mezi pšenicí i koukol se najde ...“
Moudrá slova.
Stejně moudrá byla i jedna z prvních básní českých nové doby, Óda na Jana Žižku z Trocnova od Antonína J. Puchmajera. O něco později vznikla a v roce 1820 byla i hrána pražskými studenty-právníky Kantáta na Žižkovo vítězství na hoře Vítkově roku 1420. To vše dokládá, že vzpomínky na husitství žily v národě stále a dávaly podnět k dalším kulturním výbojům. Správně vystihl význam husitství muž stojící na počátku obrození, Josef Dobrovský. Ve svých Dějinách české řeči a literatury

ZVÍKOV

PODOLSKÝ MOST

jasnozřivě napsal: „Českým reformátorem Husem začíná *nová epocha v dějinách
českého národa a jeho kultury...*" Už nezaznamenává pouhá jména Husa a Žižky,
ale chápe husitství jako epochu, která kladně poznamenala další vývoj.
Neboť téměř všechno v české kultuře, co mělo význam pro život národa, se hlásilo
či vycházelo z husitství; jmenujme K. H. Máchu, Matouše Klácela, J. J. Langra, P. J.
Šafaříka, J. Kollára, Fr. Palackého, K. Sabinu, E. Arnolda, J. K. Tyla, V. K. Klicperu,
J. V. Friče, K. Havlíčka, Sv. Čecha, A. Jiráska, J. Mánesa, J. Čermáka, Mikoláše Alše,
B. Smetanu, A. Dvořáka a další... Jak by zněla česká hudba bez Smetanovy Libuše,
v jejímž proroctví se ozývají tóny husitské doby? V cyklu Má vlast vrcholí v závě-
rečných symfonických básních Tábor a Blaník Smetanův vztah k husitství. Jeho
česká krajina je prolnuta husitskými motivy. Ve výkladu k symfonické básni Tábor

TÁBOR   TÁBOR - VELKÁ RADNIČNÍ SÍŇ

skladatel poznamenal: „Skladba líčí pevnou vůli, vítězné boje, stálost, vytrvalost a tvrdošíjnou neústupnost (Smetana dvakrát podškrtl!), kterou skladba též končí. Do detailů se nedá rozdrobit, nýbrž zahrnuje všeobecně slávu a chválu husitských bojů a nezlomnost povahy husitů." Když má Smetana zvolit motiv pro pochod blanického vojska, které v nitru hory dříme a čeká, až „bude české zemi nejhůře", opět vyvolí husitský chorál a poznamenává: „Na podkladě této melodie, toho husitského principu, se vyvine *vzkříšení* národa českého, budoucí štěstí a sláva; vítězným hymnem v podobě pochodu končí skladba — a tak i celá řada symfonických básní Vlast."

Jestliže Bedřich Smetana spojoval pojem »vlast« s husitským chorálem, je snad pochopitelné, proč i tento text (slovem doprovázející snímky české země) vzpomí-

Plástovice -
náves s kovárnou

Červená Lhota

Jindřichův Hradec
≫

ná právě na husitské období našich dějin, které předznamenalo vše, co přišlo poté. I co přijde. Neboť navždy má asi pravdu Jan Neruda:

My nevíme, co budoucnost nám chová —
    však ještě žije českých bitev bůh,
a pro vítězství veliká a nová
    je dosud širý dost ten český luh!

A chce-li bůh snad dát kdys nové seče —
    nám stačí hlas husitský na chorál,
dost v zemi železa na dobré meče,
    i v krvi železo — jen dál, jen dál!

SLAVONICE -
SKLÍPKOVÁ KLENBA
DOMU ČP. 46

NÁMĚSTÍ
V TELČI

KRAJINA
NA JIMRAMOVSKU

PŘÍBĚH VĚDCE by mohl začít na několika různých místech Moravy: v Uherském Brodu, Nivnici či Komně.

Končit může v Brně. Nebo v Olomouci.

První tři jména ukazují zcela jasně k Janu Amosu Komenskému, už desetiletí se odborníci dohadují, kde se narodil. V Komně, podle níž by se jmenoval Komenský? V Nivnici, podle které se víc než desetkrát podepsal »Nivnický« či »Nivanský«, mimo jiné i tehdy, když si v roce 1614 koupil Koperníkovu knihu De revolutionibus orbium? Nebo konečně v Uherském Brodě, jak by o tom svědčil jeho podpis Jan Amos Uherskobrodský při vydání souboru Opera didactica omnia?

Není to tak důležité, daleko významnější je fakt, že v roce 1611 napsal do památníku svého známého věnování s iniciálkami »J. Amos N. M.« Ono »M« znamenalo totéž, co v podpisu »J. C. N. M.«

M. = Moravský.

Jan Comenius Nivnický Moravský. Nebo z Moravy.

Nikde ve světě nezapomíná, odkud pochází. Nikdy nezapomíná na důležité »M«.

Ano, pokývnete hlavou ... Co však ona poznámka týkající se Brna nebo Olomouce, cožpak měl Komenský vztah k těmto moravským městům? Těžko říci, nevím ...

Ale přes vzdálenost věků zůstává podivuhodnou skutečností, že nedlouho před smrtí, když skicoval své nedopsané dílo Clamores Eliae (Pláč Eliášův), jmenoval je ve zvláštní souvislosti: „Dá-liť bůh MP., jedno dedykuj vlasti, v Olomouci neb Brně ať jest — a knihu o tom spíšíc, dedykuj jim a tisknouti dej ...“

Tajemná zkratka MP značí »mobile perpetuum«, které chtěl Komenský v závěru svého života objevit či vynalézt, aby jím pomohl své těžce zkoušené a v tragické situaci se nacházející vlasti. Všechno už zklamalo: švédští spojenci i další zahraniční přátelé, je téměř na konci svých sil a zoufale hledá, čím změnit osud. Čím pomoci své zemi kulturně i politicky. Tehdy si také načrtává velkolepý plán k zamyšlené práci Všenáprava vlasti. Už název říká vše ...

Vědec, jaký se rodí jednou za stovky let. Uvažuje, komu své dílo věnovat, a tehdy slábnoucí rukou poznamenává: *„Milé matce mé, vlasti, zemi Moravské, jeden z věrných synů jejich ...“*

Zemi moravské.

Je neopakovatelná: dramatická (vzpomeňme na podzemní řeku Punkvu a propast Macochu), historicky závažná (kolikrát třeba sehrála její města význačnou úlohu v minulosti!), poetická se svými Jeseníky, beskydským Radegastem i rožnovským skansenem, voňavá (kroměřížská Květná zahrada okouzlí v každém ročním čase).

Úrodná, její hanácké lány jsou rozběhlé až k obzoru, pilná (kdo by neznal ostravské hutě a doly), tragická: slavkovský památník dodnes připomíná zbytečnou smrt prostých lidí. Stejně i Ploština. A další místa, kde se střetl život s násilím.

Země moravská ...

Letopisy francké nazývaly v roce 821 obyvatele této krajiny Marvani, později — v roce 873 — Maravi. I její německý název byl odvozen ze jména slovanského, řece říkali Maraha. Od té doby uplynula staletí, lužní les u Lanžhota či prales Mionší je pamatuje, snad i vinice na Slovácku. Tam byla kolébka Staré Moravy, označované mnohými historiky jako Velkomoravská říše. Ve své době měla evropský význam — a její památky dnes vzbuzují (pečlivě odkryty prací archeologů) údiv odborníků i laiků. Odtud se šířilo křesťanství dál, tady vznikaly první písemné památky našich předků, psané staroslověnsky, tady panoval Mojmír, Rastislav i Svatopluk, tady někde stála „ona nevyslovitelná pevnost, všem odedávna známým nepodobná" (jak v údivu nad její neopakovatelností napsal v roce 869 třetí fuldský kronikář).

Markrabství moravské, tak se říkalo ve středověku, přesněji řečeno od roku 1197, kdy dal Moravu Přemysl Otakar I. jako léno koruny České Jindřichu Vladislavovi. Už o pár let dříve — roku 1174 — se konal v Brně první sněm ... A rodily se další

VRANOV NAD DYJÍ

MORAVSKÝ KRAS -
MACOCHA

generace, umíraly, bojovaly, žily v míru i válce, přicházela knížata, markrabí (jedním z nich byl i Karel IV.), a v roce 1570 vydal P. Fabricius, občanským povoláním lékař císaře Ferdinanda I., mapu Moravy. Později vyšla v Antverpách — a tak se dostala tvářnost země do evropského povědomí. Mapa to nejlepší nebyla, Jan Amos Komenský si to uvědomoval. Znal dobře Moravu, prošel ji podrobně, studoval ve Strážnici, v Přerově, později se stal učitelem školy ve Fulneku, sbíral látku pro spis Starožitnosti moravské, po bitvě na Bílé Hoře se ukrýval na mnohých místech země — a to vše mu poskytlo dostatek poznání, aby mohl vytvořit novou mapu Moravy, podrobnější než byla Fabriciova. Dokončil ji v exilu, kde také v roce 1627 vyšla a stala se na dlouhé věky nejpřesnějším a nejlepším pohledovým zobrazením moravské země.

ZÁMEK
V JAROMĚŘICÍCH NAD ROKYTNOU

TŘEBÍČ -
ROMÁNSKOGOTICKÝ PROSTOR BAZILIKY SV. PROKOPA

Kolikrát se asi na ni zadíval, když bloudil světem. Připomínala mu nejen mládí a několik šťastných let v kruhu rodiny (první žena zemřela Komenskému se dvěma syny na mor ve Fulneku), ale především se mu vybavovala domovina v její nejvlastnější podobě: tu kopec, tam údolí, tady pár stromů naznačuje listnatý či jehličnatý les, řeky se klikatí, vedou přes ně mosty a můstky, městečka s několika domy, opodál zámek či věž kostela ... ano, to je ta země moravská, na kterou nemůže zapomenout, protože představuje domov.

V dopise Petru Montanovi, amsterodamskému knihtiskaři, napsal 10. prosince 1661: „Především však prohlašuji, že jsem nikdy neměl v úmyslu po latinsku něco psát, natož vydávat. Brzy v mládí pojala mne touha, abych *toliko pro svůj národ* složil v mateřštině nějaké knihy a jemu tím prospěl, a ta touha mne neopustila po celých

těch padesát let ... Předně abych dokonale ovládl svůj jazyk, jal jsem se roku 1612 (byl jsem tehdy v Herborně) skládat Poklad jazyka českého, to je co nejúplnější slovník, přesnou mluvnici, ozdobná a výrazná zvláštní rčení a přísloví. Jejich pozorným sbíráním jsem tuším dokázal, co snad pro národní řeč nikdo jiný ... Když toto neobyčejně pracné dílo (čtyřiačtyřicet let) bylo jižjiž připravováno pro tisk (roku 1656), shořelo spolu s celou mou knihovnou, tiskárnou a celým městem Lešnem požárem tak neočekávaným, že nic z něho nemohlo být zachráněno. Této ztráty přestanu teprve tehdy želet, až dodýchám ..."

Kolik lidí by nejen želelo, ale ztratilo všechnu chuť a energii k další práci. Co síly muselo být ztajeno v tom moudrém obličeji i mozku, který vyznával: „Jen činný život je vpravdě životem, zahálka hrob člověka za živa."

V další části dopisu se svěřuje Montanovi, jak chtěl vytvořit první českou encyklopedii — a znovu si všimněme, čím to zdůvodňuje: „Pojav naději *přivést k lesku svůj mateřský jazyk,* začal jsem se obírat úmyslem pustit se do základního díla, v němž by byly všecky věci tak popsány, že by je našinci mohli mít doma, jestliže by bylo zapotřebí poučení o kterékoli věci, jako nějaký výtah z knihoven. Nazval jsem je Amphitheatrum universitatis rerum (Divadlo veškerenstva věcí) a rozvrhl je do 28 knih. Poslední úpravu tohoto díla a jeho vydání překazil náhlý příchod mého vyhnanství. Ale jednu z hlavních částí (knihu druhou, probírající ve 125 kapitolách věci přírodní) zničil požár lešenský . . .“

Mohl bych citovat další Komenského listy, úvahy, poznámky — a téměř všem by byl společný stejný jmenovatel. Jedna dominanta určovala většinu jeho jednání:

OLOMOUC -
NÁMĚSTÍ S RADNICÍ
A SOUSOŠÍM N. TROJICE

KROMĚŘÍŽ -
KVĚTNÁ ZAHRADA

vztah k vlasti. Ta patřila k hlavním podnětům Komenského tvorby, ať už umělecké či vědecké. Téměř na začátku jeho činnosti stojí spisek Truchlivý, to jest Smutné a tesklivé člověka křesťanského nad žalostnými vlasti a církve bídami naříkání (vznikal v letech 1622—1623) — a v něm je tato pasáž:

„Truchlivý: Na všecky strany zle, ukrutný, krvavý meč hubí mou milou vlast, zámkové, hradové a pevná města se dobývají, městečka, vsi, krásní domové a chrámové plundrují a pálí, statkové se loupí, dobytkové zajímají a hubí, nebohý chudý lid se ssužuje, trápí, po místech morduje a zajímá ...

Rozum: Že se nad těmi žalostnými věcmi, kteréž se dějí, troudíš, toho já tobě haněti nemohu. Nebo(ť) necítiti v věcech odporných žádné bolesti, špalka jest vlastnost a ne člověka; ... Avšak tohoť chváliti nemohu, že sobě své bídy a vlasti nad slušnost

zveličuješ, jako by aneb žádný podobných věcí v světě netrpěl, aneb to neštěstí, v kterémž nyní jste, v štěstí se vám obrátiti nemohlo ..."

Znovu vyzařuje z Komenského slov naděje, činorodý vztah, vedoucí k překonávání překážek a bolestí. Chápe, že pláčem a bědováním se situace vlasti nezmění. Proto do úmoru pracuje, proto když píše londýnskému organizátoru »vševědných snah« Samueli Hartlibovi (z Lešna koncem roku 1633), nezapomene poznamenat:

„Neměl jsem původně nic jiného v úmyslu, nežli složit několik knih k užitku své vlasti, jestliže by nás Bůh do ní navrátil, aby tu bylo pohotově něco, čím by se po tak hrozném zpuštění Antikristově dalo snáze v ní obnovovat křesťanství. Soudil jsem, že jediným prostředkem k tomu by bylo znovuzřízení škol ve všech městech, městečkách, vesnicích i nejmenších osadách. A proto jsem vymyslil způsob, až dosud

≪
POHLED Z KEPRNÍKU
NA VOZKU

ŠTRAMBERK -
HRADNÍ VĚŽ TRÚBA

MIONŠÍ -
PRALESNÍ POROST

tuším neslýchaný, kterak všude zřídit školy snadno a šťastně: totiž rozvržením souboru všelikých vědomostí a takovým způsobem jejich podávání, že by bylo možné, ba i snadné, aby všichni školní svěřenci byli před svým pětadvacátým rokem vzděláni ve všem, čeho je nezbytně zapotřebí pro život hospodářský, politický nebo církevní; a to zase ještě tak, aby stovky nebo i tisícovky poznatků mohl podávat jeden a týž učitel s menší snad námahou, než s jakou jsou vzděláváni jednotlivci ..."
Učitel národů, to není fráze. Ještě doma, před odchodem do exilu, začal pracovat na jedné ze svých nejvýznamnějších knih, na Didaktice, v níž žádal, aby se vyučování provádělo — v té které zemi — mateřským jazykem, jen ten může zaručit zdárný výsledek. Přitom rozděloval celý vzdělávací cyklus na čtyři etapy: školu mateřskou, národní, latinskou a akademii. Když spis dokončil (bylo to v Lešně roku 1632),

Rožnov
pod Radhoštěm -
skanzen
valašské architektury

Beskydy -
pohled ze Soláně
k Radhošti

přidal k němu i svou studii O obnovení škol v Čechách. Znal jejich situaci — zvláště na Moravě — z vlastní zkušenosti, vždyť učil v Přerově i jinde. V zemi existovalo po řadu století množství církevních škol; od 13. století vznikaly i školy městské, máme například zprávy k roku 1225 o učiteli Petrovi ve Znojmě, k roku 1288 o městské škole v Jihlavě, v roce 1270 dává Hlubčicím privilegium sám Přemysl II. Otakar (se zmínkou o škole). Morava měla silné a dobré školství, ne náhodou sehrály zdejší tiskárny důležitou úlohu při vydávání školních knih. Už v roce 1491 byla v Brně vytištěna velmi používaná latinská gramatika Donat, v Prostějově zas vyšla roku 1561 Melanchtonova latinská mluvnice, ale především — a to zaslouží zdůraznění — byl v Prostějově vydán v roce 1547 Slabikář český, první v celém slovanském světě. Mohl tedy Komenský navazovat na vyspělou kulturní tradici —

a dokázal to způsobem, který si získal světové uznání. Z polského Lešna byl pozván do Anglie (v roce 1641), aby zde vybudoval sbor »učených mužů«, kteří by bděli nad vědou ve světě (Komenský dokonce navrhoval vytvořit jeden »učený jazyk«, jenž by byl všem společný), dostává i nabídku, aby přepracoval učebnice pro švédské školy; v roce 1650 ho zve sedmihradský kníže, Jan Amos má v Uhrách (v Šarišském Potoku) zřídit podle svých teorií školství. Tady — vyvolán praktickou potřebou — vzniká slavný Orbis pictus (Svět v obrazech), jakási první ilustrovaná kniha pro mládež. A pak znovu Lešno, vzpomínky na domov se prolínají s další prací, v níž hledá útěchu. Stárne, ale nepřestává přemýšlet, jak pomoci svému národu. Už v Kšaftu umírající matky Jednoty bratrské to vyslovil před časem zcela přesně: „Na tebe, národe český a moravský, vlasti milá, zapomenouti také nemohu při svém již

PLOŠTINA - PAMÁTNÍK PARTYZÁNSKÉ OSADY,
VYPÁLENÉ NACISTY

HRAD BUCHLOV -
POHLED PŘES HODINOVOU VĚŽ K CHŘIBŮM

dokonalém s tebou loučení..." Postupně chápe, že se domů nikdy nevrátí, skončila třicetiletá válka, česká a moravská země zůstaly Habsburkům a exulanti cítí, že všechno prohráli. Ne vlastní vinou... Tehdy nachází Komenský azyl v Amsterodamu v domě Vavřince de Geera, kde od roku 1656 žije i se svou rodinou. Má úctu vzdělaného světa, je ctěn, uznáván, ale jeho duše ani tehdy nezapomíná na domov. Na krajinu plnou slunce, vinohradů, obilných polí, na lidové písně, které slýchával v mládí na lukách při senoseči, vždyť je to „země oplývající mlékem a strdí", jak napsal v Clamores Eliae. V tomto rukopise také poznamenává, že by se jednou mělo doma založit „sedm Collegii Lucis — aneb něco podobného"; jakési sídlo světového sboru světla, který by řídil kulturní a politické věci veškeré lidské společnosti...

MIKULOV   LEDNICE - MINARET V ZÁMECKÉM PARKU

114 · 115

Sen? Snad. Ale Komenského pevná víra, že „po přejití vichřic hněvu … vláda věcí tvých k tobě se zase navrátí", měla v sobě světélko naděje, znal přece svůj národ a byl odhodlán vše mu obětovat; znovu opakujme, jak formuloval dedikaci svého díla: „… milé matce mé vlasti, zemi Moravské, jeden z věrných synů jejich …"
Sen. Víra. Naděje.
Asi rok poté, co Jan Amos Komenský na podzim 1670 zemřel, napsal na něj mladý filozof G. W. Leibnitz báseň:
„… nevzdej se naděje své:/ vždyť smrt Tvou přečká Tvé dílo. / Semena, která jsi sil, / v úrodnou zapadla prst: / vbrzku potomstvo sklidí Tvou žeň, / jež nyní již klíčí … / Nadejde, Komenský, čas, / kdy zástupy šlechetných budou / ctít, cos vykonal sám, / ctít i Tvých nadějí sen.

PETROV -
SKUPINA VINAŘSKÝCH SKLÍPKŮ

LUŽNÍ LES
U LANŽHOTA

116 · 117

Třetí PŘÍBĚH se odehrává na Slovensku. V Bratislavě i na Devíně, na Nitransku, v Uhrovci, pod Tatrami v Mikuláši, v Čachticích — a konečně v Modré. Tam končí, smrt byla silnější.

Třetí příběh vypráví OSUD BÁSNÍKA. I když on sám se chvílemi považoval za politika či rebela, organizátora společenského života, sběratele lidových písní, řečníka.

Čím vlastně byl Ľudovít Štúr?

„My chceme svobodu!" — tak zněla jeho první slova poté, co ho zvolili poslancem na sněm za město Zvolen. Byl 17. listopad 1847; druhou řeč proslovil o čtyři dny později: „... vec človečenstva nás k tomu vyzýva, aby sme zásadu oslobodenia ľudu raz už vyslovili ... Podľa môjho náhľadu stojíme na hraničnej čiare dvoch vekov, a síce jedného zapadujúceho, v ktorom sa práva len jednotlivým osobám a kastám dávali, druhého svitajúceho, v ktorom sa ony každému zaslúženému, v opravdivom zmysle vzatému človekovi povolia a nasúdia."

Mám citovat třetí vystoupení Ľ. Štúra na zasedání sněmu 15. ledna 1848? „Ľud náš ... musí s hladom bojovať. Keby pri tomto nešťastí ešte ho to postihnúť malo, že by ani vyučovanie vo svojej materinskej reči nedostal, teda by sa naozaj do sprostoty celkom pohrúžil a do hrozného duchovného a materiálného zanedbania upadol."

Tady hovoří o tom, co tvořilo nejbližší oblast jeho zájmu: mateřský jazyk. Už dříve pochopil, že jazyk patří k důležité zbrani každého národa. Štúr jím vládl vynikajícím způsobem, dík jemu se stala slovenština plnoprávným bratrem ostatních slovanských jazyků ... Nedošlo k tomu ovšem naráz. I on sám psal nejdříve básně česky, básně společensky ostře zaměřené:

Vzhůru, vzhůru ty zástavy rodu slovenského / kdokoliv jsi Slovák pravý, chop se meče svého, / třebars i zemřeme, co svobodní zemřeme, / vlast však ochráníme, z jarma vyprostíme. / Ač padneme, však padneme hodní svého rodu, / vnukům našim nabudneme volnost a svobodu.

Nebo verše milostné, které vznikly jako ohlas na jeho lásku k Marii Pospíšilové, dceři nakladatele a knihkupce Jana Hostivíta Pospíšila. Když se totiž Ľudovít Štúr vracel z univerzitních studií v Halle, zdržel se v Praze a potom zavítal i do Hradce Králové:

Tatra se halí, jinoch zarmucuje: bouři po celý čas žití zemského;
co by Ti bylo z jinocha smutného?   on v jejím víru na vše zapomene,
Z jinocha, jemuž všecko prorokuje   jen někdy kradmo na drahé vzpomene.

Tady ovšem cítíme nejen lásku, ale především Štúrovo sebezapření, s jakým ji překonává. Chce naplnit svůj život prací pro druhé, pro společnost — a domnívá se, že nemá právo vzít s sebou na tuto bouřlivou cestu i milovanou dívku ... Žil v době, kdy romantismus naplňoval duše i srdce. Kdy velká slova měla svou platnost. Kdy koncem roku 1837 v dopise příteli přiznává: „Druhý list mne pohřižil do zármutku, vida z listu Tvého bídu a utlačení nevinných rodáků našich. Ó bratře, nad tímto já častěji lkávám a věru nemáme, nemůžeme býti veselými, dokud tento stav tíží rodáky naše."

Cesta to nebyla snadná.

Kde začít? Slovensko tehdy živořilo pod maďarskou nadvládou, která byla silná zvláště ve městech. Národní hnutí slovenské mládeže hledalo oporu v myšlenkách slovanské vzájemnosti, tak jak ji hlásal Jan Kollár a vědecky zdůvodňoval Pavel Josef Šafařík. Ľudovít Štúr pocházel z rodiny varhaníka a učitele v Trenčíně, u něhož bydlel v podnájmu po dva roky student František Palacký (1810—12). Palacký později vzpomínal: „... bydlel jsem u Samuela Štúra, varhaníka, dobrého muže, jehož umění jsem se i sám trochu naučil." Během doby se však finanční poměry Samuela Štúra zhoršily, takže musel odejít na venkov na panství hraběte Imricha Zaye — a tady se 29. října 1815 narodil v obci Uhrovci i Ľudovít. Dvanáct let tu žil, učil se ve škole svého otce a poznával krásy zdejší přírody ...

BRATISLAVA -
POHLED Z HRADU NA STARÉ MĚSTO

BRATISLAVA -
SLOVENSKÁ NÁRODNÍ GALERIE

Kdo by nemiloval slovenský kraj... Čistý, neporušený, jeho poezii v Považí či v údolí Hronu, jeho vrchy a hory, doliny plné voňavých květin, kraj jánošíkovských zbojníků i lidových písní s melodiemi divokými i zasněnými.

Obraz tohoto domova si odnášel Ľudovít v srdci, když odcházel na dva roky studií do Rábu. Měl se zde naučit maďarsky, latinsky i řecky, jeho však především zajímala historie. Proto později — po příchodu do Bratislavy, kde studoval v letech 1829 až 1834 — ví, alespoň přibližně, co chce. K čemu směřuje. Co dělat...

Bratislava — či jak se tehdy říkalo Prešpurk — měla dobrou kulturní tradici, divadlo, slovenský Týdeník, vydávaný profesorem Jiřím Palkovičem, knihkupectví, tiskárny, především však vyšší školy: právnickou akademii a lyceum. Na něm existovala katedra československé řeči a literatury; čeština totiž měla stále tehdy funkci pí-

RAMENO DUNAJE
V NÍŽINĚ OSTROVA

TOPOĽČIANKY

semné spisovné řeči. Od roku 1827 se studenti lycea scházeli na soukromých schůzkách, kde si doplňovali vzdělání a ustavili tak česko-slovenskou Společnost, v níž se recitovaly básně a vzájemně předčítaly práce jednotlivých členů. Mezi ně patřil i Ľudovít Štúr. Byl horlivý, pracovitý, houževnatý. Zdálo se, že nic nemůže překazit jeho rozlet, hltá knihy, které by mu mohly dát co nejširší rozhled, píše básně, dostává se do čela své generace. Tehdy však dochází k situaci, která mohla znamenat konec všech jeho snah: starší bratr Karol dostudoval a odchází tedy z Bratislavy na Považí jako vychovatel, přestává proto Ľudovíta podporovat, ten se dozvídá z domova, že i tam se zhoršila finanční situace a otec že mu už pomáhat nemůže — a co bylo dál, o tom hovoří zápis Společnosti z konce ledna 1834; Štúr ještě před zkouškami opouští školu: „... se slzami se od Společnosti odebral, slibuje, že ačkoli tělem

vzdálen, duchem vždycky jí přítomen bude, pročež ji o to žádal, aby jej i budoucně co svého člena považovala a práce, jež prozatím doručí, posoudili ..."

Nastoupil jako hospodářský úředník na panství hraběte Zaye, kde byl zaměstnán i jeho otec.

Vykonává svou práci a v kapse má básnické knihy Kollárovy, zapisuje si lidové písně, touží po bratislavských přátelích, po škole; většina ostatních úředníků těžko chápe jeho vlastenecké nadšení i snahy, přitom si každým dnem hlouběji uvědomuje sociální situaci slovenského lidu, je nešťastný — a tehdy dostává list od básníka Samo Chalupky. Snad to byla poslední kapka, pak se rozhodl: ano, vrátí se zpět, postaví se na vlastní nohy, bude dávat kondice, nějak se uživí. Na podzim 1834 je už opět mezi svými, stává se tajemníkem Společnosti a vnáší do její práce elán, sdružu-

BANSKÁ ŠTIAVNICA

BOJNICE

ZŘÍCENINY
HRADU HRUŠOVA
≫

je kolem sebe zástup stejně odhodlané mládeže, kterou vede k tomu, aby pochopila, že člověk-jedinec má před sebou vyšší úkol: sloužit svému národu. V dopise příteli o tom píše:

„Dělej, co můžeš, věř mi, bratře, není účelu vznešenějšího nad onen národu něco dělati, ten Tě opojí blahem, zbaví starostí a pozdvihne klesajícího. Sama zajisté myšlenka ona dělati něco pro všeobecnost jest již nejdůstojnější... Národ jest předmět můj, k účelu tomu téci mějí všecky hodiny života... Život náš dejme národu."

Pro Společnost buduje knihovnu, rozvíjí korespondenci s českými buditeli Palackým, Čelakovským, Jungmannem, byl ve styku se studentskými Společnostmi v Levoči, B. Štiavnici, Kežmarku i v Prešově, organizuje výlety do okolí Bratislavy a tam se všichni cvičí v recitaci a řečnictví a zpívají plni slovanského nadšení

národní písně. Tedy přesně totéž, co podniká v Čechách se svými přáteli Karel Hynek Mácha, který putuje na Karlštejn, Štúr zas na Devín. Došlo k tomu v neděli 24. dubna 1836, Ľudovít sem přišel se svými nejbližšími a tady ustavil vlastenecký kroužek, jehož členové přijali ke křestnímu jménu i druhé slovanské, aby tím dokumentovali své vlastenectví. Od té chvíle se například Jozef Hurban vždy podepisuje Jozef Miloslav Hurban... A abychom připomněli: totéž se dělo i v Čechách; Hynek Mácha přijímá vlastenecké »Karel«, Erben zas »Jaromír«. Vztah mezi českými a slovenskými obrozenci byl skutečně bratrský, plný úcty a vzájemného porozumění. Štúr jako místopředseda Společnosti dbal na to, aby její noví členové prokázali „gramatickú známosť českej reči"; kdo to nezvládl, byl přijat pouze za člena mimořádného. Česko-slovenská solidarita a slovanská vzájemnost nebyly prázdnými pojmy, družina kolem Ľudovíta Štúra je naplňovala každodenní činností. Když se ve

STREČNO   VRÁTNA DOLINA   POHLED Z VEĽKÉHO FATRANSKÉHO KRIVÁNĚ
<   V MALÉ FATŘE   NA VEĽKOU FATRU

136 · 137

Společnosti usnesli, že nejzdařilejší práce vydají tiskem, stává se jedním redaktorem i Štúr — a v dubnu 1836 se objevuje *česky* psaná knížka Plody zboru učenců řeči českoslovanské prešporského. Michal Miloslav Hodža zde hlásal ideu „pěkné řeči československé", kterou chápal tak, že nebude „ani obecná česká, ani pouhá slovenská, ale snažností umělců z obou vykvětlá a nad oběma vyvýšena".

Ještě přesněji to vyslovil Ľ. Štúr: „Kéž by Čechové ne jen slova naše přijali původní slovenská, ale i v dobách mluvnických jen o něco ustoupili..." Myslel to spravedlivě, kdykoliv se zasazoval o jazykovou a literární jednotu »československou«, vždy ji chápal jako syntézu, „ne jako potlačení slovenských odchylek a zvláštností". V listu Fr. Palackému napsal: „Jist jsem toho, že Společnost naše novým, nečekaným jevištěm bude *národnosti Slovenska...*"

Měl pravdu. I když se všechno vyvinulo během doby jinak, než původně zamýšlel.

ORAVSKÉ PŘEHRADNÍ JEZERO ORAVSKÝ HRAD

Ale k tomu bylo zapotřebí ještě několika let, aby situace dozrála. I to Štúr správně odhadl, v dopise do Prahy poznamenal: „... vím, že Slovensko o tři roky jinou podobu míti bude."

Královská uherská místodržitelská rada v Budíně mezitím pochopila, že studentské Společnosti (nejen v Bratislavě) ohrožují klid mocnářství. Zakázala je proto. Ale nemohla vzít štúrovské generaci ideály, energii a probuzenou lásku k národu. Ne nadarmo říkal Ľ. Štúr: „Čím větší bouře, tím větší odpor, tím více ducha u nás ..."

Rozhodl se, že studia dokončí v Německu, původně v Berlíně, ten pak zaměnil za Halle, kde bylo laciněji. Dva roky tu poslouchal přednášky jazykovědné, historické, filozofické, seznámil se zde i s Hegelovým pojetím dějin (po epoše románsko-germánské nastane epocha slovanská), využíval každé chvíle k tomu, aby pro svou

budoucí činnost — všemi prostředky pracovat pro rozvoj Slovenska — získal co nejhlubší a nejširší vzdělání. Možno proto říct, že když se začátkem listopadu 1840 vrací do Bratislavy, přichází jako vyrovnaný, cílevědomý muž, který zná svůj cíl. A je na něj dobře připraven. Už před časem (ještě za pobytu v Halle) odmítl návrh, aby se stal profesorem teologie v Kežmarku. Napsal přátelům: „Oznamuji Vám neodvolatelně, že já té (kežmarské) stolice na žádný způsob nepřijmu, přijati nemohu, jelikož mimo všecku neschopnost mou k profesorátu bohosloveckému mám sto důležitých příčin, proč to naprosto zavrhuji ..."

Které to byly? Katedra československé řeči na bratislavském lyceu (vedl ji prof. J. Palkovič) měla svůj kulturně politický význam. Štúr to věděl, a proto se chtěl na ní stát suplentem. Úřady to dlouho odmítaly, jméno Ľudovít Štúr už mělo svůj zvuk

a pověst. Živil se tedy dáváním kondic, vypomáhal Palkovičovi, chtěl založit slovanské knihkupectví, píše články proti maďarizaci na školách i v církvi, snaží se získat pro katedru lepší postavení, cenzura zakázala jeho spisek Starý i nový věk Slováků, v němž konfrontoval slavnou minulost s kritickou situací současnou. V roce 1841 se konečně stává Palkovičovým zástupcem — a to mu otvírá další pracovní možnosti i burcuje všechnu jeho energii. Otec ho varuje, současně však také povzbuzuje: „Nepouštěj se daleko s hrabětem (Zayem) ve věci naší, ale synu můj, co je pravda, musí zůstat pravdou, byť by nám i mnohých trápení a neštěstí trpěti bylo."

Jeden z hlavních úkolů, které si Štúr dal, zněl: probojovat slovenské noviny. Pobyt v cizině i v Praze mu zřetelně ukázal, že bez novin psaných národním jazykem — tedy zcela srozumitelným každému, především lidovým vrstvám — se zápas o nové Slovensko těžko podaří vyhrát. Už starší bratr Ľudovíta Karol se pokoušel v letech

>

POHLED Z ĎUMBIERU   ÚDOLÍ BOCIANKY   NÍZKE TATRY,   KRIVÁŇ
K PRAŠIVÉ A TANEČNICI   V NÍZKYCH TATRÁCH   OKNO V MASÍVU OHNIŠTE   VE VYSOKÝCH TATRÁCH

1838—39 o „návrh, plán a starání se z ohledu vydávání československého časopisu Samolet Slovenska." Později Hodža, po něm — po návratu z Halle — i Štúr si kladl za cíl realizaci těchto plánů. Skicuje obsah novin, dělá anketu o jejich názvu, vybírá případné spolupracovníky, uvažuje o kolportáži, chtěl by, aby noviny měly i přílohu — a už v létě 1841 je připravena žádost a navržen titul: Slovenské Národní noviny s vědecko-zábavní přílohou Orol tatránski. Jak budou zaměřeny? „. . . hledíce (na) potřeby lidu našeho, budou pak v nich přijímány i články ve vlastním našem slovenském nářečí . . ., aby byly opravdu slovenskými novinami a všem nám zadostčinily," charakterizuje jejich obsah Štúr.

Tento výrok je důležitý, protože ukazuje, jak se postupně měnil Štúrův názor na jazyk. Ještě v roce 1836, tedy před šesti lety, píše: „My sme v pravém očistci, poně-

vadž píšíce pouhou češtinou, našemu pospolitému lidu přístup ke čtení zamezujeme; ukloníce se k nářečí našemu, od Čechů se odtrhujeme." Tady přesně naráží na problém, který bylo třeba řešit.

Žádost o noviny byla v Budíně posléze odmítnuta, Štúr se však nevzdává a píše další žádost. A mění název: Slovenskje Národňje Novini. Což byl historický čin, štúrovská družina pochopila — a především hlavní představitel Ľudovít Štúr —, že jejich specifické národní potřeby nemohou hledat oporu v mlhavé myšlence „kultury a jazyka československého", představující v každém případě kompromis, ale musí nalézt sílu k vlastní svébytné existenci slovenské. To se událo v roce 1843.

Samo B. Hroboň poznamenal: „Deň skríseňja slovenčini 14. únor 1853 mezi 3. a 5. po poludní. Ľ. Štúr, J. Fimavskí, Janko Vozár, Janko Kalinčjak, Janko Lovinskí, ku

konci Samko Štúr." Bylo to rozhodnutí kulturně politické a bylo správné. Proklamace samostatného slovenského jazyka znamenala čin rozhodující, i když ten vyvolal mnohé boje, rozpaky a nesouhlas. V roce 1844 napsal Štúr Hodžovi: „Žiadne malichernosti, jak je Boh nado mnou, nepohli ma k slovenčine, ale rozmyslenie sa nad Slovanstvom ... stojím pri slovenčine s celou dušou a budem ju brániť o dušu. Proti Čechom my nemáme žiadnej kyselosti: chraň nás Boh."

Tím, že se povýšilo lidové nářečí středoslovenské na spisovný jazyk, se demokratizovala celá budoucí slovenská kultura, která tak přímo vyrůstala z lidových tradic. Pochopit historický vývoj svého národa není lehká věc, Ľudovít Štúr to dokázal.

A tak dnes celá země, — které oblasti jmenovat, aby se neukřivdilo druhým? — dýchá šťastně, volně. Kriváň, Strečno, Levoča, Bardejov, Spišský hrad, Košice, ale

PANORÁMA VYSOKÝCH TATER
ZE SPIŠSKÉ DOLINY
<

PIENINY -
TRZY KORONY

KOSTEL SV. VORŠILY
VE VÝBORNÉ

154 · 155

BARDEJOV -
NÁMĚSTÍ S RADNICÍ

ZVONICE
V KEŽMARKU

HLAVNÍ OLTÁŘ KOSTELA
SV. JAKUBA V LEVOČI

i Juráňova dolina, Jánošíkovo okno, Havrania skala ve Slovenském raji, Štrbské pleso, Dunaj, Súľovské skaly — to všechno tvoří tu neopakovatelnou krajinu, kde „hromy divo bili...“ — až zvítězily.

V létě — 11. až 16. července 1843 — se v Hlbokém sešel Štúr s Hurbanem i Hodžou a slíbili si, že dostanou slovenštinu „zo života do spisov“. Štúr poté píše studii, v níž zdůvodňuje proklamaci: spisek nazval Nárečja slovenskuo alebo potreba písaňja v tomto nárečí, — a koncem roku 1843 tvoří Náuku reči slovenskej, kde vysvětluje soustavu nového spisovného jazyka.

Začíná další epocha slovenského národa.

Epocha nového vztahu k národu českému; Ľudovít Štúr to vystihl nejpřesněji:

„Budú si vari daktorí aj to myslieť, že sa od Čechov odtrhnúť chceme, ale zachovaj

nás Boh od odtrhnutia. Kto sa teraz od bratov svojich trhá, padne pod najťažšiu odpoveď pred národom naším. My v tomto sväzku s nimi, ako sme boli, aj naďalej ostať, čokoľvek znamenitého vyvedú, si osvojovať, s nimi v duchovnom spojení stáť, a kde im budeme môcť čo dobrého urobiť, vykonať chceme, ako to naspäť od nich ako bratov očakávame."

Mohli bychom dále sledovat osud Ľ. Štúra (na podzim 1843 mu zakazují v Bratislavě přednášet, proto jeho nejbližších dvaadvacet spolupracovníků odešlo na protest pokračovat ve studiu do Levoče), mohli bychom vyprávět o jeho pronásledování po revoluci 1848, o údobí, kdy žije v Modré pod policejním dozorem a tady posléze tragicky v lednu 1856 umírá — ale to podstatné bylo už řečeno: básník Ľudovít Štúr se zasloužil o probuzení slovenského národa.

PROGRAM NOVÉ ČESKOSLOVENSKÉ VLÁDY Národní fronty Čechů a Slováků přijatý v Košicích 5. dubna 1945 začínal těmito větami:
„Po více než šesti letech cizácké poroby přišel čas, kdy nad naší těžce zkoušenou vlastí vzchází slunce svobody. Na své slavné vítězné cestě na západ osvobodila Rudá armáda první části Československé republiky. Tak bylo umožněno díky našemu velkému spojenci Sovětskému svazu, že na osvobozené území se vrátil prezident republiky a byla zde, opět na domácí půdě, vytvořena nová československá vláda.
Nová vláda má být vládou široké Národní fronty Čechů a Slováků a tvoří ji představitelé všech sociálních složek a politických směrů, které doma i za hranicemi vedly národně osvobozenecký zápas ... Nová vláda považuje za svůj úkol, aby po boku Sovětského svazu a ostatních spojenců dovedla tento zápas do konce, do úplného osvobození republiky, přispěla všemi silami českého a slovenského národa k plné porážce hitlerovského Německa a učinila první kroky pro vybudování nového, šťastnějšího života našich národů v osvobozené vlasti."
Košický vládní program, počátek další etapy vývoje českého a slovenského národa ... Střízlivými slovy načrtnutá budoucnost.
Ano, učinit „první kroky" pro výstavbu „nového, šťastnějšího života".
Ten první krok začal při osvobozování republiky na Dukle. Kdo znal do 6. října 1944 to slovo? Několik geometrů, několik vojáků, několik ovčáků. Pak se rozletělo tehdy ještě pokořenou zemí a každý z nás věděl: na Dukle začíná svoboda. Odtud přicházel nový život, který se postupně realizoval. Tady překročila Rudá armáda společně s jednotkami I. čs. armádního sboru pod vedením Ludvíka Svobody československé hranice, aby byla zahájena nová epocha Čechů a Slováků.
Zní to pateticky, ale je to pravda. Ran způsobených fašismem měla země mnoho, na každém kroku se na ně naráželo. Z všedních dnů se rodilo postupně lidově demokratické Československo.
Vyrostly nové závody v místech, kde dříve sídlila bída a hlad: třeba Východoslovenské železárny v Košicích ... Nebo Chemopetrol v Záluží u Mostu. A desítky dalších obrovitých kolosů. Revoluční změny, k nimž došlo v roce 1945 a v roce 1948, kdy byly nejdříve znárodněny velké továrny a pak i ostatní závody, se staly odrazovým můstkem celého dalšího rozvoje národního hospodářství. Právě celospolečenské vlastnictví výrobních prostředků je příznačným rysem socialismu; umožňuje plánovitý rozvoj, který je zase zárukou uspokojení stále vzrůstajících potřeb našich lidí.
I zemědělství prodělalo od roku 1945 obrovité proměny. Dekret prezidenta republiky vyvlastnil (spolu s dalšími akty státní moci a správy) po roce 1945 tisíce hektarů půdy, která patřila fašistickým okupantům, jejich pomahačům a šlechtě. Když potom po Únoru 1948 byla provedena i revize pozemkové reformy z první republiky (týkalo se to 966 714 hektarů), zanikly prakticky velkostatky a postupně docházelo — po přijetí zákona o jednotných zemědělských družstvech v únoru 1949 — k vytváření JZD. Tím se odstraňovala zemědělská malovýroba, která nikdy nemohla

KOŠICE   DUKLA -
<   PAMÁTNÍK KARPATSKO-DUKELSKÉ OPERACE

zajistit vzrůstající spotřebu potravin; revoluční přeměna české a slovenské vesnice mohla být provedena jen přechodem od miniaturních individuálních hospodářství k velkovýrobě, založené na kolektivní práci.

Vznikly lány, které jako by neměly konce. Které výrazně pozměnily českou a slovenskou krajinu. Malíři z 19. století ani z první poloviny 20. století by ji nepoznali. Kosárkova plátna, ale i Slavíčkova, Sedláčkova či Rabasova se stala dokladem minulosti, životní úroveň dnešního venkova patří k nejvyšším v Evropě.

Vyrostly nové přístavy (vzpomeňme na Komárno!), nové přehrady (kdo ještě nebyl na Lipně?), nové dálnice. Mají svou poezii moderních přímek, poezii betonu a železa. Síť železničních tratí je dnes prakticky dokončena a měří přes 13 000 kilometrů, počet motorových vozidel jde do miliónů. Podívejte se na Československo z okén-

ka letadla: je protkáno silnicemi (celkem na 75 000 km), jimiž jako vlásečnicemi pulsuje život, stále se okysličující: český a slovenský člověk zná hodnotu práce.

Byli jsme jedni z prvních na světě, kde stát převzal zodpovědnost za zdravotnictví a sociální péči. Do roku 1948 si musel každý třetí z nás platit — pokud na to měl — náklady na léčbu; potom, po zestátnění nemocnic, léčebných ústavů, lázní a zřídel se všechno změnilo. Továrny na léčiva byly znárodněny, národní shromáždění přijalo zákon o nároku na bezplatné zdravotnické služby, vyšel zákon o národním pojištění. Od roku 1966 mají bez rozdílu všichni občané naší republiky bezplatnou zdravotní péči. Žádné předpisy neomezují náklady na léčbu, lékař se řídí jen potřebami nemocného a diagnózou, kterou sám určí. Náklady na zdravotnictví se uhrazují ze státního rozpočtu. Co si přát víc? Sociální jistota, která vládne v našich zemích,

dává lidem klid. Je zabezpečeno právo na práci, na odpočinek. Byla spravedlivě stanovena věková hranice mužů a žen pro nárok na starobní důchod, v níž jsou zvýhodněni účastníci protifašistického odboje i ti, kteří pracovali za ztížených podmínek. Národní shromáždění přijalo řadu zákonů zajišťujících rodinu i děti. Různými formami poskytuje stát rodinám s dětmi pomoc, existují přídavky na děti, placená mateřská dovolená, příspěvky při narození dítěte, novomanželské půjčky na vytvoření domácnosti.

Kdybychom se podívali do statistik, kolik činily náklady na sociální opatření kdysi a kolik dnes, pravděpodobně by na člověka padla závrať: je to nesouměřitelné. Stejně je tomu i ve školství, vědě, technice, kultuře.

LANOVKA
NA CHOPOK

NOVÁ DÁLNICE
DO BANSKÉ BYSTRICE

172 · 173

1. dubna 1948 schválilo Národní shromáždění zákon o jednotné škole, který vycházel z dědictví J. A. Komenského. Byly odstraněny poslední zastaralé rakousko-uherské předpisy, zestátněny všechny školy a vytvořena jednotná soustava. Ta odbourala diskriminaci předcházejících údobí: školní výuka je bezplatná, principy polytechnizace, zvyšování kvalifikace (i při zaměstnání pro různé věkové kategorie), soustava sociálních, prospěchových a podnikových stipendií, školní jídelny i žákovské domovy a koleje (dotované státem), bezplatná léčebná péče, systém slev na jízdném, odborná učiliště, učňovská střediska s daleko širším zaměřením než kdysi — a především ústavou zaručené právo na vzdělání, to jsou fakta, která se stala samozřejmá, každý z nás je chápe jako něco běžného, obvyklého... Ale není tomu tak v každém státě na světě, přátelé, věru není. Nic není samozřejmé, to je poučení

BRATISLAVA -
SLOVENSKÁ
NÁRODNÍ GALERIE

BRATISLAVA -
TELEVIZNÍ VĚŽ
NA KAMZÍKU

z historie. Jesliže byly založeny desítky nových vysokých učilišť (a nejen pouze v tradičních vysokoškolských městech Praze, Brně, Olomouci a Bratislavě, ale třeba v Českých Budějovicích, Hradci Králové, Košicích, Nitře, Plzni a jinde), svědčí to nejen o růstu kulturnosti našich národů, ale především o tom, jaký vztah má socialismus jako společenský řád k člověku.

Přesvědčíme se o tom letmým pohledem na československou vědu a techniku.

Jejich obrovský rozvoj nebyl určován pouze situací ve světě, nýbrž i tím, jak se změnila naše společnost, která prošla od roku 1945 a 1948 bouřlivými revolučními změnami, a která tedy postavila před vědu a techniku nové úkoly.

Kdysi — za první republiky — byl rozvoj vědy a techniky podřízen potřebám a zájmům podnikatelů, monopolů. Běželo jim především o zisk — a převažovaly

≪
Ztracenec
u Velkých Karlovic -
památník čs. vojáků
padlých r. 1945

Brno -
Janáčkovo divadlo

tedy obvykle orientace značně krátkodobé. Roztříštěná a nekoordinovaná práce se zaměřovala i podle individuálních zájmů na aplikovaný výzkum a vývoj — a početní stav tomu odpovídal: sotva dva tisíce zaměstnanců. Znárodněním výrobních prostředků se po roce 1948 všechno změnilo. Vybudovat socialismus a komunismus nelze bez vědy a techniky, jen plánovitá a dlouhodobá vědeckotechnická činnost, založená na celostátním systému vědeckovýzkumného rozvoje může přinést užitek. Vznikaly nové vztahy mezi výrobou na jedné straně a vědou a technikou na straně druhé. Přestal zkrátka chaos a nastoupil řád. Už v roce 1949 byl přijat zákon o organizaci výzkumnictví v republice, v němž se stanovily rámcové způsoby dalšího vývoje. Když byla potom v roce 1952 vytvořena Československá akademie věd, kde se spojili nejpřednější vědci z různých oborů, vznikla základna, která dala

OSTRAVA ·
OCELOVÉ SRDCE REPUBLIKY

OSTRAVA ·
NOČNÍ PANORÁMA MĚSTA

vyrůst velkolepým výsledkům české a slovenské vědy a výzkumu. Ve spolupráci s odborníky z vysokých škol byly vytvořeny předpoklady pro vědeckotechnickou revoluci, pro vítězství socialismu.

V ústavě naší republiky se výstižně praví: „Stát spolu se společenskými organizacemi všemožně podporuje tvůrčí činnost ve vědě a umění a usiluje o stále širší a hlubší vzdělanost pracujících a o jejich aktivní účast na vědecké a umělecké tvorbě, a dbá o to, aby výsledky této činnosti sloužily všemu lidu."

Ano, socialistický stát podporuje kulturu způsobem, jaký v historii nemá obdoby. Byla postavena nová divadla (třeba Janáčkovo v Brně), nové galerie (v Bratislavě), vznikl systém galerií (v Karlových Varech, Litoměřicích, na Hluboké, v Liberci, Rychnově nad Kněžnou, Olomouci, Brně, Ostravě, Martině, Mikuláši a v Košicích),

<
ŽNĚ
NA ZNOJEMSKU

PLZEŇ -
V POZADÍ ZÁVODY V. I. LENINA

REKREACE
NA LIPNĚ

byla vybudována řada muzeí, vyhlášeny desítky státních rezervací, na celém území státu vznikla síť televizních stanic (televizní věž na Ještědu soutěží svou krásou s vyhlášenými památkami), renovují se staré stavby a dostávají novou kulturní náplň, v pražském strahovském klášteře najdeme Památník národního písemnictví, literární muzeum, jaké nemělo v době svého vzniku na světě konkurenci.

A to jsme ještě nejmenovali každoroční mezinárodní hudební festival Pražské jaro, který se koná od roku 1946, to jsme ještě nevzpomněli na známý Mezinárodní filmový festival, jenž od roku 1946 probíhá v létě v Karlových Varech. To jsme ještě nehovořili o literatuře, kde náklady knih dosahují výšek, které jsou ve většině států na světě nepochopitelné.

Umění má v naší společnosti takovou důležitost a význam, že už v roce 1949 na IX.

sjezdu KSČ byl přijat program socialistické kulturní revoluce, která se stala nedílnou součástí generální linie rozvoje obou našich národů.

Obecný rozvoj, o němž hovoříme, dospěl především na Slovensku k výrazným výsledkům. Kdysi zaostalá země se stala v období socialistické výstavby vyspělým celkem ve všech oblastech společenského i hospodářského života. Aby byl tento vzestup ještě plnější a rychlejší, došlo 27. října 1968 k přijetí ústavního zákona o československé federaci. Jeho slavnostní úvod přesně vystihuje — v obecné poloze — důvody vzniku federace:

„Národní shromáždění Československé socialistické republiky se usneslo na tomto ústavním zákoně:

Televizní věž na Ještědu

Ondřejov - anténní systém programu Interkosmos

My, národ český a slovenský, vycházejíce z poznání, že naše novodobé dějiny jsou prodchnuty oboustrannou vůlí žít ve společném státě,

oceňujíce skutečnost, že padesát let našeho společného státního života prohloubilo a upevnilo naše odvěké přátelské svazky, umožnilo rozvoj našich národů a uskutečňování jejich pokrokových demokratických a socialistických ideálů a spolehlivě dokázalo jejich bytostný zájem žít ve společném státě, zároveň však ukázalo, že náš vzájemný vztah je třeba vybudovat na nových a spravedlivějších základech,

uznávajíce nezadatelnost práva na sebeurčení až do oddělení a respektujíce suverenitu každého národa a jeho právo utvářet si svobodně způsob a formu svého národního a státního života,

přesvědčeni, že dobrovolné federativní státní spojení je odpovídajícím výrazem

HRADEC KRÁLOVÉ -
MÓDNÍ DŮM DON

PRAHA - MEZINÁRODNÍ LETIŠTĚ
V RUZYNI

>
PRAHA - SPORTOVNÍ STADIÓN
EVŽENA ROŠICKÉHO

práva na sebeurčení a rovnoprávnost, avšak též nejlepší zárukou pro náš plný vnitřní národní rozvoj i pro ochranu naší národní svébytnosti a svrchovanosti,
rozhodnuti vytvářet ve společném federativním státě v duchu humanitních ideálů socialismu a proletářského internacionalismu podmínky pro všestranný rozvoj a blahobyt všech občanů a zaručovat jim rovná, demokratická práva a svobody bez rozdílu národnosti,
reprezentováni svými zástupci v České národní radě a ve Slovenské národní radě, jsme se dohodli na vytvoření československé federace."
Nová epocha našich národů byla otevřena.
Nová epocha této nádherné země, která má hrdé jméno Československo... To je ta země má, tvá, naše.

ŘEŽ U PRAHY -
JADERNÝ REAKTOR

PRAHA - METRO, TRASA A,
STANICE MALOSTRANSKÁ

PRAHA - POHLED NA MĚSTO
OD PLAVECKÉHO STADIÓNU V PODOLÍ

MILÍN-SLIVICE -
PAMÁTNÍK UKONČENÍ DRUHÉ SVĚTOVÉ VÁLKY

ŘÍP - PANORÁMA PAMÁTNÉ HORY
V POLABSKÉ ROVINĚ
>

ZEMĚ MÁ

МОЯ ЗЕМЛЯ

DU MEIN HEIMATLAND

MY HOMELAND

MON PAYS

TIERRA MÍA

ZEMĚ MÁ

МОЯ ЗЕМЛЯ

DU MEIN HEIMATLAND

MY HOMELAND

MON PAYS

TIERRA MÍA

Ученый декан капитула Козьма Пражский (около 1045—1125) пишет в своей »Хронике Богемии« (Chronica Boemorum): »Прежде чем начать рассказывать историю, попытаемся коротко изложить местоположение нашей земли чешской и происхождение ее названия... Куда ни глянешь простирается край, со всех сторон окруженный горами, которые удивительным образом тянутся по окружности всей этой земли, так что с виду кажется, будто единый горный массив землю обступает и охраняет«. Далее он продолжает: »А так как предводитель народа, который когда-то сюда прибыл, по имени был Чех, то его именем назвали и всю землю«. Благодаря »Хронике« Козьмы до нас дошли древние предания и легенды, в которых с полным пониманием говорится о радостях и горестях, о добродетелях и пороках рода человеческого, древнейшие легенды страны с гордым названием Чехословакия.

Эта земля со своими долинами и ароматными лугами, со своими широкими полями, где зреют колосья коричневатого оттенка, обладает всем тем, что неразрывно связано с понятием »родина«.

Ее окаймляют горы и леса, протканные нитями дорог, в зеленых берегах протекают по ней реки: величавая Влтава, прославленная чешским композитором Бедржихом Сметаной в одноименной симфонической поэме; Лаба, плавно устремляющаяся к морю, река Морава и река Ваг, а также Дунай.

Земля прекрасная по своему виду и по своей сущности.

Именно такой описал ее Козьма, именно такой он видел ее в то время, т. е. где-то в начале XII в. С тех пор прошло свыше 850 лет. Горы, долины, а порой и реки остались на том же месте, где и были. Но все остальное очень изменилось. В сказках такие перемены происходят по мановению волшебной палочки. В жизни для этого необходим труд. Человеческий труд и разум.

Чехи и словаки свершили это. Путь от славянского лемеха VIII века к полярографу академика Гейровского, обладателя Нобелевской премии, к сопловому ткацкому станку, турбине Каплана, первому чехословацкому спутнику »Магион« был полон крутых поворотов, побед и поражений. Путь этот был проложен по трем областям — Чехии, Моравии и Словакии, — причем каждая из них в прошлом прошла своеобразным развитием. Со временем в землях древней культуры Чехии и Моравии образовался народ чешский, в Словакии — словацкий.

Данная книга, снимки и текст которой рассказывают о Чехословакии, состоит из пяти частей. Вводная часть говорит о становлении государственности двух народов, вторая посвящена Чехии, третья — Моравии, четвертая — Словакии, заключительная часть знакомит читателя с развитием страны от конца второй мировой войны вплоть до наших дней. От момента взятия горного перевала Дукла, по которому освободительные войска Советской Армии и I. Чехословацкого армейского корпуса вступили на территорию страны, до нашей современности.

Три земли (Чехия, Моравия и Словакия) раскрыты в книге с помощью трех рассказов, символически определяющих характер государства.

Чехия представлена в рассказе о ВОИНЕ — выдающемся и непобедимом представители гуситского революционного движения, полководце и политическом деятеле Яне Жижке (1360(?)—1424). Гуситская революция, крупнейшее антифеодальное движение в Европе, превратилась в основу и источник лучших традиций чешской национальной истории.

Рассказ об УЧЁНОМ посвящен моравской земле, ее великому мыслителю Яну Амосу Коменскому (1592—1670) — »Учителю народов«, который стал символом ученого, неразрывно связанного с жизнью своей родины, ее культурой и народом.

Этот представитель будущего устройства дел человеческих, принужденный покинуть свою родину, прославился своей педагогической и научной деятельностью в Англии, Польше, Венгрии (где возникло его произведение »Видимый мир в картинках«), а также в Нидерландах.

Но несмотря на то, что этот реформатор педагогики всемирного значения приобрел в чужих странах глубокое уважение всего образованного мира, его воспоминания были всецело отданы родной Моравии. Ведь Моравия это та самая земля, изобилу-

МОЯ ЗЕМЛЯ

ющая »молоком и медом«, о которой он писал в своем произведении »Плач Элиаша« (Clamores Eliae). Еще до отъезда Коменский начал работать над составлением карты Моравии. Эта карта в течение долгого времени была наиболее точным изображением этой земли. Умер Ян Амос Коменский в голландском городе Наардене.

Место действия третьего рассказа — Словакия, его содержание — судьба ПОЭТА Людовита Штура (1815—1856). Сам себя он считал политиком-бунтарем, организатором общественной жизни, собирателем народных песен и оратором. В 40-е годы прошлого века вокруг него сосредоточилась вся прогрессивная словацкая интеллигенция. »Мы хотим свободы!« — таковы были его первые слова после избрания депутатом парламента. Это было в ноябре 1847 года. Словакия прозябала под венгерским господством, молодежь искала опору в идеях славянской взаимности. Революционность Штура проявилась и в том, что он понял, насколько важным оружием каждого народа является язык, дав импульс к созданию словацкого литературного языка. Возведение народного среднесловацкого диалекта в ранг литературного языка имело демократизирующее влияние на всю будущую словацкую культуру, выраставшую таким образом на основе народных традиций. Людовит Штур и его поколение внесли большой вклад в процесс пробуждения словацкого народа, благодаря этому началась новая эпоха.

Пятая часть книги рассказывает о развитии Чехословакии после второй мировой войны. В буднях рождался новый мир, была осуществлена национализация, которая стала трамплином всего дальнейшего развития национальной экономики. После 1945 года коренным образом изменилось и сельское хозяйство: революционное преобразование чешской и словацкой деревни могло осуществиться лишь на основе перехода от мелкого индивидуального хозяйства к сельскохозяйственному крупному производству, основанному на коллективном труде. В стране возникли Единые сельскохозяйственные кооперативы.

Выросли новые предприятия, шоссе, государство взяло на себя заботу о здравоохранении и социальном обеспечении, расходы на которые предусматриваются государственным бюджетом. Граждане страны имеют право на труд и на отдых, что выдвигает ЧССР на одно из первых мест в мире. Национальное собрание приняло целый ряд законов в поддержку семьи и детей. Столь же важные перемены произошли в области просвещения с возникновением единой системы образования, причем право на образование утверждается Конституцией. Государство оказывает широкую поддержку науке и культуре. После перестройки целого ряда учреждений была создана Чехословацкая академия наук (1952), возник целый ряд научных институтов, что создало все условия для научно-технической революции. Были открыты новые театры (например, Театр им. Яначека в Брно), новые галереи (в Праге, Братиславе и других городах), создана сеть телевизионных станций, возникли новые музеи, например в здании бывшего страговского монастыря находится Музей национальной литературы, который в момент своего создания был лучшим в мире. Десятки мест были провозглашены заповедниками природы, постепенно реставрируются памятники старины, причем на это государство выделяет также значительные средства.

Все это является осуществлением программы социалистической культурной революции, которая стала неотделимой составной частью генеральной линии развития чехов и словаков. А для того, чтобы это развитие было еще более наполненным и быстрым, в 1968 году был принят конституционный закон о чехословацкой федерации. Социалистическая Чехословакия, объединяющая два братских народа — чешский и словацкий, — идет вперед, в будущее. В счастливое будущее.

МИРОСЛАВ ИВАНОВ

Der hochgelehrte Dekan des Domkapitels zu Prag Kosmas (um 1045—1125) schreibt in seiner Chronik der Tschechen (Chronica Boemorum): „Ehe wir an die Darstellung der Geschichte schreiten, wollen wir in aller Kürze versuchen zu schildern, wo unser Land Böhmen liegt und woher sein Name stammt... Ringsum breitet sich eine Landschaft aus, an allen Seiten von Bergen umschlossen, die in eigener Weise das ganze Land umsäumen, sodaß es den Anschein hat, als ob ein zusammenhängender Gebirgskamm das ganze Land einschlösse und schütze." Und weiter bemerkt er: „Weil der Anführer des Volksstammes, der sich hier einstens niederließ, den Namen Čech* trug, wurde das ganze Land so genannt." Dank der Kosmas-Chronik haben sich uralte Sagen und Mythen erhalten, durchdrungen von Verständnis für Glück und Qual, Tugenden und Laster des Menschengeschlechts. Es sind die ältesten Sagenkunden des Landes, das den stolzen Namen Tschechoslowakei trägt.

Dieses Land mit seinen Tälern und duftenden Wiesen, mit seinen weiten, goldgelben Getreidefeldern besitzt alles, was zu dem Begriff Heimat gehört. Es ist von Bergen und Wäldern eingesäumt, durch die sich das Flechtwerk der Wege zieht, und wird von Flüssen mit grünen Ufern durchströmt: von der majestätischen Moldau, der die gleichnamige symphonische Dichtung des tschechischen Komponisten Bedřich Smetana gewidmet ist. Hier entspringt die Elbe, die gemach dem Meere zueilt; weiter sind zu nennen die Flüsse Morava (March) und Váh. Auch die Donau berührt auf ihrem Wege dieses Land.

Ein Land ebenso schön anzusehen wie in der Wirklichkeit.

Gerade so wurde es von Kosmas beschrieben, gerade so erschien es ihm zu seiner Zeit, etwa Anfang des 12. Jahrhunderts. Seitdem sind mehr als 850 Jahre vergangen. Die Berge und Täler, vielfach auch die Flüsse sind geblieben, wo sie waren, doch alles andere hat sich völlig verändert. Im Märchen genügt dazu ein Zauberschlag, doch im wirklichen Leben bedarf es angestrengter Arbeit. Menschlicher Arbeit und menschlichen Könnens. Die Tschechen und die Slowaken haben es fertiggebracht. Auf dem Wege von der slawischen Pflugschar des 8. Jahrhunderts bis zum Polarograph des Mitglieds der Tschechoslowakischen Akademie der Wissenschaften und Nobelpreisträgers J. Heyrovský, zu den Düsenwebstühlen, zur

* Böhmen in der Landessprache: Čechy

Kaplanturbine oder zum ersten tschechoslowakischen Satelliten genannt Magion gab es so manche Krümmungen, Niederlagen und Siege. Dieser Weg verlief durch drei Länder — Böhmen, Mähren und die Slowakei —, die in der Vergangenheit ihre eigene Entwicklung genommen hatten, wobei sich zur Neuzeit in Böhmen und Mähren als Ländern der alten Kultur die tschechische Nation konstituierte, während sich in der Slowakei die slowakische Nation formierte.

Das vorliegende Buch, das in Bild und Wort von der Tschechoslowakei berichtet, gliedert sich in fünf Teile. Im einführenden Teil wird die Staatlichkeit beider Nationen behandelt. Der zweite Teil befaßt sich mit Böhmen, der dritte mit Mähren, der vierte mit der Slowakei und der fünfte, abschließende Teil schildert die Entwicklung vom Ende des Krieges bis in unsere Tage, also von der Schlacht am Duklapaß, wo sich die Rote Armee und das Tschechoslowakische Armeekorps bei der Befreiung der Republik zum ersten Male auf das tschechoslowakische Staatsgebiet durchkämpften, bis zur Gegenwart.

Die drei Länder (Böhmen, Mähren und die Slowakei) werden im Text durch die Geschichte von drei Persönlichkeiten vorgestellt, die in symbolischer Weise den Charakter des Staates verdeutlichen. Böhmen offenbart sich in der Geschichte des KRIEGERS, die von der führenden Gestalt der revolutionären Hussitenbewegung, dem unbesiegt gebliebenen Heerführer und Politiker Jan Žižka (1360?—1424) berichtet. Die Hussitenrevolution als vielleicht bedeutendste antifeudale Bewegung Europas überhaupt gestaltete sich zum Fundament und zum Urquell der besten Traditionen der tschechischen nationalen Geschichte.

Die Geschichte des GELEHRTEN befaßt sich mit dem Land Mähren, und zwar mit dessen großen Gelehrten Jan Amos Komenský-Comenius (1592—1670), dem „Lehrer der Völker", der zum Inbegriff eines eng mit dem Vaterland, seiner Kultur und Bevölkerung verbundenen Gelehrten wurde.

Zum Verlassen seiner Heimat und zur dauernden Emigration gezwungen, wurde dieser Vorkämpfer der künftigen Ordnung der menschlichen Belange alsbald durch seine wissenschaftliche und pädagogische Tätigkeit in England, Polen, Ungarn (hier entstand sein Werk Orbis pictus) und den Niederlanden berühmt.

Wiewohl dieser pädagogische Reformator von Weltruf sich in fremden Ländern bei den Gebildeten großer Hochschätzung und Bewunderung er-

DU MEIN HEIMATLAND

freute, schweiften seine Gedanken immer wieder nach dem Heimatland ab, denn Mähren ist jenes Land, wo „Milch und Honig fließt", wie in seinem Werk Clamores Eliae (Klage des Elias) geschrieben steht. Noch vor der Abreise aus seiner Heimat nahm Komenský die Arbeit an einer Landkarte Mährens auf, die sodann auf lange Zeit hinaus die genaueste Darstellung dieses Landes blieb. Er starb in Holland in der Stadt Naarden.

Die dritte Geschichte spielt in der Slowakei und schildert das SCHICKSAL DES DICHTERS Ľudovít Štúr (1815—1856). Štúr selbst betrachtete sich als Politiker oder auch Rebell, als Organisator des gesellschaftlichen Lebens, Sammler von Volksliedern und Redner. In den vierziger Jahren des vergangenen Jahrhunderts scharte sich um diesen Mann die gesamte slowakische fortschrittliche Intelligenz.

„Wir wollen Freiheit!" waren seine ersten Worte nach der Wahl zum Landtagsabgeordneten. Es war im November des Jahres 1847. Die Slowakei verkümmerte unter der ungarischen Fremdherrschaft und die Jugend fand einen Rückhalt in der Idee der slawischen Solidarität. Štúr jedoch entwickelte einen revolutionären Leitgedanken: ausgehend von der Erkenntnis, daß die Sprache eine der schärfsten Waffen jeder Nation darstellt, regte er die Herausbildung der slowakischen Schriftsprache an. Indem der mittelslowakische Volksmund zur Schriftsprache erhoben wurde, demokratisierte sich die gesamte nachmalige slowakische Kultur, die solchermaßen aus den Trationen des Volkes hervorging. Ľudovít Štúr und seine Generation machten sich um die nationale Wiedergeburt der slowakischen Nation verdient, dank ihrer Tätigkeit brach eine neue Epoche an.

Der fünfte Teil des Buches schildert die Entwicklung der Tschechoslowakei nach dem zweiten Weltkrieg. Aus dem Alltag ging ein neuer Staat hervor, die Nationalisierung wurde verkündet und bildete den Ausgangspunkt für die gesamte weitere Entwicklung. Auch in der Landwirtschaft vollzogen sich beginnend mit dem Jahre 1945 gewaltige Umwälzungen: die revolutionäre Umgestaltung des tschechischen und des slowakischen Dorfes konnte nur durch den Übergang von der zersplitterten Einzelwirtschaft zu der auf kollektiver Arbeit fußenden landwirtschaftlichen Großproduktion bewerkstelligt werden. Die Landwirtschaftlichen Einheitsgenossenschaften begannen sich zu formieren ...

Neue Hafenanlagen und Autobahnen entstanden, der Staat übernahm die Verantwortung für das Gesundheitswesen und die Sozialfürsorge, der Aufwand für diese Zwecke wird aus dem Staatshaushalt bestritten. Das Recht eines jeden Menschen auf Arbeit und Sicherstellung im Alter ist garantiert und in dieser Hinsicht nimmt die ČSSR einen der vordersten Plätze in der Welt ein. Die Nationalversammlung verabschiedete eine Reihe von Gesetzen im Interesse der Familie und der Kinder. Ebenso tiefe Umwälzungen vollzogen sich im Schulwesen. Hier entstand ein einheitliches System und das Recht auf Bildung wurde in der Verfassung verankert ... Der Wissenschaft und der Forschung läßt der Staat großzügige Förderung angedeihen. Aus der Reorganisation einiger älterer Institutionen ging die Tschechoslowakische Akademie der Wissenschaften hervor (1952), eine Reihe wissenschaftlicher Institute wurde gegründet und so entstanden die Voraussetzungen für die Entfaltung der wissenschaftlich-technischen Revolution. Neue Theater (z.B. das Janáček-Theater in Brno) wurden erbaut und neue Galerien (in Bratislava, Prag und anderswo) errichtet, ein Netz von Fernsehstationen begann das Land zu überziehen. Museen entstanden, wie z.B. im ehemaligen Kloster Strahov zu Prag das Museum der nationalen Literatur, zu dem es damals in der ganzen Welt kein Gegenstück gab. Dutzende von Naturschutzgebieten wurden eingerichtet und historische Denkwürdigkeiten werden mit einem in die hunderte Millionen Kronen gehenden Aufwand laufend restauriert.

All dies dient der Verwirklichung des Programms der sozialistischen Kulturrevolution, die zu einem integrierenden Bestandteil der Generallinie der Entwicklung beider Nationen geworden ist. Um diese allgemeine Entwicklung noch reicher zu gestalten und voranzutreiben, wurde im Jahre 1968 das Verfassungsgesetz über die Tschechoslowakische Föderation verabschiedet.

Die sozialistische Tschechoslowakei, in der zwei Nationen — die tschechische und die slowakische — brüderlich zusammenleben, ist in eine neue Zukunft aufgebrochen. In eine lichte Zukunft.

MIROSLAV IVANOV

The learned dean of the Prague capitulary, Kosmas (cca. 1045—1125), wrote in his Chronica Boemorum: "Before proceeding to the story of our history, let us try to briefly describe the location of our Czech land and explain how it got its name ... The country extends far and wide, surrounded on all sides by mountains which, in a remarkable manner, stretch out along its entire circumference so that at first glance it seems as though they form a single, long chain of mountains enveloping and protecting the land."

Thanks to Kosmas' Chronicle, the ancient legends and tales of this land, full of understanding for the joys and woes, for the virtues and vices of the human race, have survived. They are the oldest legendary tales about a country which bears the proud name Czechoslovakia, a country of valleys with scented meadows, broad fields of golden grain, a country with every qualification to form a homeland.

It is hemmed in by mountains and forests interwoven with paths, it is criss-crossed by rivers with green banks: the majestic Vltava, whom Czech composer Bedřich Smetana immortalized in his symphonic poem of the same name. It is the source of the Elbe, moving slowly to the sea, of the Rivers Morava and Váh, and of the Danube which passes through it.

A land beautiful to see and beautiful in reality. Just as it was described by Kosmas, just as he saw it in his time, somewhere at the beginning of the 12th century. But since then, 850 years have gone by. The mountains and valleys and sometimes the rivers, too, have remained in place, but everything else has changed. In a fairy tale, all it would require is a magic word or the wave of a magic wand, but in life it necessitates work. Human labour and intellect.

This, the Czech and Slovak people had and gave. The path leading from the Slavonic ploughshare of the 8th century to polarography, a science developed by Nobel Prize winner J. Heyrovský, to the jet-propelled looms, the Kaplan turbine and the first Czechoslovak space satellite Magion, had its twists and turns, its defeats and victories. This path cut across three regions each of which, in days gone by, progressed in its own way: Bohemia, Moravia and Slovakia. But in modern times, in these lands of great culture, the Czech nation was formed in Bohemia and Moravia, and in Slovakia the Slovak nation was constituted.

This book of words and pictures about Czechoslovakia consists of five parts. The introduction discusses the statehood of both nations. The second speaks about Bohemia, the third about Moravia, the fourth about Slovakia, and the fifth and final chapter follows developments from the end of the Second World War up to the present. From the Dukla Pass, where the Soviet Army and the Czechoslovak Army Corps fought their way through to the territory of our state to begin the liberation of the country, until this very day.

The three lands (Bohemia, Moravia and Slovakia) are presented here in three tales which symbolically indicate the character of each.

The Czechs are represented by a story called FIGHTER. It tells about the leader of the unconquerable Hussite revolutionary movement, the military commander and political figure Jan Žižka (1360?—1424). The Hussite revolution was, perhaps, the greatest anti-feudal European movement, and became the foundation and source of the best traditions of Czech national history.

The story of the SCHOLAR is that of Moravia and it speaks of the great Jan Amos Komenský (Comenius) (1592—1670) — the "teacher of nations", who became the symbol of an exceedingly learned individual closely linked with his homeland, its culture and people.

When Komenský, the architect of a new order of human society of the future, was compelled to emigrate from his country, in no time he became famous for his scientific and pedagogical works in England, Poland, Hungary (where he began to write his Orbis pictus) and in the Netherlands. Although this pedagogical reformer of worldwide importance gained respect and admiration in most countries of the then civilized world, his thoughts constantly returned to his native Moravia. For Moravia was his country, overflowing with "milk and honey", as he wrote in his Clamores Eliae. Before going into exile he began work on a map of Moravia which for a long time afterwards remained its best depiction. He died in the Dutch town of Naarden.

The third story takes place in Slovakia and discusses the fate of the POET, Ľudovít Štúr (1815—1856). Štúr considered himself a politician, but he was, in fact, a rebel, an organizer of social life, a collector of folk songs and an orator. In the forties of the last century all the progressive Slovak intelligentsia flocked round him. "We want freedom!" were the first words he uttered after being elected a deputy to Parliament. This was in November 1847. Slovakia at the time was under Hungarian rule, the young people were looking

MY HOMELAND

for support in the ideas of Slavonic mutuality, but Štúr came forward with a revolutionary idea: he understood that language was an important weapon of every nation, and so he provided the impetus for the creation of literary Slovak. The fact that he elevated the dialect of Central Slovakia to a literary language, democratized the entire future of Slovak culture which grew out of folk traditions. Ľudovít Štúr and his generation deserve credit for arousing the Slovak nation, and thanks to it a new epoch commenced.

The fifth part of the book records the development of Czechoslovakia after the Second World War. A new state was born from everyday work, nationalization was carried out and this became the starting point for the whole further development of the national economy. Agriculture has undergone enormous changes since 1945: the revolutionary transformation of the Czech and Slovak countryside could only have happened by a switchover from the tiny individual farms to large-scale agriculture based on collective labour. Thus the Unified Agricultural Co-operatives came into existence . . .

New ports, motorways were built, the state took over the responsibility for health and social welfare, all expenses for them are paid out of the state budget. Social certainties give people peace of mind. Every citizen of our country has the right to work and to rest, and in this respect the ČSSR ranks among the leading countries of the world. The National Assembly adopted a series of laws supporting the family and children. The same tremendous changes have come about in education where a uniform system has been established and the right to education is written into the Constitution . . . The state gives generous support to science and culture. The Czechoslovak Academy of Sciences was set up in 1952 by restructuring several older scientific institutions, a number of new scientific institutes have since been created and the prerequisites laid to meet the tasks of the scientific and technological revolution. New theatres — like the Janáček Theatre in Brno — have been constructed, as have new galleries (in Bratislava, Prague and elsewhere), and a network of television stations. Museums have been built; for instance, in the Strahov Monastery in Prague we find the Museum of Czech Literature, which at the time it was established had no equal in the world. Dozens of nature reserves have been set up, old landmarks are being gradually restored at a cost of hundreds of millions of Czechoslovak crowns.

All this means fulfilment of the socialist cultural revolution which has become an integral part of the general line of development of both nations. For this advance to be even fuller and faster, in 1968 a constitutional change was enacted proclaiming the Czechoslovak Federation. Socialist Czechoslovakia, associating two fraternal nations, the Czech and the Slovaks, has moved forward into a new future. Into a good future.

MIROSLAV IVANOV

Au début du XIIe siècle, le docte chanoine Kosmas commençait ainsi sa *Chronica Bohemorum:* «Avant d'aborder la relation des événements de notre histoire, essayons de décrire la situation de ce pays tchèque et d'expliquer l'origine de son nom ... A perte de vue s'étend la plaine ceinturée au loin de montagnes de telle manière qu'une chaîne continue semble protéger le pays ... Le chef du peuple qui est jadis venu s'installer dans ces contrées s'appelait Tchèque ... il a transmis son nom à toute la région ...»

La Chronique de Kosmas a conservé pour nous les récits légendaires reflétant, à travers les âges, la vie, les peines, les qualités et les défauts des hommes qui habitaient à l'aube de son histoire l'actuelle Tchécoslovaquie. Pays doux et vallonné, pays aux prés odorants qui alternent avec des champs et des bocages, encadré par la futaie des montagnes frontières, pays arrosé par des rivières aux rives verdoyantes — la majestueuse Vltava que Bedřich Smetana devait chanter dans son poème symphonique, l'Elbe qui coule lentement vers la mer, la Morava, le Váh, le Danube —, c'est ainsi que Kosmas l'a vu il y a plus de 850 ans. Les monts et les vallées, la plupart du temps aussi les lits des rivières, sont restés à leur place. Mais tout ce qui les entoure a changé. Dans un conte de fées, il y suffirait d'un coup de baguette magique. Dans la vie, il faut pour cela du travail et de l'imagination des hommes.

Les Tchèques et les Slovaques n'ont pas ménagé leurs peines. La voie qui commence au VIIIe siècle avec le simple soc slave pour aboutir au polarographe de l'académicien Heyrovský, prix Nobel, aux métiers à tisser ultrasophistiqués, à la turbine de Kaplan ou au premier satellite tchécoslovaque, le Magion, avait ses détours, ses défaites et ses triomphes. Elle traversait trois grandes régions dont chacune a suivi son évolution propre: la Bohême, la Moravie et la Slovaquie. A l'époque moderne, on a vu se constituer en Bohême et en Moravie, pays de très ancienne culture, la nation tchèque, tandis qu'en Slovaquie s'est formée la nation slovaque.

Le présent livre, qui raconte la Tchécoslovaquie par l'image et par la parole, se divise en cinq parties. La première retrace l'histoire de l'Etat qui unit les deux nations. La deuxième est consacrée à la Bohême, la troisième à la Moravie et la quatrième à la Slovaquie. La cinquième et dernière partie témoigne du passé récent: depuis la bataille du col de Dukla par où l'armée soviétique et le corps d'armée tchécoslovaque ont pénétré sur le terri-

toire de la République à la fin de la Deuxième guerre mondiale, jusqu'à l'époque contemporaine. Les trois pays, la Bohême, la Moravie et la Slovaquie, sont représentés par trois récits symboliques. Le RÉCIT D'UN COMBATTANT qui évoque la Bohême, parle de Jean Žižka (1360?—1424), grand chef militaire hussite, jamais vaincu sur un champ de bataille. Le mouvement révolutionnaire hussite, peut-être le mouvement antiféodal le plus puissant en Europe, est à l'origine de la meilleure tradition nationale tchèque.

Le RÉCIT D'UN SAVANT raconte le pays morave et la vie de Jan Amos Komenský (1592—1670), un des plus grands esprit de son siècle qui resta étroitement lié à son pays, sa culture et son peuple. Obligé de s'expatrier, il est invité tour à tour en Angleterre, en Pologne, en Transylvanie — c'est là qu'il rédige son *Orbis pictus* —, et en Hollande où il meurt à Naarden. Fondateur de la pédagogie moderne et savant de renommée européenne, Komenský ne cesse de penser avec ferveur à sa Moravie natale. Il loue sa beauté dans les *Clamores Eliae* et dessine sa carte géographique qui restera pendant longtemps sa plus fidèle représentation.

Le SORT D'UN POÈTE est le récit de Ľudovít Štúr (1815—1856), poète slovaque, homme politique rebelle, organisateur de la vie culturelle et publique, folkloriste, orateur. Dans les années quarante du siècle dernier, il joua le rôle de grand rassembleur des intellectuels slovaques progressistes. «Nous voulons la liberté», telles étaient ses paroles lors de son élection à la diète en novembre 1847. La Slovaquie vivotait alors sous la domination hongroise, les jeunes se tournaient vers le panslavisme. Mais Štúr comprenait que l'un des outils essentiels d'une nation, susceptible d'assurer sa survie, c'est une langue littéraire. En élevant à ce rang le dialecte de la Slovaquie centrale, il posa les bases démocratiques et populaires à la future culture de son pays. Ľudovít Štúr et toute sa génération ont le grand mérite du réveil national slovaque.

La cinquième partie du livre retrace l'évolution de la Tchécoslovaquie après la deuxième guerre mondiale. Le nouvel Etat naissait du travail dévoué et quotidien de ses habitants. La nationalisation de l'industrie a marqué le début d'un essor sans précédent de l'ensemble de l'économie. L'agriculture passa de l'exploitation individuelle et dispersée à la grande production, basée sur le travail collectif. Dans les villages tchèques et slovaques on assista à la formation des coopératives agricoles.

MON PAYS

Surgirent de nouveaux portes, furent tracées de nouvelles autoroutes. L'Etat prit en charge l'organisation et les frais de la Santé publique et de l'assurance sociale. Les habitants bénéficient du droit au travail et aux loisirs, conquêtes qui assurent à la Tchécoslovaquie en ce domaine l'une des premières places dans le monde. L'Assemblée nationale adopta toute une série de lois en faveur de la famille et de l'enfant. Les transformations non moins bouleversantes ont eu lieu dans l'enseignement. Le pays possède désormais un système unique d'éducation nationale, le droit à l'instruction étant garanti par la constitution. L'Etat encourage le développement de la science et de la culture. L'Académie des sciences tchécoslovaque, qui réunit plusieurs établissements plus anciens, fut fondée en 1952. Le travail de nombreux instituts de recherches vient de créer les conditions de la révolution scientifique et techniques. Nous sommes témoins de l'édification de nouveaux théâtres (le Théâtre Janáček à Brno par exemple), de nouvelles galeries d'art (à Bratislava, à Prague et ailleurs), de nouvelles chaînes de télévision, de nouveaux musées. Le Musée de la littérature tchèque à Prague-Strahov était à l'époque de sa fondation l'unique établissement de son genre à l'échelle internationale. Des dizaines de réserves naturelles furent constituées, l'Etat emploie des centaines de millions à la restauration des monuments historiques. Toutes ces réalisations et conquêtes représentent des chaînons du programme de la révolution culturelle socialiste qui fait partie intégrante de la ligne générale, adoptée pour le développement de nos deux nations. La vote de la loi constitutionnelle sur la Fédération tchécoslovaque en 1968 est un jalon important sur cette voie. La Tchécoslovaquie socialiste qui unit deux nations sœurs, la nation tchèque et la nation slovaque, marche vers un avenir heureux.

MIROSLAV IVANOV

El canónigo Cosmas (de 1045 a 1125 aproximadamente), docto decano del capítulo praguense, escribe en su Chronica Boemorum (Crónica de los Bohemos) lo siguiente: "Antes de empezar este relato histórico intentaremos hacer una suscinta descripción de la situación que guarda nuestro país bohemo y aclarar la procedencia de su nombre... Anchurosa, se despliega esta tierra circundada por montañas, que de manera tan mirífica la ciñen por entero como si fuera una sola cadena que lo rodeara y defendiera". Y más adelante continúa diciendo que todo este territorio recibió su nombre según el caudillo que guió a su pueblo hasta aquí.

Gracias a la Crónica de Cosmas se han conservado también los más antiguos mitos y leyendas en las que se refleja una sin par comprensión de lo que son las alegrías y las penas, las virtudes y los vicios del género humano. Son éstos los episodios más remotos de la historia del país que lleva con orgullo el nombre de Checoslovaquia.

Está circundado por montes y algabas pespuntados con las hebras de sus caminos: lo atraviesan ríos de glaucas riberas tales como el majestuoso Vltava, glorificado por el compositor checo Bedřich Smetana en el poema sinfónico de ese nombre, el Elba, que nace en Bohemia, el Morava, el Váh y el Danubio, que recorre la parte sur del país.

Esta tierra posee valles en los que se engastan praderas perfumadas, dilatadas eras de doradas mieses y, en fin, todo lo que puede encerrarse en el concepto patria.

Un país de aspecto bello, y bello de veras.

Así lo describió Cosmas, así lo vio en su época, a principios del siglo XII. Más de 850 años transcurrieron desde entonces. Los montes y los valles, y también algunos ríos siguieron en su sitio, pero todo lo demás cambió. En los cuentos de hadas las cosas cambian al conjuro de una palabra mágica, con sólo agitar una varita mágica. En la vida real cambian con el trabajo; el trabajo y el saber humanos.

Los pueblos checo y eslovaco consiguieron que se operara esta transformación. El trayecto desde el arado de reja de factura eslava, que aparece en el siglo VIII, hasta el polarógrafo del académico J. Heyrovský, Premio Nobel o el telar sin lanzadera, la turbina Kaplan o el primer satélite checoslovaco "Magion", ha estado lleno de vericuetos en los que asechaban las derrotas y aguardaban las victorias. Este camino surca tres regiones, Bohemia, Moravia y Eslovaquia, que tuvieron una evolución singular en el pasado. La nación checa se constituyó en Bohemia y en Moravia, países con una cultura secular, y la nación eslovaca, en Eslovaquia.

Este libro, que con imágenes y palabras nos describe a Checoslovaquia, consta de cinco capítulos. El primero, introductorio, explica la estructura estatal de estas dos naciones hermanas; el segundo habla de Bohemia, el tercero de Moravia, el cuarto de Eslovaquia y el quinto, que remata la obra, sigue la traza del desarrollo de Checoslovaquia desde el final de la Segunda Guerra Mundial hasta el presente, desde aquellos momentos en que el Ejército Rojo y el Cuerpo de Ejército Checoslovaco, luchando por la liberación de la República, pisaron por primera vez el suelo de la patria, en el desfiladero de Dukla, hasta nuestros días.

Los tres países — Bohemia, Moravia y Eslovaquia — están caracterizados en este libro mediante tres historias que indican simbólicamente los rasgos distintivos del Estado.

Bohemia está representada por LA HISTORIA DE UN COMBATIENTE. En ella se habla del invicto Juan Žižka (1360? — 1424), jefe militar del movimiento revolucionario husita y eminente político. La revolución husita fue quizás el movimiento antifeudal más importante en Europa y constituye la base y la fuente de las mejores tradiciones de la historia nacional checa.

LA HISTORIA DE UN CIENTÍFICO habla del país moravo y de su gran hombre de ciencia Juan Amos Comenio (1592 — 1670), el "Maestro de las Naciones" como fuera llamado, símbolo del científico estrechamente vinculado a su patria, a su cultura y a su pueblo.

Este visionario de lo que habrían de ser las cosas del hombre en adelante, se vio obligado a emigrar de su patria al extranjero y pronto se hizo célebre por sus actividades científicas y pedagógicas en Inglaterra, Polonia, Hungría — en donde escribió su obra Orbis pictus — y en los Países Bajos.

Este reformador pedagógico de talla universal se ganó en el extranjero el respeto y la admiración del mundo erudito de su época pero, a pesar de todo, sus recuerdos volvían continuamente a Moravia, porque Moravia, tal y como lo dejara asentado en su libro Clamores Eliae (Llanto de Elías) es aquel país que "abunda en leche y miel". Aún antes de abandonar el suelo patrio empezó los trabajos para levantar un mapa de Moravia, que durante mucho tiempo fue su representación más exacta. Comenio murió en Naarden, en los Países Bajos.

TIERRA MÍA

La tercera historia se desarrolla en Eslovaquia y cuenta EL DESTINO DE UN POETA, la vida de Ľudovít Štúr (1815—1856). Este poeta eslovaco se consideraba a sí mismo más bien como un político rebelde, organizador de la vida social, compilador del acervo musical popular vernáculo, y orador. En la cuarta década del siglo pasado se agrupó en torno suyo toda la intelectualidad progresista eslovaca. "Queremos la libertad", fueron las primeras palabras que pronunció Štúr cuando lo eligieron diputado al Parlamento. Fue en noviembre de 1847. Eslovaquia sufría bajo el dominio húngaro, la juventud buscaba apoyo en las ideas de la fraternidad eslava, y es entonces cuando arriba Štúr con una idea revolucionaria: comprendiendo que una de las armas más poderosas de cada nación es su lengua propugnó por la formación del idioma literario eslovaco. Con la elevación del dialecto de Eslovaquia Central al rango de lengua literaria se democratizó toda la futura cultura eslovaca, que de esta manera se acrecentó en tradiciones populares. Ľudovít Štúr y toda su generación tiene el mérito imperecedero de haber contribuido al despertar de la nación eslovaca, con lo que comienza la nueva era para el país.

El quinto capítulo de este libro glosa el desarrollo de Checoslovaquia posterior a la Segunda Guerra Mundial, la germinación del nuevo Estado, la nacionalización y el desarrollo incesante de la economía nacional desde ese entonces. Este incluye a la agricultura, la cual experimentó gigantescos cambios a partir de 1945. La transformación revolucionaria de la campiña checa y eslovaca pudo realizarse sólo mediante la transferencia de una por una de las pequeñas haciendas que se hallaban desperdigadas por el ámbito del país a la gran producción agropecuaria basada en el trabajo colectivo. Es de aquí de donde brotaron las Cooperativas Agrícolas Unidas...

Surgieron nuevos puertos fluviales y carreteras. El Estado se hizo cargo de la salubridad pública y de la atención social. Las erogaciones por concepto de estos dos rubros figuran en el presupuesto estatal. Los ciudadanos tienen asegurado el derecho al trabajo y al descanso, con lo que Checoslovaquia se coloca en un lugar de privilegio entre los países de todo el orbe. La Asamblea Nacional aprobó una serie de leyes que respaldan a la familia y a la niñez. Grandes cambios se efectuaron también en la instrucción y la educación públicas, cuyo sistema es unitario. El derecho a gozar de estos beneficios está garantizado por la Constitución. El Estado fomenta generosamente la ciencia y la cultura. Como resultado de la reorganización de varias antiguas instituciones surgió, en 1952, la Academia de Ciencias Checoslovaca, y con ella una serie de institutos de investigación científica. Con esta medida se sentaron las premisas de la revolución científico-técnica. Por otra parte, se han construido nuevos teatros, por ejemplo: la Ópera Janáček, en Brno; nuevas galerías y pinacotecas en Bratislava, Praga y otras ciudades. Se ha instalado una red de emisoras televisivas y se montaron nuevos museos como el Museo de Literatura Nacional, por ejemplo, que se levanta en el antiguo monasterio praguense de Strahov, museo literario, éste, único en el mundo por la época de su creación. Se instituyeron decenas de zonas naturales protegidas y en la restauración de monumentos artísticos se invierten centenas de millones de coronas.

Con todo ello se cumple el programa de la revolución cultural socialista, que es un aspecto indisoluble de la línea general de desarrollo de ambos pueblos. Para que este desarrollo general resulte aún más completo y más rápido en 1968 se aprobó la Ley Constitucional sobre la Federación Checoslovaca.

La Checoslovaquia socialista, patria común de las dos naciones hermanas — la checa y la eslovaca — ha dado los primeros pasos en el camino hacia el futuro. Hacia un futuro feliz.

MIROSLAV IVANOV

Panoramatický pohled z Ďumbieru (2043 m), dominanty rozsáhlého horského masívu Nízkých Tater. Pleistocenní ledovce zde vytvořily rozmanité geomorfologické formy — strmé ledovcové kary s příkrými srázy a hlubokými zářezy, skalní stěny a kamenná moře. Nejvyšší partie jsou holé; jen spoře zde vegetují odolné druhy vysokohorských travin.

Вид, открывающийся с горы Дюмбиер (2043 м), доминанты Низких Татр — обширного горного массива Словакии. Вершины этого горного массива оголены, лишь кое-где растут наиболее устойчивые виды высокогорных трав.

Rundblick vom Ďumbier (2043 m), der den langgestreckten Gebirgsstock des Nízke Tatry-Gebirges (Die Niedere Tatra) beherrscht. Die höchsten Partien dieses weitläufigen Höhenzugs sind kahl; nur spärlich gedeihen hier besonders wetterbeständige Gattungen der Hochgebirgsflora.

Pernštejn, rodový hrad pánů z Pernštejna, prodělával složitý stavební vývoj od raně gotického hradu až v opevněný gotickorenesanční zámek souběžně s růstem bohatství, moci a významu Pernštejnů. Věž na našem obrázku vznikla vedle 4. brány koncem 15. nebo počátkem 16. stol. při rozšiřování opevnění. Původně bývala vyšší o zděné patro a hrázděné polopatro a dnešní podoby nabyla při úpravách ve 2. polovině 19. stol.

Пернштейн на Мораве, фамильный замок дворянского рода Пернштейнов. Рост богатства, могущества и значения этого рода способствовал тому, что их раннеготический замок постепенно превратился в готическо-ренессансную резиденцию. На рубеже XV—XVI вв. возникла и эта замковая башня, перестроенная во второй половине XIX в.

Pernštejn in Mähren, die Stammesburg derer von Pernštejn, stieg parallel zum Wachstum ihres Reichtums, ihrer Macht und ihrer Bedeutung von einer frühgotischen Burg zu einem Herrensitz im Gotik-Renaissance-Stil auf. Um die Wende des 15. und 16. Jahrhunderts entstand auch der vorgeschobene Turm, der in der 2. Hälfte des 19. Jahrhunderts einen Umbau erfuhr.

Drábské světničky u Mnichova Hradiště patří k hradištní soustavě Hrada s prehistorickým osídlením a slovanskými valy z 9. stol. Samy však poskytly místo husitskému strážnímu hrádku, zčásti tesanému do skály, zčásti dřevěnému, rozloženému na sedmi blocích pískovcové skalní stěny nad pojizerskou rovinou, odkud je velkolepý pohled až na vzdálený vrchol Ještědu. Rekonstruovaný model hrádku najdeme v muzeu v prostorách mnichovohradišťského zámku.

Драбске светнички (светлицы) близ Мнихова Градиште, часть доисторической системы городища славянских племен, заселенная вновь в XV в., когда здесь, над пойзерской равниной, гуситы соорудили сторожевую крепость, частично высеченную в скале, частично деревянную.

Die Drábské světničky (Häscherstuben) bei Mnichovo Hradiště, Teil einer auf prähistorische und slawische Ansiedlung zurückgehenden Burgstätte, wurden im 15. Jahrhundert erneut besiedelt. Damals errichteten hier die Hussiten in die Ebene des Flusses Jizera beherrschendes Wachtkastell, teils in den Fels gehauen, teils aus Holz gezimmert.

Území Československa bylo již od pravěku téměř nepřetržitě osídleno od prvního výskytu člověka našeho typu až do příchodu slovanských kmenů a naše země se staly křižovatkou kultur, jak dokládají početné archeologické nálezy. Jedním z nich je tato hliněná soška ženy z nálezu ve Štěpánovicích na Moravě (dnes v Moravském muzeu v Brně). Patří kultuře moravské malované keramiky a pochází z 3. tisíciletí před n. l.

Территория Чехословакии с доисторических времен и вплоть до прихода славянских племен была почти непрерывно заселена, о чем свидетельствуют многочисленные археологические находки. Среди них и глиняная фигурка женщины из Штепановице, которая датируется 3-м тысячелетием до н. э. Она возникла в эпоху культуры моравской раскрашенной керамики.

Daß das Gebiet der Tschechoslowakei von der Urzeit bis zum Einzug slawischer Stämme nahezu ununterbrochen besiedelt war, ist durch zahlreiche archäologische Funde belegt. Darunter befindet sich auch die weibliche Tonfigur aus Štěpánovice, die aus dem 3. Jahrhundert v. u. Z., stammt und der Kultur der gemalten mährischen Keramik zugeordnet werden muß.

Znojmo bylo od nejstarších dob sídlem údělných knížat z rodu Přemyslovců. Na předhradí jejich hradu vznikla již v 11. stol. rotunda sv. Kateřiny, r. 1134 za knížete Konráda obnovená, zaklenutá a uvnitř vymalovaná jedinečným cyklem postav Přemyslovců počínajíc výjevem povolání mýtického Přemysla Oráče od pluhu na knížecí stolec; mezi dalšími knížaty je korunou odlišen první český král Vratislav (1058).

С XI в. г. Зноймо был центром удельных князей из рода Пршемысловичей. Во время обновления крепостной ротонды св. Катерины в 1134 г. ее внутренняя часть была расписана целым циклом фигур правящей династии, начиная от призвания мифологического Пршемысла Ораче (Пахаря) от плуга на княжеский престол.

Znojmo war seit dem 11. Jh. Sitz der Teilfürsten aus dem Haus der Premisliden. Bei der im Jahre 1134 erfolgten Instandsetzung der Rotunde der hl. Katharina wurde ihr Interieur mit einem Gemäldezyklus geschmückt, der Gestalten der Herrscherdynastie darstellt, beginnend mit der Berufung des mythischen Přemysl-Ackermann vom Pflug zum Fürstenthron.

České korunovační klenoty jsou od středověku symbolem české státnosti. Nejstarší z nich je svatováclavská koruna v podobě z r. 1346 (s pouzdrem z r. 1347), kdy jí byl korunován Karel IV., zatímco renesanční žezlo a jablko pochází z 2. poloviny 16. stol. V l. 1420—1436 je choval král Zikmund v Uhrách, v l. 1646—1791 byly uloženy ve Vídni. Od vzniku republiky jsou vystavovány při významných příležitostech.

Чешские королевские регалии уже со времен средневековья были символом чешской государственности. Самая древняя среди них это святовацлавская корона (1346 г.). Этой короной в 1347 г. был коронован Карл IV. Ренесансные скипетр и держава относятся ко второй половине XVI в.

Die tschechischen Krönungskleinodien sind seit dem Mittelalter Symbol der tschechischen Staatlichkeit. Ältestes Kleinod ist die Krone des heiligen Wenzel in ihrer Ausführung vom Jahre 1346, mit der i. J. 1347 Karl IV. gekrönt wurde, während das Renaissance-Zepter und der Reichsapfel aus der 2. Hälfte des 16. Jh. stammen.

| | | | číslа odkazují na strany | 6 · 7 |

Panoramic view from Ďumbier (2,043 m), the dominant of the extensive Lower Tatra mountain massif. The highest peaks of this Slovak mountain chain are bare; only the hardiest types of Alpine flora grow here.

La chaîne des Basses Tatras vue depuis le Ďumbier (2043 m). Les hauts sommets de ce vaste ensemble montagneux sont chauves ou sporadiquement couverts d'herbes adaptées à leur rude climat.

Una vista panorámica desde el pico más alto del Bajo Tatra, Ďumbier (2.043 m). Las cimas de este vasto macizo eslovaco están yermas y sólo esporádicamente brotan de su árido suelo algunas especies de gramíneas alpestres que resisten en él.

См. стр.

Die Nummern beziehen sich auf die Seiten

8

Pernštejn in Moravia is the family castle of the Lords of Pernštejn. Together with the growth of the family's wealth, power and importance, Pernštejn developed from an Early Gothic castle into a Gothic-Renaissance seat. This advanced tower dates from the turn of the 15th and 16th centuries and was remodelled in the second half of the 19th century.

Pernštejn en Moravie, berceau de la famille du même nom. A mesure qu'augmentait la puissance et la richesse des seigneurs de Pernštejn, le château fort du premier gothique continuait à s'agrandir, jusqu'à prendre l'aspect d'une somptueuse résidence marquée par le goût de la Renaissance que nous lui connaissons aujourd'hui. La tour avancée remontant à la charnière du XVᵉ et du XVIᵉ siècle, remaniée dans la seconde moitié du XIXᵉ siècle.

Pernštejn, en Moravia, castillo hereditario de los señores del mismo nombre. Con el crecimiento de la riqueza, poder e importancia de los señores de Pernštejn se fue ampliando el castillo que, de alcázar gótico primitivo, se transformó en residencia gótico-renacentista. La torre avanzada procede de las postrimerías del siglo XV y principios del siglo XVI y fue reconstruida en la segunda mitad del siglo XIX.

The numbers refer to pages

Les chiffres renvoient aux pages

Los números corresponden a las páginas

---

10 · 11

The Drábské Chambers (Drábské světničky) at Mnichovo Hradiště, which were part of a fortified pre-historic and Slavonic settlement, were resettled in the 15th century when the Hussites built a redoubt, partially hewn out of a cliff and partially made of wood, overlooking the Jizera plain.

Drábské světničky près de Mnichovo Hradiště, aux temps préhistoriques habitat fortifié appartenant à un réseau de bourgwalls, implanté dans la région par des tribus slaves. Le site fut à nouveau occupé au XVᵉ siècle, lorsque les Hussites y bâtirent, en partie creusant dans la roche, en partie construisant en bois, un château destiné à surveiller le bassin de la Jizera.

Drábské světničky (Las Buhardillas de Dráb), cerca de Mnichovo Hradiště, es un alcázar excavado en el corazón de la roca. Forma parte de un sistema de fortalezas que estuvieron habitadas sucesivamente por poblaciones prehistóricas y después eslavas. En el siglo XV dio amparo a los husitas, quienes construyeron aquí, sobre la planicie cruzada por el río Jizera, una atalaya, parte de la cual está cavada en la roca y otra fue hecha de madera.

12

From ancient times until the arrival of Slavonic tribes, the territory of present-day Czechoslovakia was settled almost without interruption, as we learn from countless archaeological finds. Among them is this clay statue of a woman from Štěpánovice, 3rd millenium B.C., the time of the Moravian painted ceramic culture.

Depuis les âges préhistoriques les plus reculés jusqu'à la venue des Slaves, le territoire de l'actuelle Tchécoslovaquie fut presque continuellement occupé par l'homme, comme en témoignent les objets mis à jour par des fouilles archéologiques. Parmi ceux-ci, une statuette féminine de Štěpánovice qui appartient à la civilisation à céramique peinte de Moravie, IIIᵉ millénaire avant n.e.

Los hallazgos arqueológicos demuestran que el territorio de Checoslovaquia estuvo habitado desde los tiempos prehistóricos hasta la llegada de las tribus eslavas ininterrumpidamente. Como muestra de ello tenemos esta estatuilla de figura femenina descubierta en Štěpánovice, la cual data del tercer milenio antes de n. e., época de la cerámica polícroma morava.

14

Znojmo was the residence of the younger Přemyslid sons starting from the 11th century. In restoring the castle rotunda of St Katherine, in 1134, its inside walls were painted with a cycle of figures of the ruling dynasty beginning with the mythical Přemysl the Ploughman, tracing his rise from the plough to the royal seat.

Au XIᵉ siècle, Znojmo devint un apanage des cadets de la Maison des Přemyslides. En 1134, l'intérieur de la chapelle Sainte-Catherine, au château, fut orné d'une suite de portraits imaginaires des souverains de la dynastie régnante, dont celui du prince Přemysl le Laboureur, appelé, selon la légende, de sa charrue au trône.

Znojmo (Moravia), fue desde el siglo XI sede de los príncipes de la casa de los Premislitas. En 1134 fue reconstruida la rotonda de Santa Catalina, que formaba parte del castillo, y su interior fue decorado con un ciclo de pinturas que representan a los miembros de la dinastía dominante, desde el mitológico Priemisl el Arador, que fuera llamado a ocupar el trono principesco.

16

The Czech coronation jewels have been the symbol of Czech statehood since the Middle Ages. The oldest is the St Wenceslas crown, as it appeared in 1346, with which Charles IV was crowned in 1347, while the Renaissance scepter and orb date from the second half of the 16th century.

Les joyaux de couronnement des rois de Bohême représentent, dès le Moyen Age, un symbole de la souveraineté de l'Etat tchèque. La couronne dite de saint Venceslas de 1346 avait été ceinte, en 1347, par Charles IV. Le sceptre et le globe sont postérieurs, ne remontant que dans la seconde moitié du XVIᵉ siècle.

Las insignias de la Corona Checa son desde la Edad Media el símbolo de la soberanía del Estado Bohemo. La más antigua de ellas es la Corona de San Venceslao, tal como fue acabada en 1346. Con ella fue coronado un año más tarde Carlos IV, rey de Bohemia y Emperador del Sacro Imperio Romano. El cetro y la manzana son de estilo renacentista y datan de la segunda mitad del siglo XVI.

Československo je od 28. října 1968 federativním státem skládajícím se z České a ze Slovenské socialistické republiky. Federální shromáždění, tvořené Sněmovnou lidu (na obr.) a Sněmovnou národů, zasedá v Praze v nové budově z l. 1967—1972, postavené podle projektu Jiřího Albrechta, Jiřího Kadeřábka a Karla Pragra z r. 1966 tak, že je do ní pojata někdejší peněžní burza z l. 1936—1938.

Чехословакия от 28 октября 1968 года является федеральным государством, которое образуют Чешская и Словацкая социалистические республики. Федеральное собрание, состоящее из Народной палаты (см. снимок) и Палаты национальностей, проводит свои заседания в Праге в новом здании, сооруженном в 1967—1972 гг.

Seit dem 28. Oktober 1968 ist die Tschechoslowakei ein föderrativer Staat, der von der Tschechischen und der Slowakischen Sozialistischen Republik gebildet wird. Die Föderalversammlung, bestehend aus der Volkskammer (siehe Bild) und der Nationalitätenkammer, hat ihren Sitz in Prag in einem neuen Gebäude, das während der Jahre 1967—1972 errichtet wurde.

Bratislava, hlavní město Slovenské socialistické republiky, k dosavadnímu jedinému mostu přes Dunaj z l. 1890—1891 jako druhý získala most Slovenského národního povstání, postavený v l. 1967—1972 podle projektu Arpáda Tesára a Jozefa Lacka. Na jeho ocelových šikmých vzpěrách (v jedné je rychlovýtah, ve druhé schodiště) při Petržalce spočívá ve výši 85 m kavárna čočkovitého tvaru se 127 sedadly.

Братислава, столица Словацкой Социалистической Республики. Здесь в 1967—1972 гг. был возведен второй мост через Дунай, названный в честь Словацкого национального восстания (проектирвщики А. Тесар и И. Лацко). На его опорах на высоте 85 м помещено панорамное кафе.

In Bratislava, der Hauptstadt der Slowakischen Sozialistischen Republik, kam zu der bisher einzigen Donaubrücke als zweite die in den Jahren 1967—1972 erbaute Brücke des Slowakischen Volksaufstandes (Projektanten Arpád Tesár und Jozef Lacko) hinzu. Einer der Pylone trägt in 85 m Höhe die Rundkonstruktion eines Cafés.

Praha patří k nemnoha městům, která od samého vzniku státu zůstala nepřetržitě sídlem hlavy státu nebo — v českých poměrech — panovníkových místodržících. Více než tisíciletá historie, pohnutá i slavná, počínající na dnešním Hradě již v 9. stol., se nesmazatelně vepsala do tváře města, jehož historickou i moderní podobu v neopakovatelné zkratce ukáže např. pohled z petřínské rozhledny.

Прага относится к числу тех немногих столиц, которые со времен возникновения и по сей день всегда оставались резиденцией главы государства. Вид с петршинской башни обозрения раскрывает нам более чем тысячелетнюю историю Праги, которая началась в IX в. на том месте, где и сейчас стоит Град.

Prag ist eine der wenigen Städte, die von der Entstehung des Staates an ununterbrochen Sitz des Staatsoberhauptes waren. Der einzigartige Rundblick vom Aussichtsturm Petřín läßt vor den Augen des Beschauers die tausendjährige Geschichte Prags vorüberziehen, die im 9. Jahrhundert von dem heutigen Hradčany (Hrad = Burg) aus begann.

Svatováclavská kaple, postavená v l. 1362—1367 nad hrobem knížete Václava Petrem Parléřem, je jakožto ústřední místo státního svatováclavského kultu nejnádhernějším prostorem katedrály sv. Víta na Pražském hradě. Dolní pás jejích stěn zdobí polodrahokamy a gotické malby, výjevy ze života světcova nad nimi vznikly v renesanci. Jižní dveře se sedmi zámky vedou ke Korunní komoře s českými korunovačními klenoty.

Святовацлавская капелла, наиболее ценная часть кафедрального собора св. Вита в Пражском Граде, была возведена в 1362—1367 гг. Петром Парлержом над могилой святого в качестве центрального места государственного святовацлавского культа. Жизнь князя Вацлава Святого раскрывает ренессансная стенная роспись.

Das herrlichste Interieur des Veitsdoms — die St. Wenzelskapelle — wurde in den Jahren 1362—1367 von Peter Parler über dem Grab des Heiligen errichtet, um als Mittelpunkt des staatlichen Kults der hl. Wenzel zu dienen. Die Renaissance-Wandmalereien stellen Szenen aus dem Leben des Heiligen dar.

Praha je městem vytvořeným gotikou a barokem. Město, nebo — chceme-li — města pocházející ze 13. a 14. stol., scelil český barok v pozoruhodný útvar, jemuž vtiskl i nové dominanty. Takovým jedinečným dílem, hmotným středem celé malostranské kotliny, je kupole chrámu sv. Mikuláše od Kiliána Ignáce Dienzenhofera z l. 1737—1753 a podle jeho projektu později, r. 1755, dokončená zvonice.

Прага, в основе своей готическая, после воцарения чешского барокко преобразилась в единое целое с новыми доминантами. В районе Малой Страны такой доминантой стали купол и колокольня храма св. Микулаша (Николая), построенные в 1737—1755 гг. по проекту Килиана Игнаца Динзенгофера.

Im Grunde der Gotik verhaftet, wurde Prag durch den tschechischen Barock zu einem einzigartigen Komplex mit neuen Dominanten gestaltet. Für die Kleinseite sind dies die Kuppel und der Glockenturm des Niklasdoms, errichtet in den Jahren 1737—1755 nach einem Projekt von Kilian Ignaz Dienzenhofer.

Karlštejn nemá mezi českými ani evropskými hrady sobě rovného ve významu a poslání, které mu při založení r. 1348 přiřkl Karel IV.: Karlštejn se od počátku stal symbolem české státnosti jako nádherná a pevná schránka královského pokladu, nejdůležitějších státních listin, ostatků svatých a v čas nebezpečí i českých korunovačních klenotů a načas i císařských insignií Svaté říše římské. Dodnes působí impozantně a majestátně.

Карлштейн, основанный Карлом IV в 1348 г. в качестве великолепного и прочного хранилища королевских сокровищ, важнейших государственных документов, мощей святых, хранил одно время в своих стенах не только чешские королевские регалии, но и императорские регалии так. наз. »Священной Римской империи«.

Die von Karl IV. im Jahre 1348 als prunkvolle und feste königliche Schatzkammer errichtete Burg Karlštejn, die zur sicheren Aufbewahrung der bedeutsamsten Staatsurkunden und Reliquien diente, barg in ihren starken Mauern für einige Zeit nicht nur die böhmischen Krönungskleinodien, sondern auch die kaiserlichen Insignien des Heiligen Römischen Reiches.

Since October 28, 1968, Czechoslovakia is a federative state composed of the Czech and the Slovak Socialist Republics. The Federal Assembly, consisting of the House of the People (see photo) and the House of Nations, meets in Prague in a new building erected between 1967 and 1972.	Depuis le 28 octobre 1968, la Tchécoslovaquie est une fédération, unissant dans un seul Etat deux républiques: la République Socialiste Tchèque et la Républieue Socialiste Slovaque. L'Assemblée fédérale, bicamérale, qui se compose de la Chambre du peuple (voir cliché) et de la Chambre des nations, siège à Prague dans un nouveau palais, bâti en 1967—1972.	Desde el 28 de octubre de 1968, Checoslovaquia es un Estado Federativo, integrado por las Repúblicas Socialistas Checa y Eslovaca. La sede de la Asamblea Federal, que se muestra en la foto, consta de la Cámara del Pueblo y la Cámara de las Naciones, y fue construida de 1967 a 1972 en la capital Praga.	18

Bratislava, the capital of the Slovak Socialist Republic, recently acquired a second bridge across the Danube—the Slovak National Rising Bridge, built from 1967 to 1972 and designed by Arpád Tesár and Jozef Lacko. A round lookout café is located on its suspension stays 85 m above the ground.

Bratislava, capitale de la République Socialiste Slovaque, possède désormais un deuxième pont sur le Danube: le pont de l'Insurrection nationale slovaque, bâti en 1967—1972 selon un projet d'Arpád Tesár et de Jozef Lacko. En son milieu, reposant sur des supports hauts de 85 m, un belvédère circulaire abrite un café.

El Puente de la Insurrección Nacional Eslovaca, uno de los dos puentes que comunican las dos riveras del Danubio, en Bratislava, capital de la República Socialista de Eslovaquia, fue construido entre 1967 y 1972, bajo la dirección de los proyectistas Arpád Tesár y Jozef Lacko. En uno de sus pilotes, a 85 metros de altura, se ha instalado una cafetería de forma circular.

20 · 21

Prague is one of the few towns which from the very birth of the state continued to be without interruption the seat of the head of state. The more than thousand-year history of Prague, beginning in the 9th century where the castle stands today, can be fathomed in this unique view from the Petřín Observation Tower.

Dès l'aube de l'histoire de la Bohême jusqu'à nos jours, Prague demeure sans discontinuer le siège des chefs d'Etat, privilège qui est partagé par peu de capitales du monde. Le passé plus de millénaire de cette ville est bien lisible pour celui qui la regarde du haut de la tour de Petřín.

Praga es una de las pocas ciudades en el mundo que desde que se fundó la nación ha sido siempre la residencia del gobernante. Su milenaria historia, que arranca del siglo IX en el ámbito donde hoy se yergue el Castillo, se pone de manifiesto en esta vista panorámica, tomada desde el mirador del parque Petřín.

22 · 23

St Wenceslas Chapel, the most beautiful section of St Vitus's Cathedral at Prague Castle, was built in 1362—1367 by Peter Parler over the saint's grave as the central site of a state of St Wenceslas culture. The life of Prince Wenceslas the Saint is detailed in the Renaissance wall paintings.

La chapelle Saint-Venceslas, espace le plus somptueux de la cathédrale de Prague, fut bâtie en 1362—1367 par Pierre Parler sur la tombe du prince martyr, pour devenir un centre de rayonnement de son culte officiel. Les peintures Renaissance sur les murs de la chapelle racontent la vie de saint Venceslas.

La capilla de San Venceslao, el santuario más precioso de la Catedral de San Vito en el Castillo de Praga. Construida por Peter Parler de 1362 a 1367 sobre la tumba del santo, estaba destinada al culto oficial a San Venceslao. Las pinturas murales, de estilo renacentista, narran pasajes de la vida del príncipe bohemo.

24

Prague, basically a Gothic town, was transformed through Czech Baroque into a remarkable entity with new dominant features, such as the dome and belfry of the Church of St Nicholas in the Lesser Town, constructed between 1737 and 1755 according to a design by Kilián Ignác Dienzenhofer.

Prague, ville gothique, s'étend et s'enrichit au baroque. Elle reçoit la parure de nouvelles dominantes, telles que la coupole et le clocher de l'église Saint-Nicolas de Malá Strana, construite en 1737—1755 selon un projet de Kilian-Ignace Dienzenhofer.

El barroco checo transformó a Praga, originalmente gótica, en un admirable conjunto dominado por nuevas torres, como por ejemplo las de la cúpula y el campanario de la iglesia de San Nicolás en el barrio de Malá Strana. La iglesia es obra de Kilian Ignacio Dienzenhofer, y data su construcción de los años de 1737 a 1755.

26

Karlštejn, built by Charles IV in 1348 as a magnificent and strong depository for the royal treasure, the most important state documents and reliquaries, not only protected for a time within its walls the Czech coronation jewels, but also the Emperor's insignia of the Holy Roman Empire.

Le château de Karlštejn, fondé par Charles IV en 1348 pour abriter le trésor royal, les chartes les plus précieuses du Royaume et les saintes reliques, renferma dans ses murs, pendant un temps, non seulement les joyaux de couronnement des rois de Bohême mais aussi les insignes de l'autorité des chefs du Saint-Empire.

Karlštejn, el inexpugnable alcázar que ordenara levantar Carlos IV en 1348 para que sirviera de salvaguardia al tesoro real, los documentos estatales más importantes y las reliquias de los santos, durante cierta época custodió dentro de sus fuertes muros no sólo las joyas y las insignias de la Corona Checa, sino también las del Sacro Imperio Romano.

27

Svatá Hora u Příbramě, od středověku poutní místo, nabyla nového lesku po dlouholeté postupné barokní přestavbě trvající od r. 1658 do začátku 18. stol. Stala se také vzorem pro ten typ poutních míst, kde ústřední svatyni obklopují ambity s nárožními kaplemi. Architekturu doplňují sochařská díla, k nimž patří i plastika anděla (1705—1706) před Pražským portálem, připisovaná sochaři Janu Oldřichu Mayerovi.

Паломнический ареал близ г. Пршибрам. Костел XIV в. был в 1658—1675 гг. основательно перестроен в стиле барокко и украшен скульптурами. Автором скульптуры «Ангел» (1705—1706) перед Пражским порталом св. Горы является очевидно Ян Олдржих Майер.

Die Pilgerstätte Svatá Hora bei Příbram mit ihrer ursprünglich auf das 14. Jahrhundert zurückgehenden Kirche erfuhr in den Jahren 1658—1675 einen weitgehenden Umbau im Stil des Barocks. Dabei wurden ihr eindrucksvolle Plastiken hinzugefügt, wie die Engelsstatue (1705—1706) vor dem Prager Portal, als deren Autor Jan Oldřich Mayer gilt.

Křivoklát, již r. 1109 knížecí lovecký hrádek, byl jako královský hrad postupně přestavován. Kromě zbytků románské stavby zvlášť cenné jsou část raně gotická z 13. stol. a pozdně gotická (po r. 1480—1522), k níž náleží zejm. výstavná kaple. Hrad hostíval Karla IV. a v l. 1547—1563 zde věznili prvního biskupa jednoty bratrské, Jana Augustu. V l. 1883—1923 byl pustnoucí hrad obnoven.

Кршивоклат, упоминаемый в качестве княжеского охотничьего замка в 1109 г., неоднократно перестраивался. Наряду с остатками романской постройки наиболее ценными являются ее раннеготические (XIII) и позднеготические (после 1480—1522) части. К числу последних принадлежит и эта прекрасная часовня.

Die Burg Křivoklát, deren Vorgänger ein im Jahre 1109 errichtetes fürstliches Jagdkastell war, wurde in mehreren Etappen zu einer Königsburg umgebaut. Abgesehen von Überresten des romanischen Bauwerks gelten als besonders wertvoll der aus dem 13. Jh. stammende frühgotische sowie der spätgotische Bauteil (nach 1480—1522), zu dem auch die monumentale Kapelle gehört.

Panenský Týnec nese pojmenování po pannách klariskách, jejichž klášter tu před r. 1293 založili Žerotínové. Po požáru jeho kostela se začalo r. 1382 s novostavbou chrámu nikdy nedokončeného a přece promlouvajícího řečí ryzího umění, ať již jde o nádherný jižní portál šířkově disponovaného trojlodí, nebo o presbyterium (na obr.) budované na protáhlém půdorysu tradičním pro klášterní kostely minoritů, františkánů a klarisek.

Паненски Тынец назван так в часть женского монастыря, существовавшего уже с XIII в. После пожара, уничтожившего древний костел, в 1382 г. началось так и не закончившееся строительство костела с тремя нефами, южным порталом и длинной апсидой (см. снимок).

Panenský Týnec verdankt seinen Namen dem (weiblichen) Klarissenorden, der hier vom Ende des 13. Jahrhunderts an ein Kloster unterhielt. Nachdem die ursprüngliche, ältere Kirche einem Brand zum Opfer gefallen war, schritt man im Jahre 1382 an den Bau eines neuen dreischiffigen Gotteshauses mit prächtigem Südportal und langgedehntem Presbyterium (siehe Bild), der jedoch unvollendet blieb.

Lidice se v r. 1942 staly rázem pojmem a mezinárodně známým symbolem protifašistického odboje. Dne 10. června 1942 tu nacisté zastřelili 192 mužů, 196 žen odvezli do koncentračních táborů, 96 dětí zavlekli a obec srovnali se zemí. Lidice byly však v l. 1947—1959 znovu postaveny v sousedství areálu původní obce, který byl přeměněn v pietní území označené hned v r. 1945 symbolem utrpení a postupně upravované.

Лидице, поселок, который 10 июня 1942 г. фашисты сравняли с землей. Все мужчины поселка были расстреляны, женщины и дети отправлены в концентрационный лагерь. В 1947—1959 гг. неподалеку вырос новый поселок, а на месте трагедии в 1945 г. был возведен символ страдания.

Der Ort Lidice wurde am 10. Juni 1942 von den deutschen Faschisten dem Erdboden gleichgemacht, die männlichen Einwohner wurden erschossen, Frauen und Kinder verschleppt. In den Jahren 1947—1959 entstand jedoch unweit davon eine neue Gemeinde und auf dem als Gedächtnisstätte hergerichteten Gelände des ursprünglichen Dorfes wurde 1945 ein Symbol des Martyriums aufgestellt.

Mělník na návrší nad soutokem Labe a Vltavy, v 9.—10. stol. slovanské hradiště Pšov, je podle Kosmovy kroniky rodištěm kněžny Ludmily, babičky sv. Václava. Zdaleka viditelné panoráma ovládají budova zámku, původně hradu českých královen, a gotický kostel sv. Petra a Pavla s renesančními doplňky a s nižší věží ještě románskou, kterou při opravě v l. 1914—1916 zvýšil Kamil Hilbert o horní patro (na obr.).

Мельник, город, возникший при слиянии рек Лабы и Влтавы, был уже в IX—X вв. славянским городищем. Его панорама включает замок, ранее крепость, и готический костел св. Петра и Павла с ренессансным фронтоном и южной башней в романском стиле, которую при перестройке в 1914—1916 гг. увеличили на один этаж.

Mělník am Zusammenfluß der Elbe und der Moldau war im 9.—10. Jahrhundert eine slawische Burgstätte. Im Panorama der heutigen Stadt dominieren das Schloß — eine einstige Burg — sowie die im Stil der Gotik erbaute Peter-Pauls-Kirche mit einem Renaissancegiebel und dem bei der Renovierung in den Jahren 1914—1916 aufgestockten romanischen Südturm.

Kost, jeden z nejznámějších a nejtypičtějších hradů v Českém ráji, hrad nikdy nedobytý, vešel do povědomí návštěvníků svou mohutnou zčásti obytnou věží, jejíž lichoběžníkový půdorys dovoluje spatřit z určitého místa najednou všechny čtyři její hrany. Hrad ze 14. stol., doplňovaný v pozdní gotice, renesanci a zčásti i v baroku, ušel jak přestavbě zamýšlené Valdštejnem, tak zboření nařízenému r. 1658.

Кост, крепость XIV в. со следами перестроек в эпоху поздней готики, Ренессанса и, частично, барокко, которая ни разу не была захвачена неприятелем. Несмотря на приказ 1658 года, она не была уничтожена и сегодня является наиболее сохранившейся и типичной крепостью в области Чешского Рая.

Die als uneinnehmbar geltende und tatsächlich niemals eingenommene Burg Kost stammt aus dem 14. Jh. und wurde in der Epoche der Spätgotik und der Renaissance, zum Teil auch während des Barocks, weiter ausgebaut. Sie entging der im Jahre 1658 angeordneten Zerstörung und ist heute eine der besterhaltensten und typischsten Burgen in dem Gebiet Český ráj (Böhmisches Paradies).

The pilgrimage compound near Příbram, with a church erected in the 14th century, underwent a thorough Baroque adaptation in 1658—1675 which added very impressive sculpture. The author of the Angel (1705—1706) under the Prague portal of the Sacred Mountain is, perhaps, Jan Oldřich Mayer.

Une reconstruction baroque de 1658—1675 transforma le célèbre lieu de pèlerinage sur le Mont Saint aux abords de la ville de Příbram, avec une église du XIVe siècle, en cet ensemble imposant d'architecture et de sculpture que nous connaissons aujourd'hui. La statue de l'Ange (1705—1706) devant le portail de l'église est attribuée à Jean-Ulric Mayer.

El Santuario de Sacromonte, cerca de Příbram. La iglesia, fundada en el siglo XIV, fue completamente reconstruida en estilo barroco y adornada con imponentes esculturas, en el período de 1658 a 1675. La estatua del Angel (1705—1706) se supone que es obra de Jan Oldřich Mayer.

28

Křivoklát, a princely hunting redoubt already in 1109, underwent gradual reconstruction as a royal castle. Besides the remains of a Romanesque building, which is especially valuable, there are Early Gothic parts from the 13th century and Late Gothic (after 1480—1522); among the latter, in particular, is an imposing chapel.

Křivoklát, mentionné dès 1109 comme un pavillon de chasse des princes Přemyslides, subit en sa qualité de château du domaine royal plusieurs reconstructions. Outre les restes du palais roman, on admire les parties remontant au XIIIe siècle qui appartiennent au premier gothique, et les bâtiments du gothique tardif, postérieurs à 1480—1522, dont surtout l'étonnante chapelle.

Křivoklát existía ya en 1109 como pabellón de caza del príncipe. Más tarde fue reconstruido para servir de Castillo Real. Perduran aún en él restos del antiguo edificio románico y aúna valiosas partes en gótico primitivo del siglo XIII y del gótico flamígero (1480—1522), que está representado, ante todo, por la monumental capilla.

29

Panenský Týnec takes its name from the Clare nuns whose cloister (established in 1293) stood here from the end of the 13th century. After a fire gutted the older church, work began in 1382 on a triple nave (which was never completed) with an exquisite southern portal and a long presbytery (see photo).

La ville de Panenský Týnec s'est développée autour d'un couvent de clarisses, établi dans le site dès la fin du XIIIe siècle. En 1382, après qu'une première église de la communauté eut été détruite par un incendie, on procéda à la construction, jamais achevée, d'une nouvelle église à trois nefs, avec un chœur allongé (voir cliché) et un somptueux portail sud.

Panenský Týnec había sido desde el siglo XIII un convento de la órden de las clarisas. Después del incendio que destruyó la antigua iglesia se procedió, en 1382, a la edificación de una triple nave con un magnífico portal en la parte sur y un largo presbiterio (en la foto). Esta construcción nunca fue concluida.

30

On June 10, 1942, the German fascists razed to the ground the village of Lidice, shot the men, and carried away the women and children. In 1947—1959, a short distance away, a new community was built and on the original site of Lidice, now a memorial, a symbol of suffering was erected in 1945.

L'emplacement du premier village de Lidice n'est aujourd'hui marqué que par une roseraie et un monument commémoratif. Le 10 juin 1942, les Nazis ont rasé les maisons, fusillé les hommes, déporté les femmes et les enfants. Une nouvelle commune de Lidice devait être bâtie en 1947—1959 à quelques centaines de mètres plus loin.

El 10 de junio de 1942, los fascistas alemanes arrasaron el pueblo de Lidice, fusilaron a todos los hombres que ahí se hallaban y transportaron a las mujeres y a los niños a los campos de concentración. Después de la Liberación en 1945, fue erigido en el lugar donde se asentaba Lidice este símbolo de su inmolación y entre 1947 y 1959 surgió en sus cercanías una nueva aldea.

31

At the confluence of the Elbe and the Vltava, Mělník used to be a Slavonic hill-fort in the 9th and 10th centuries. Its panorama today is made up of a château, originally a castle, and the Gothic Church of Saints Peter and Paul with a Renaissance gable and a southern Romanesque tower, raised by one storey during reconstruction in 1914—1916.

Mělník. Le site au confluent de l'Elbe et de la Vltava fut occupé au IXe et au Xe siècle par un bourgwall slave. Le château fort qui lui succéda devait être plus tard aménagé en résidence confortable de la Renaissance, dont la silhouette domine toujours les alentours. Son enceinte renferme l'église gothique Saint-Pierre-et-Saint-Paul, avec un fronton Renaissance et une tour romane accolée à sa façade sud, surmontée d'un étage en 1914—1916.

Mělník, sobre la confluencia de los ríos Elba y Vltava, era entre los siglos IX y X una plaza fuerte eslava. En su estado actual la caracterizan el antiguo castillo y la iglesia gótica de San Pedro y San Pablo con hastial de estilo renacimiento, y una torre románica, cuyo remate fuera prolongado durante las reparaciones que se le hicieron entre 1914 y 1916.

32

Kost, a castle that was never conquered, dates from the 14th century. Late Gothic, Renaissance and partially Baroque changes were added to it. It escaped destruction, for which it was slated in 1658, and today is one of the best preserved and most typical castles in the Czech Paradise (Český ráj) area.

Kost, château fort jamais pris par l'ennemi, remonte dans sa structure au XIVe siècle, mais son évolution architectonique se poursuivit au gothique tardif, à la Renaissance et, en partie, au baroque. Echappé de justesse au démantèlement ordonné en 1658, Kost est aujourd'hui un des châteaux les mieux conservés et les plus typiques de la région surnommée le Paradis de Bohême.

El invulnerable castillo de Kost fue fundado en el siglo XIV y su construcción se prosiguió en estilos renacimiento y barroco. En 1658 fue ordenada su demolición, pero Kost se salvó y es, hoy día, uno de los castillos mejor conservados y más típicos en toda la región del Paraíso Checo.

33

Ze známé čedičové kupy Mužského (462 m) v Českém ráji se rozevírá široký pohled do daleké krajiny. V pozadí je vidět prastarou Semtínskou lípu, která rozkládá svou korunu nedaleko hradu Kost.

В Чешском Рае, со стороны базальтового образования Мужский (462 м) открывается широкий вид. На заднем плане видна древняя Семтинская липа, простирающая свою крону неподалеку от крепости Кост.

Von der bekannten Basaltkuppe Mužský (462 m) im Böhmischen Paradies kann man weit ins Land hineinblicken. Im Hintergrund die uralte Linde von Semtín, die ihre breite Krone nahe der Burg Kost ausbreitet.

Český ráj je nejstarší chráněnou krajinnou oblastí v ČSSR. Je charakteristický pitoreskními skalními městy z turonských pískovců a ojedinělými čedičovými kupami a homolemi, které vyčnívají nad okolní nívó. Jednotlivé skalní věže a pilíře nesou často velmi poetická jména daná jejich podobou nebo místními pověstmi.

Чешский Рай — это древнейший природный заповедник ЧССР. Для него типичны живописные скалистые »города« из песчаника. Отдельные скалистые песчаниковые »башни« и »колонны« часто обладают поэтичными названиями, отвечающими их форме или содержанию местных легенд.

Das Böhmische Paradies stellt das älteste Landschaftsschutzgebiet in der ČSSR dar. Für diese Landschaft sind die malerischen Felsenstädte aus Turonsandstein charakteristisch. Die einzelnen Felsentürme und -pfeiler tragen zuweilen recht poetische Namen, die von ihrer Gestalt oder von einheimischen Sagen abgeleitet sind.

Takovéto nádherné polodrahokamy (na obr. achát s drúzou křišťálů) se vyskytovaly kdysi hojně na Novopacku a v okolí Kozákova. Jsou jimi vyzdobeny svatováclavská kaple Pražského hradu i nádherné kaple na Karlštejně. Dnes se již vyskytují jen ojediněle malé „pecky", které jsou předmětem zájmu sběratelů.

Подобные восхитительные полудрагоценные камни (на снимке — агат с друзой хрусталя) когда-то встречались в изобилии в районе Нова Пака или же Козаков в Чешском Рае. Они украсили стены капеллы св. Вацлава в Пражском Граде (см. снимок на стр. 24) и великолепные капеллы Карлштейна.

Solche feenhaft schöne Halbedelsteine (am Bild ein Achat mit Kristalldruse) wurden früher in beträchtlicher Zahl nahe Nová Paka und in der Umgebung des Hügels Kozákov im Böhmischen Paradies gefunden. Mit ihnen sind sowohl die St. Wenzelskapelle auf der Prager Burg als auch die prunkvollen Kapellen der Burg Karlštejn geschmückt (siehe Bild auf S. 24).

Císařská chodba je geomorfologicky velmi zajímavou partií státní přírodní rezervace Prachovské skály. Je to velmi hluboká rokle vyhloubená v turonských pískovcích s řadou skalních věží, sloupů a pilířů s výraznou povrchovou modelací typickou pro větrání kvádrových pískovců.

»Императорский коридор«, эта весьма интересная в геоморфологическом плане часть заповедника Праховские скалы, представляет собой глубокий овраг, возникший среди песчаниковых скалистых образований с выразительной моделировкой поверхности, типичной для выветривания этого камня.

Der Kaisersteg (Císařská chodba), ein geomorphologisch außerordentlich interessantes Naturgebilde im Staatlichen Naturschutzgebiet Prachovské skály, stellt eine tief in den Turonsandstein eingeschnittene Schlucht mit zahlreichen Felstürmen und -pfeilern dar. Ihre ausdrucksvoll modellierte Oberfläche ist ein typisches Beispiel der Verwitterung von Sandsteinquadern.

Chráněná krajinná oblast Český ráj je charakteristická mozaikovitým střídáním skalních měst, luk a drobných políček se spoustou zeleně. Rázovité krajině s roubenými chalupami a rozptýlenými drobnými skulpturami vévodí zříceniny hradu Trosky. Hrad byl vystavěn na čedičovém návrší vypínajícím se vysoko nad terén.

Заповеднику Чешский Рай свойственно чередование, почти мозаика, скалистых »городов«, лугов, небольших полей и массы зелени. Над этим своеобразным краем, где повсюду разбросаны скульптурные украшения и деревянные срубы, возвышаются развалины крепости Троски.

Für das unter Landschaftschutz stehende Gebiet des Böhmischen Paradieses ist der mosaikartige Wechsel von Felsenstädten, Wiesen und schmalen Feldern mit frischem Grün ringsum charakteristisch. Über dieser eigenwüchsigen Landschaft mit ihren aus rohbehauenen Balken gezimmerten Häusern und über das ganze Gebiet verstreuten kleineren Skulpturen thront die weithin sichtbare Ruine Trosky.

Konopiště přes proměny a přestavby zůstává v jádru hradem z počátku 14. stol., který vybočuje z typologie našich hradů se svými sedmi zčásti sníženými věžemi se řadí k francouzským kastelům. Dnešní podobu získal v l. 1889—1894 a v r. 1914. Na barokní úpravy upomíná brána z r. 1725, volně stojící poblíž příkopu, v němž se tradičně chovají medvědi; park se sochami a obelisky byl založen r. 1900.

Конопиште несмотря на перестройки сохранило свой первоначальный вид семибашенной крепости французского типа. Замок возник в XIV веке, основные черты его сегодняшнего вида возникли в 1889—1894 гг., а также в 1914 г. В 1725 годы были созданы ворота в стиле барокко. Парк был разбит в 1900 г.

Schloß Konopiště hat sich allen Umbauten zum Trotz Spuren seiner ursprünglichen Gestalt einer siebentürmigen Burg vom Typ eines französischen Kastells bewahrt. Errichtet zu Beginn des 14. Jahrhunderts, erhielt das Schloß sein heutiges Aussehen in den Jahren 1889—1894 und zuletzt im Jahre 1914. Das freistehende Barocktor geht auf das Jahr 1725 zurück, der Park wurde i. J. 1900 angelegt.

A tremendous view of the surrounding countryside unfolds from the basaltic knob Mužský (462) in the Czech Paradise area. Visible in the background is the ancient Semtín linden tree which spreads its branches not far from Kost Castle.

Depuis le sommet du piton basaltique de Mužský (462 m) une vue superbe s'ouvre sur la vaste plaine du Paradis de Bohême. A l'horizon on voit se dessiner, non loin du château de Kost, la puissante cime du tilleul de Semtín.

Desde la cúspide basáltica del Mužský (Hombre, 462 m), se domina una vasta panorámica del Paraíso Checo. Al fondo se puede apreciar el secular tilo de Semtín, que despliega su copa cerca del castillo de Kost.

34

Czech Paradise is the oldest existing Nature Reserve in the ČSSR. It is known for its pittoresque rock towns of Turonian sandstone. The various rock towers and columns often have very poetic names given them either because of their appearance or local legends.

La région du Paradis de Bohême, le plus ancien site naturel protégé de Tchécoslovaquie, comprend plusieurs kilomètres carrés de blocs de grès aux formes pittoresques qui semblent les ruines de quelque cité fantastique. Des récits populaires se rattachent à ses tourelles, colonnes ou cheminées de fées qui portent des noms poétiques.

El Paraíso Checo es la Zona Natural Protegida más antigua de Checoslovaquia. Típicas de ésta son sus pintorescas «ciudades de roca», formaciones caprichosas de estratos de arenisca. Las atalayas y los pilares de roca llevan nombres poéticos que aluden a su parecido o a las leyendas de aquella región.

35

Such magnificent semi-precious stones (agate with druse crystals) were once found in large numbers near Nová Paka and around Kozákov in the Czech Paradise area. They decorate the St Wenceslas Chapel at Prague Castle and the beautiful chapels at Karlštejn (see photo on p. 24).

Dans les alentours de la ville de Nová Paka et sous la colline de Kozákov, dans la région du Paradis de Bohême, on trouvait autrefois en grand nombre des pierres fines, pareilles à cette druse de cristaux d'agate (voir cliché). De telles pierres ont servi à revêtir les murs de la chapelle Saint-Venceslas dans la cathédrale de Prague et ceux des chapelles du château de Karlštejn (voir cliché p. 24).

Piedras semipreciosas tan magníficas como el ágata con drusa de cristales que se ve en la foto se encontraban antaño en cantidades considerables en las inmediaciones de Nová Paka y Kozákov, en el Paraíso Checo. Sirvieron para adornar las paredes de la Capilla de San Venceslao, en el Castillo de Praga, y la Capilla de la Santa Cruz, en Karlštejn (véase foto en la pág. 24).

36

The Emperor's Corridor (Císařská chodba) is an extremely interesting geomorphological section of the Prachov Rocks (Prachovské skály) Nature Reserve. It is a very deep gorge formed from Turonian sandstone with a number of rock towers, columns and pillars. All of them have expressive surface modelation typical for abrasions of rectangular sandstone.

Le Passage de l'Empereur, partie des rochers de Prachov, un autre grand site protégé de Bohême centrale, est un très profond ravin bordé de tourelles, piliers ou colonnes qui présentent une structure caractéristique de la désagrégation des blocs de grès sous l'effet de l'érosion éolienne.

El Corredor del Emperador (Zona Natural Protegida del riscal de Prachov) es muy interesante desde el punto de vista geomorfológico. Se trata de una escarpa que se ha formado por la acción de los agentes erosivos sobre la arenisca y que ha resultado en la formación de torres, columnas y pilares rocosos con un multifacético labrado de sus superficies, que es típico del desgaste de los tableros de arenisca.

37

The Czech Paradise Nature Reserve is characterized by an alternating mosaic of rock towns, groves and small fields with much greenery. Towering over this singular area with half-timbered cottages and scattered, small sculptural pieces are the ruins of Trosky Castle.

Le Paradis de Bohême est un pays doux et riant où alternent des prairies et des champs avec de grands ensembles de rochers ruiniformes. Les maisons traditionnelles à poutres apparentes sont disséminées parmi la verdure, les statues des saints gardent les croisées des chemins et, au-dessus de la plaine, bâti sur deux dykes basaltiques, se dresse le château de Trosky, depuis longtemps abandonné.

El Paraíso Checo es único por el mosaico de sus «ciudades de roca», sus prados, campos diminutos y exuberantes verdegales. Las ruinas del alcázar de Trosky se yerguen sobre la pintoresca campiña con sus fincas de madera y dispersas esculturas de roca.

38 · 39

Despite alterations, Konopiště has retained traces of its original appearance as a seven-tower castle of the French castel-type. It dates from the beginning of the 14th century and in 1889—1894 and 1914 acquired its present appearance. In 1725 the free standing Baroque gate was built; the park was laid out in 1900.

Le château de Konopiště, fondé au début du XIVᵉ siècle, doit son aspect actuel à deux reconstructions modernes, entreprises respectivement en 1889—1894 et en 1914. Il a néanmoins gardé son enceinte rectangulaire, armée de sept tours, qui lui donne une allure de forteresse de type français. La porte baroque, isolée de l'ensemble, date de 1725, le parc fut dessiné en 1900.

Konopiště, al sur de Praga, ha conservado hasta hoy la forma de castillo con siete torres, que se asemeja a las típicas construcciones francesas de esta clase. El castillo data del siglo XIV, pero fue reconstruido en diversas ocasiones. En los años de 1889 a 1894, y en 1914, se le agregaron elementos que lo dotaron de la apariencia que presenta hoy en día. La puerta barroca que se levanta solitaria cerca del castillo, data de 1725. El parque fue trazado en 1900.

40

Kolín je jedním z gotických měst pravidelného šachovnicového založení. Nejvýstavnější památka, kostel sv. Bartoloměje, byl stavěn po r. 1261 jako raně gotické síňové trojlodí (na obr.), v té době, kdy převládají baziliky, velmi vzácné. Nové presbyterium katedrálního typu s opěrným systémem a věncem kaplí připojil k trojlodí v l. 1360–1378 Petr Parléř, stavitel pražské katedrály sv. Víta.

Колин был основан в 1257 г. Вскоре после основания города началось в 1261 г. строительство костела св. Бартоломея (Варфоломея) раннеготического, зального, трехнефного сооружения (см. снимок). Новая апсида кафедрального типа с опорной системой и венцом капелл была создана Петром Парлержом в 1360–1378 гг.

Die Stadt Kolín wurde i. J. 1257 gegründet und bereits im Jahre 1261 begann der Bau der dem hl. Bartholomäus geweihten dreischiffigen Hallen-Stadtkirche im frühgotischen Stil (siehe Bild). Peter Parler fügte ihr in den Jahren 1360–1378 ein im Kathedraltyp gestaltetes neues Presbyterium mit einem Stützbogensystem und Kapellenkranz hinzu.

Kutná Hora, bohaté královské horní město a sídlo mincovny, zamýšlela stavbou chrámu sv. Barbory (po r. 1388) předčit pražskou katedrálu sv. Víta. I zde bylo použito — jako v Sedlci, Praze a Kolíně — katedrální dispozice s věncem kaplí vymalovaných pak v pozdní gotice (na obr. Smíškovská kaple se scénami Ukřižování a královny ze Sáby). Klenbu vysokého chóru (v průhledu) vytvořil Matěj Rejsek v l. 1489–1499.

Кутна Гора, королевский город, где велась горная добыча и чеканились монеты, стремился превзойти Прагу с ее кафедральным собором св. Вита, возведя храм св. Барбары (Варвары) после 1388 г. Капеллы храма в кафедральной галерее были расписаны в эпоху поздней готики. Купол высокого клироса возведен в 1489–1499 гг.

Kutná Hora war als königliche Bergstadt und Sitz des Münzamts darauf aus, mit dem Bau der Kathedrale der hl. Barbora (nach d. J. 1388) den Prager St.-Veits-Dom in den Schatten zu stellen. Die Kapellen im Kreuzgang der Kathedrale erhielten ihren Wandschmuck zur Zeit der Spätgotik. Das Gewölbe des Hochchors stammt aus den Jahren 1489–1499.

Sedlec, dnes část Kutné Hory, měl v pětilodní bazilice P. Marie býv. cisterciáckého kláštera až do dostavby Svatovítské katedrály nejdelší kostel v Čechách. Obnova chrámu z počátku 14. stol. Janem Santinim v l. 1699–1707 se kromě průčelí projevuje zejm. uvnitř formami barokní gotiky, výlučně českého historizujícího stylu z první třetiny 18. stol., užitého též v Kladrubech, Želivi či ve Žďáru n. S.

Седлец, ныне часть г. Кутна Гора, был в прошлом резиденцией монашеского ордена цистерцианцев. Пятинефная базилика монастыря возникла в начале XIV в. Ян Сантини придал ей в 1699–1707 гг. форму барочной готики, исключительно чешского историзирующего стиля первой трети XVIII в.

In der Gemeinde Sedlec, die heute zu Kutná Hora gehört, bestand früher ein Kloster des Zisterzienserordens. Seine fünfschiffige Basilika vom Beginn des 14. Jh. wurde in den Jahren 1699–1707 von Jan Santini im Geiste der barocken Gotik renoviert, eines ausschließlich tschechischen historisierenden Baustils vom ersten Drittel des 18. Jh.

Kočí u Chrudimě se stalo známé svým kostelem sv. Bartoloměje, jehož model byl zhotoven pro Národopisnou výstavu v Praze r. 1893. Ačkoli byl založen r. 1397 královnou Žofií, jeho gotické jednolodí je velmi prosté. Zato pozdější malované doplňky interiéru, strop, dvojitá kruchta a prospekt varhan dělají z kostela skvost; zevně to jsou dřevěná přestavěná zvonice a krytý most přes vodní příkop zřízený na místě staršího r. 1721.

Кочи близ Хрудима славится костелом св. Бартоломея (Варфоломея), основанным в 1397 г. чешской королевой Жофией. Эта готическая однонефная постройка чрезвычайно проста, зато позднее расписанный потолок и двойной клирос превращают ее в подлинное чудо. Костел дополняют колокольня и крытый мост (1721 г.).

Der Ort Kočí bei Chrudim ist durch die i. J. 1397 von der böhmischen Königin Sophia gestiftete Bartholomäuskirche bekannt. Die einschiffige gotische Kirche hat an sich ein recht bescheidenes Aussehen, doch die später mit Malereien geschmückte Decke sowie der Doppelchor machen aus ihr ein wahres Kleinod. Außen sind der Kirche ein Glockenturm und eine gedeckte Brücke beigegeben, die beide auf das Jahr 1721 zurückgehen.

Litomyšl byla již v 10. stol. pomezním slavníkovským hradem, který později vystřídal klášter benediktinů a poté premonstrátů s románskou bazilikou; od r. 1344 tu bylo biskupství a pak opět hrad. Teprve r. 1568 přikročil Vratislav z Pernštejna ke stavbě jednoho z našich nejvýstavnějších renesančních zámků se štíty, sgrafity a arkádami otevřenými v čelném křídle dokonce i do průčelí.

Литомышль, сначала — пограничное городище, позднее монастырский центр, епископство и наконец крепость. В 1568 г. здесь был основан ренессансный дворец с аркадами, фронтонами и ценными фигурными сграффито. Аркады в переднем крыле по фасаду — сквозные.

Litomyšl war ursprünglich Grenzburg, später Standort eines Klosters, Bischofssitz und schließlich wieder eine Burg, bis dann im Jahre 1568 auf einer Anhöhe das heutige imposante Renaissanceschloß mit seinen Giebeln, Sgraffitos und Arkaden entstand, die im Vorderflügel auch nach der Stirnseite hin offen sind.

Kuks, zámek, špitál a lázně, proslul především sochařskými díly, která tu pro Františka Šporka tesal Matyáš Bernard Braun, čelný sochař českého vrcholného baroku. Záhy nato vytvořil v tzv. Novém lese soubor biblických scén, nazvaný podle ústředního výjevu Betlém. Sem patří i Garinus (1726), španělský poustevník, který se za své provinění kál tím, že lezl po čtyřech a žil v jeskyni jako zvíře.

Кукс — замок, госпиталь, курорт, — славится своими скульптурами эпохи кульминации чешского барокко. Скульптуры, высеченные замечательным мастером Матиашем Бернардом Брауном в скале неподалеку от Кукса в Новом лесу и изображающие сцены из библии, получили общее название »Вифлеем«. К ним относится и фигура отшельника Гаринуса (1726 г.).

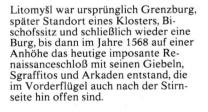

Kuks ist Schloß, Spital und Bad in einem und verdankt seine Berühmtheit den bildhauerischen Meisterwerken des tschechischen Hochbarocks. Von ihrem Autor, Matthias Bernard Braun, wurden darüberhinaus im nahegelegenen Neuen Wald biblische Szenen in den Fels gehauen, die unter dem Sammelnamen Bethlehem zusammengefaßt werden. Dazu gehört auch die Statue des Einsiedlers Garinus (1726).

Shortly after it was founded in 1257, the town of Kolín began to build the Church of St Bartholomew (1261), an Early Gothic triple-nave type (see photo). The new cathedral-type presbytery with flying buttresses and wreathed with chapels was added in 1360—1378 by Peter Parler.	La ville de Kolín fut fondée en 1257. Peu après, en 1261, on procéda à la construction de l'église Saint-Bartholomé, vaisseau à trois nefs d'égale hauteur, appartenant encore au premier gothique (voir cliché). En 1360—1378, Pierre Parler éleva un chœur à déambulatoire entouré de chapelles rayonnantes, soutenu de l'extérieur par des arcs-boutants.	Kolín, ciudad fundada en 1257, comenzó poco después, en 1261, la erección del templo de San Bartolomeo como una iglesia de tres largas naves en gótico temprano (en la foto). El nuevo presbiterio, concebido como para una catedral, con un sistema de pilastras y la corona de capillas, fue construido de 1360 a 1378 por Peter Parler.	41
Kutná Hora, a royal mining town and the site of the mint, hoped to outdo Prague's Cathedral of St Vitus by building the Church of St Barbara (after 1388), whose chapel in the cathedral gallery was painted in Late Gothic. The vaulting of the high chancel is from 1489—1499.	Kutná Hora, ville royale et siège de la monnaie qui tirait sa grande richesse des mines d'argent, voulut dépasser en somptuosité la capitale et sa cathédrale, lorsqu'elle entreprit, après 1388, la construction de l'église Sainte-Barbe. Les chapelles rayonnantes sont ornées de peintures du gothique tardif. La voûte du chœur remonte à 1489—1499.	Kutná Hora, ciudad real, con sus minas y su Casa de la Moneda, pretendía superar a la Catedral de San Vito, en Praga, construyendo la Catedral de Santa Bárbara (después de 1388) cuyas capillas, ubicadas en la galería, fueron pintadas en estilo gótico tardío. La bóveda del alto coro procede de los años 1489—1499.	42
Sedlec, a part of Kutná Hora today, was the one-time seat of a Cistercian monastery. Its pentagonal basilica—beginning of the 14th century—was restored in 1699—1707 by Jan Santini in the form of Baroque Gothic, an exclusively Czech historical style of the first third of the 18th century.	La commune de Sedlec, aujourd'hui partie de la ville de Kutná Hora, a pour origine une célèbre abbaye cistercienne. Son église à cinq nefs du début du XIVᵉ siècle fut reconstruite en 1699—1707 par Jean Santini dans un style historisant typique de la Bohême du premier tiers du XVIIIᵉ siècle, désigné sous le terme de gothique baroque.	Sedlec, que en la actualidad forma parte de la ciudad de Kutná Hora, fue la sede de un monasterio de la orden de los cistercienses. Su basílica de cinco naves, de principios del siglo XIV, fue restaurada en el lapso de 1699 a 1707 por J. Santini con formas del gótico barroco, en su interior, un estilo historizante eminentemente checo, de la tercera década del siglo XVIII.	43
Kočí near Chrudim is known for its Church of St Bartholomew founded in 1397 by the Czech Queen Sophia. Its Gothic single-nave is simple, while its painted ceiling and double choir loft of later date have made it a treasure. Near the church are a belfry and a covered bridge built in 1721.	L'église Saint-Bartholomé à Kočí près de Chrudim, fondée en 1397 par la reine Sophie, est un édifice très simple à nef unique et clocher isolé. Elle apparaît néanmoins comme un bijou d'architecture grâce à sa double tribune et son plafond peint, postérieur à la construction. On y accède par un pont couvert de 1721.	Kočí, en Bohemia, es famoso por su iglesia de San Bartolomeo, fundada en 1397 por la reina checa Sofía. Su nave gótica es sencilla pero el techo cubierto con pinturas y el coro en dos plantas hacen de ella una alhaja. La parte exterior de la iglesia está complementada por un campanario y un puente techado de madera, que data del año de 1721.	44
Litomyšl used to be a border hill-fort; later it was the seat of a cloister and a bishopric. It then reverted to being a castle before the present-day imposing Renaissance castle with gables, sgraffiti and arcades, whose frontal wing is open as far as the portal, was built in 1568 overlooking the town.	Litomyšl est mentionné dès le Xᵉ siècle comme place forte destinée à défendre la frontière du pays. Au XIIᵉ siècle, les Prémontrés ont fondé dans le site un monastère qui allait devenir siège de l'évêché, avant d'être transformé en château fort. Le château Renaissance surmonté de hauts frontons qui domine aujourd'hui la ville, date de 1568. Inscrit dans un quadrilatère et richement orné de sgraffites, il s'ouvre dans la cour par des arcades qui animent également la façade d'entrée.	Litomyšl fue en su tiempo un alcázar fronterizo, luego sede de un monasterio y arzobispado y más tarde castillo nuevamente. En 1568 fue fundado aquí, dominando la ciudad, el actual y monumental castillo renacentista con hastiales esgrafiados y arcadas que en el ala frontal están abiertas por los dos lados al patio y a la fachada respectivamente.	45
Kuks—a château, hospital and spa—is renowned for the sculptural works of Czech High Baroque. Matthias Bernard Braun, the author of these sculptures, hewed out of rock in the nearby New Forest (Nový les) Biblical scenes known under the joint name of Bethlehem; the figure of the pilgrim Garinus (1726) is one of them.	Kuks — château, hospice et station thermale — est célèbre pour ses sculptures dues au ciseau de Mathieu-Bernard Braun, considérées comme l'un des sommets du baroque de Bohême à son apogée. Dans la proche forêt domaniale, le grand artiste a taillé, directement dans la roche, une suite de scènes du Nouveau Testament, connue sous le nom de Bethléem, dont cette figure de l'ermite Garinus (1726) fait partie.	Kuks, castillo, hospital y baños, es notable por las obras escultóricas del barroco floreciente checo. El artífice de estas esculturas, Matías Bernard Braun, esculpió en las rocas de un bosque aledaño un conjunto de escenas bíblicas llamado «El Belén». En la foto, una de las esculturas: el Ermitaño Garinus (1726).	46

Nové Město nad Metují, městská památková rezervace (označované někdy podobně jako Stříbro „český Betlém"), zaujímá mezi našimi městy zvláštní místo tím, že po požáru r. 1526 je Pernštejnové dali postavit najednou a dokonce průčelí se štíty, řešená pro celé bloky, nerespektují ani parcelaci jednotlivých domů. V silně exponovaném panorámatu tvoří protilehlé dominanty zámek a kostel N. Trojice, oba ze 16. stol.

Нове Место-на-Метуе занимает особое место среди прочих городов в связи с тем, что после пожара 1526 года его владелец из рода Пернштейнов приказал восстановить его с типизированными фронтонами фасадов. Доминантой панорамы города являются костел и замок XVI века.

Nové Město nad Metují gebührt eine Sonderstellung unter den tschechischen Städten, weil die Herren von Pernštejn, ihre Inhaber, die Stadt nach dem Brand vom Jahre 1526 auf einmal und mit typisierten Stirnfronten wiedererrichten ließen. Das Panorama der Stadt wird von dem Schloß und der Kirche beherrscht, die beide aus dem 16. Jh. stammen.

Slavoňov si uchoval dřevěný roubený kostel, jakých bývalo ve východních Čechách více, než je postupně nahradily zděné stavby. Spolu se zvonicí a roubenou márnicí tvoří kostel sv. Jana Křt. malebnou skupinu. Ač pochází z r. 1553, strop ve střední části jeho trojlodí byl malován v r. 1705 a podle zvyku malíř kromě svého jména připsal jméno tehdejšího rychtáře a další údaje. R. 1971 byl strop restaurován.

Славонев, местечко, в котором сохранился деревянный костел св. Иоанна Крестителя; таких костелов было немало в восточной части Чехии. Однако постепенно их вытеснили каменные постройки. Костел возведен в 1553 г., деревянный потолок центрального нефа (см. снимок) был разрисован в 1705 г.

In Slavoňov ist die Holzkirche Johannes des Täufers erhalten geblieben. Solcher Kirchen gab es in Ostböhmen mehrere, doch wurden sie nach und nach durch Bauten aus Mauerwerk ersetzt. Die dreischiffige Kirche stammt aus d. J. 1553 und die Holzdecke des Mittelschiffs (siehe Bild) wurde i. J. 1705 mit Malereien geschmückt.

Půvabné podhůří pohraničních Orlických hor charakterizují četné lesíky, políčka, pastviny a luka s hojnými stromovými či keřovými remízy. Malebně rozptýlené chalupy jsou ukázkou zdravého skloubení lidské činnosti s přírodními prvky našich chráněných krajinných oblastí.

Для живописных предгорий пограничных Орлицких гор типичны многочисленные рощи, поля, пастбища, с богатыми ремизами деревьев и кустарника. Декоративно разбросанные избы свидетельствуют о здоровом слиянии фактора человеческой деятельности и природы в заповедниках ЧССР.

Das reizvolle Vorland des Grenzgebirges Orlické hory ist durch eine Unzahl von Wäldchen, Feldern, Weiden und Wiesen und zahlreiche Schutzgehölze aus Bäumen oder Sträuchern charakterisiert. Die malerisch in der Landschaft verstreuten Häuschen können als Beispiel vernünftiger Verknüpfung der Tätigkeit des Menschen mit Elementen der Natur gelten.

Krkonoše jsou jediným národním parkem ČSR. Jejich oblé hřbety a vrcholy jsou charakteristické pro velmi stará pohoří. Protože nebyly souvisle zaledněny, mohly se zde udržet nejodolnější druhy arktické přírody, které se dnes vyskytují pouze za polárním kruhem. Drsné klimatické podmínky v nejvyšších polohách (nad 1200 m n. m.) omezují přirozený růst lesa. Jednotvárnou zeleň zde oživují výrazné skvrny hořce tolitovitého, sasanky narcisokvěté a jiných vzácných druhů této botanické pokladnice.

Крконоше это единственный национальный парк Чешской Социалистической Республики. Округлые хребты и вершины свойственны горам древнего происхождения. В связи с тем, что ледяной покров этих гор не был сплошным, здесь сохранились наиболее устойчивые виды арктической природы, которые в наше время можно увидеть лишь за полярным кругом.

Einziger Nationalpark in der Tschechischen Sozialistischen Republik ist das Riesengebirge (Krkonoše). Die abgeflachten Kämme und Gipfel deuten auf das große Alter des Gebirges hin. Da die Krkonoše nicht durchgehend vereist waren, blieben hier einige wetterbeständige Arten der arktischen Flora bestehen, die man heute sonst nur jenseits des Polarkreises findet.

Mrazivé vichřice a tíhu sněhové pokrývky v nejvyšších částech Krkonoš jsou schopni snášet jen nejodolnější jedinci. Jejich šiky s každým přibývajícím metrem nadmořské výšky slábnou a řídnou. Náš pohled zachycuje Čertův důl.

В наиболее высоких областях Крконош ледяные метели и тяжесть снежного покрова выдерживают только наиболее морозоустойчивые растения. Их количество с каждым новым метром над уровнем моря уменьшается. На снимке — Чертув дул.

Nur die frost- und winterbeständigsten Repräsentanten der Pflanzenwelt können den eisigen Stürmen und der Last des Schnees in den höchstgelegenen Teilen des Krkonoše-Gebirges standhalten. Ihre Zahl schrumpft buchstäblich mit jedem Meter Seehöhe. Das schlägt sich auch in den Ortsbezeichnungen nieder, in denen das Wort Teufel wiederkehrt, wie z. B. Čertův důl (siehe Bild).

Z Krakonošovy zahrádky se otvírá podmanivý pohled na mohutný vrchol Sněžky, spadající příkře Krakonošovou nohavicí do Obřího dolu. Jeho stráně přitahují turisty, ale zejména botaniky. Vyskytuje se zde vzácný rozrazil keříčkovitý i daleko vzácnější druhy, které bychom marně hledali kdekoli na světě. Připomeňme alespoň jeřáb sudetský (roste ještě v Jeseníkách), zvonek krkonošský a některé druhy jestřábníků.

Из Краконошевой заградки (Сад Краконоша) прекрасно видно могучую вершину горы Снежка, которая обрывисто, по Краконошевой ногавице (Штанине Краконоша) опускается к Обржиму долу (Гигантскому дну). Склоны привлекают особое внимание ботаников: здесь растет вероника кустарниковая и еще более редкие растения.

Von Rübezahls Garten (Krakonošova zahrádka) aus bietet sich ein überwältigender Ausblick auf den mächtigen Gipfel der Sněžka, die auf der Seite der Krakonošova nohavice steil zum Obří důl abfällt. Ihre Abhänge ziehen insbesondere Botaniker an, da man hier den spärlich vorkommenden gelben Bergenzian und noch seltenere Pflanzenarten finden kann, die man anderswo in der Welt vergeblich suchen würde.

Nové Město nad Metují occupies a special place among Czech towns because after the fire of 1526, its owners, the Pernštejns, had it rebuilt at once and with typified front façades. The dominating features of the town are its palace and church, both from the 16th century.

Détruite par un incendie en 1526, la ville de Nové Město nad Metují fut entièrement rebâtie par les seigneurs de Pernštejn. La place est ceinturée sur ses quatre côtés d'alignements homogènes de façades rideaux de la Renaissance précoce qui dissimulent un parcellaire encore gothique, ordonnance en Bohême assez exceptionnelle. Le panorama de la ville est dominé par les silhouettes de l'église et du château, tous deux du XVIᵉ siècle.

La ciudad de Nové Město nad Metují ocupa una posición especial entre las ciudades checas. Después de un gran incendio en 1526 sus dueños, los señores de Pernštejn, hicieron construir una nueva ciudad con fachadas homogéneas. El panorama de la ciudad se caracteriza por las torres de la iglesia y el castillo, ambos del siglo XVI.

47

Slavoňov has retained its wooden, half-timbered Church of St John the Baptist. Many such wooden structures existed in East Bohemia before they were gradually replaced by brick buildings. This three-nave church dates from 1553 and the wooden ceiling of its central nave (see photo) was painted in 1705.

Slavoňov a conservé son église à colombage, type jadis assez répandu en Bohême de l'Est. L'église consacrée à saint Jean-Baptiste remonte à 1553, le plafond en charpente de sa nef centrale (voir cliché) fut orné de peinture en 1705.

En Slavoňov se ha conservado una iglesia de madera, la iglesia de San Juan Bautista. Antaño hubo más iglesias de madera en la Bohemia Oriental, pero con el correr de los tiempos fueron sustituidas por edificaciones de mampostería. Esta iglesia data de 1553 y el techo artesonado de la central de sus tres naves fue policromado en 1705.

48

The delightful foothills of the borderland Orlické Mountains are characterized by many small forests, fields, pastures and meadows with clumps of trees or shrubs. The picturesque, scattered cottages are an example of the healthy blending of human activities with the natural elements of a ČSSR Nature Reserve.

Au pied de la chaîne d'Orlické hory qui marque la frontière nord-est de la Bohême, s'étend un pays pittoresque, terres de bocages, de champs, de pâturages et de prairies avec des refuges plantés d'arbres ou couverts de broussailles. Des maisons dispersées dans le paysage témoignent d'un juste accord entre la nature vivante et l'œuvre de l'homme.

El lindo paisaje al pie de los montes del Orlice descuella por sus abundantes bosques, verdegales, pastizales y praderas pobladas de arboledas y sotos. Las pintorescas fincas de madera esparcidas por la comarca son una muestra de la armonía que puede alcanzar la obra del hombre y los elementos de la naturaleza de las zonas protegidas de Checoslovaquia.

49

The Giant Mountains (Krkonoše) form the only National Park in the Czech Socialist Republic. Their rounded ridges and peaks reveal that it is a very old chain. Because they were not under ice everywhere, the hardiest types of arctic flora, which now exist only beyond the Arctic Circle, are still found today.

Les monts des Géants, unique région de la République Socialiste Tchèque classée en parc national, présentent des sommets arrondis, typiques des montagnes très anciennes. Ayant en partie échappé aux glaciations, ils ont conservé plusieurs espèces végétales propres aux milieux polaires.

Los Montes Gigantes constituyen el único Parque Nacional de la República Socialista Checa. Sus escuetas aristas y cumbres son características de orografías muy antiguas. Debido a que no quedaron completamente cubiertas por los hielos se conservaron en ellas las especies más resistentes de la flora ártica, que en nuestros días se dan solamente más allá del círculo polar.

50

Only the hardiest can withstand the freezing windstorms and the weight of snow blankets in the upper parts of the Giant Mountains. Their ranks grow thinner and weaker with every additional metre above sea level. This view was taken of Čertův důl.

Seuls les arbres les plus résistants arrivent à survivre dans ces rudes montagnes, supportant la morsure du gel, les ouragans et le poids de la neige. Aussi se font-ils de plus en plus rares à mesure qu'on monte vers les sommets. En témoigne cette vue sur la vallée du Diable.

Las nevascas y el peso de las capas de nieve en las cimas de los Montes Gigantes hacen muy difícil la vida en ellas. Por esta razón con cada metro más de altura sobre el nivel del mar las moradas se van volviendo más escasas. En la foto se nos ofrece una vista del Valle del Diablo.

51

There is an enchanting view from the Krakonošova zahrádka of the majestic Sněžka, falling steeply down Krakonošova nohavice to Obří důl. Botanists, in particular, are attracted to its slopes where the rare gentiana pneumonanthe grows and far rarer types that we would search for in vain elsewhere in the world.

Une vue superbe de la puissante cime de la Sněžka se présente depuis le jardin de Rübezahl. Son versant qui descend à pic dans la vallée des Géants est un paradis des botanistes. Ils vont y cueillir la gentiane pulmonaire et des espèces encore plus rares qu'on chercherait en vain partout ailleurs.

Desde el Huerto de Krakonoš (gigante legendario), se descubre una impresionante vista panorámica sobre el poderoso pico del Monte Nevado (Sněžka). Sus vertientes atraen a muchos botánicos en el verano. Crecen en ellas la rara *genciana pneumonante* y otra suerte de flora mucho más exótica, que no se halla en ninguna otra parte del mundo.

52

Chráněnou krajinnou oblast Jizerské hory tvoří mírně modelované staré pohoří, jež k severní straně spadá příkře skalnatými srázovými svahy do údolí Smědé. Uchovaly se zde zbytky horských smrčin, krásné smíšené suťové porosty i rozlehlá rašeliniště. Vysoké vodní srážky spolu s jarním táním zde způsobují častou erozi půdy zejména na plochách, kde došlo v důsledku rozsáhlých polomů k dlouhodobějšímu odlesnění.

Заповедник области Йизерские горы представляет собой тонко моделированные древние горы, которые с северной стороны скалистыми обрывами опускаются в долину. Здесь сохранились остатки горного ельника, живописная смешанная растительность осыпей и обширные торфяные болота.

Das unter Landschaftschutz stehenden Jizerské hory-Gebirge bildet einen sanft gewellten Gebirgszug, der jedoch nach Norden zu steil abfällt und sich dort durch bizarre Felsgebilde auszeichnet. Neben den erhalten gebliebenen Bergfichten gibt es hier wunderschönen Mischbestand und ausgedehnte Moore.

Bezděz, výstavný královský hrad, tyčící se na vyšším ze dvou stejnojmenných vyvřelých kopců, byl postaven v l. 1265—1278 Přemyslem Otakarem II. a již rok po jeho smrti — 1279 — tu Ota Braniborský věznil jeho syna Václava II. R. 1628 se hrad stal poutním místem (tak se objevuje ve Smetanově Tajemství) a jeho zříceniny vábily Karla Hynka Máchu i další umělce. Na obrázku pohled z velké věže k menší Čertově věži.

Бездез, королевская крепость, построенная в 1265 — 1278 гг. на более высоком из двух одноименных магматических холмов с прекрасной часовней в стиле ранней готики, возведенной в 1628 г., превратился в своего рода место паломничества. Его развалины особенно привлекали поэтов и художников эпохи романтизма. На снимке внизу Чертова веж (башня).

Die königliche Burg Bezděz, in den Jahren 1265 — 1278 auf dem höheren der beiden gleichnamigen Bergkuppen vulkanischen Ursprungs errichtet und durch eine prächtige frühgotische Kapelle vervollständigt, wurde 1628 Wallfahrtsort. Ihre Ruinen lockten insbesondere die Dichter und Maler des Romantismus. Die Aufnahme zeigt den niedrigeren der beiden Türme, genannt Čertova věž.

Novozámecký rybník je velmi významná ornitologická rezervace v malebné krajině Českolipska. Rozlehlé rákosiny uzavírají poměrně malé vodní zrcadlo s bohatým porostem stulíků a leknínů. Na rybníce hnízdí více než sto druhů vodního ptactva, mezi jinými i husa velká. Významnou zajímavostí je zde výpustní kanál, který byl za vlády Karla IV. vyhlouben v pískovcových skalách.

Новозамецкое озеро, этот выдающийся орнитологический заповедник, расположен в живописной Ческолипской области. На озере гнездится более ста видов водоплавающей птицы, среди них и гусь большой. Особенностью озера является также выпускной канал, пробитый во времена Карла IV в песчаниковых скалах.

Der in die malerische Landschaft bei Česká Lípa eingebettete Teich Novozámecký rybník ist eine ornithologische Reservation von großer Bedeutung. Hier nisten mehr als hundert Arten von Wasservögeln, darunter auch die Baumgans. Interessant ist ferner der Ablaßkanal, der zur Zeit Karls IV. in die Sandsteinfelsen gehauen wurde.

Házmburk, hrad ze 14. stol., nazvaný podle zněmčeného jména majitelů — pánů Zajíců, tvoří i jako zřícenina s válcovou Černou věží na předhradí a hranolovou Bílou ve vnitřní části výraznou dominantu krajině kolem Libochovic. K tomu přispívá kuželovitý vyvřelý čedičový vrch, osamělá součást Českého středohoří, který podle Dalimilovy a Hájkovy kroniky opevnili prý v 8. stol. již Lučané.

Газмбурк, крепость, возведенная в XIV в. на базальтовой магматической скале, образует и теперь в качестве развалины вместе с цилиндрической Черной башней и призматической Белой башней доминанту этой области. Судя по хроникам скала была укреплена уже в VIII в.

Házmburk ist eine im 14. Jahrhundert auf einem Basaltfelsen vulkanischen Ursprungs errichtete Burg. Obwohl heute nur noch eine Ruine, beherrscht sie mit dem Černá věž genannten Rundturm der Vorburg und dem vierkantigen Bergfried Bílá věž die Landschaft am ganzen Unterlauf der Ohře. Die Chronik besagt, daß der Hügel bereits im 8. Jahrhundert befestigt war.

Porta bohemica, výrazný úsek Labe v chráněné krajinné oblasti Českého středohoří, je skutečným vstupem do vnitrozemí našeho státu. Řeka Labe zde protéká mezi vyvřelými kupami a k ní se připojily po obou stranách železniční tratě a silnice.

»Порта Богемика« (Ворота Богемии) — своеобразный отрезок реки Лабы в области Чешских Средних гор — это подлинные двери во внутренюю часть страны. Река Лаба протекает здесь между магматическими вершинами гор, а по обеим ее сторонам проложены железнодорожные пути и шоссе.

Die Porta bohemica, ein malerischer Abschnitt des Elbetals in dem unter Landschaftsschutz stehenden Gebiet des České středohoří-Gebirges, ist das Eintrittstor zum Landesinnern nicht nur seinem Namen nach. Die Elbe fließt hier zwischen vulkanischen Bergstöcken und zuckerhutförmigen Kuppen dahin und wird an beiden Ufern von Eisenbahnlinien und Straßen gesäumt.

Pravčická skalní brána, nejvyšší v evropském měřítku, vznikla v turonských pískovcích. Svou šířkou (přes 25 m) i výškou (přes 21 m) si naprosto nezadá s obdobnými útvory v USA. Z její plošiny se rozevírá nádherný pohled na lesnaté území chráněné krajinné oblasti Labské pískovce.

Правчицкие скалистые ворота, высочайшие в Европе, представляют собой песчаниковое образование. По своей широте (свыше 25 м) и высоте (свыше 21 м) они ни в чем не уступают подобным горообразованиям в США. С плоскости открывается прекрасный вид лесистой территории охраняемой государством области Лабске писовце.

Das Felsentor von Pravčice, geformt aus turonischem Sandstein, ist das höchste im Maßstab Europas. Mit seiner Breite (25 m) und Höhe (mehr als 21 m) steht es selbst hinter ähnlichen Gebilden in den USA nicht zurück. Von der Höhe des Tors genießt man einen herrlichen Ausblick auf die bewaldete Landschaft des Elbesandstein-Schutzgebietes.

The Jizerské Mountain Nature Reserve is formed by a mildly modelled old range which on the northern side falls steeply down precipitous rocky slopes into a valley. The remains of mountain fir tree copses have survived along with beautiful mixed scree brackawood and extensive peat bogs.

Les montagnes de Jizerské hory constituent une vaste réserve naturelle. C'est une autre chaîne ancienne, formée d'un revers doucement incliné et d'un front rocheux qui tombe au nord abruptement dans des vallées. Ses pentes portent les restes des peuplements d'épicéas et de beaux forêts mixtes, par endroits subsistent de vastes tourbières.

La Zona Protegida de los Montes del Jizera, en Bohemia, comprende una cadena de vetustos montes suavemente modelados que en su parte norte caen abruptamente en pendientes rocosas hasta el valle. Se han conservado allí algunas coníferas de zonas extremas, la bella vegetación mixta de las morenas y vastos yacimientos de turba.

53

Bezděz, a royal castle, built in 1265—1278 on the higher of two igneous hills of the same name, with an imposing Early Gothic chapel, became a pilgrimage site in 1628; its ruins attracted Romantic poets and painters.—On the photo is the lower Devil's Tower (Čertova věž).

Bezděz, château royal élevé en 1265 sur la plus haute des deux collines volcaniques du même nom, avec une très belle chapelle du premier gothique, se transforma en 1628 en un lieu de pèlerinage. Ses ruines ont ensuite attiré les poètes et les peintres du romantisme. La tour dite du Diable (voir cliché) faisait partie de l'enceinte extérieure du château.

La capilla del castillo real de Bezděz, construida en estilo gótico temprano de 1265 a 1278 sobre el más alto de los dos montes volcánicos del mismo nombre, atraía ya desde 1628 a numerosos peregrinos. Sus ruinas sirvieron de fuente de inspiración a poetas y pintores del romanticismo. En la foto vemos la Torre del Diablo, la más baja de las dos atalayas.

54

The Novozámecký Pond is a very important ornithological reserve in the picturesque Česká Lípa countryside. More than one hundred types of water fowl, including big geese, build their nests here. An interesting feature of the pond is the outlet canal hewn out of sandstone rocks during the reign of Charles IV.

L'étang de Novozámecký, dans les environs pittoresques de Česká Lípa, est constitué en réserve ornithologique intégrale, abritant plus de cent espèces d'oiseaux aquatiques, dont l'oie cendrée. Le canal qui sert à évacuer l'eau de l'étang, fut creusé dans les roches sur l'ordre de Charles IV.

El estanque llamado Novozámecký, enclavado en el pintoresco paisaje que se despliega en las cercanías de Česká Lípa —en la Bohemia del Norte— es una importante reservación ornitológica. Habitan ahí más de cien especies de aves lacustres, entre otras la oca grande. El canal de desagüe fue cavado durante el reinado de Carlos IV sobre la roca de arenisca.

55

Házmburk, a castle built in the 14th century on an igneous basalt hill but now a ruin, forms the dominant feature of the lower Ohře area together with the round Black Tower (Černá věž) in front of the castle and the conical White Tower (Bílá věž) in the castle courtyard. According to chronicles, the hill was fortified back in the 8th century.

Házmburk, château fort construit au XIVᵉ siècle sur un neck basaltique, aujourd'hui à l'état de ruine, continue à dominer le paysage sur le cours inférieur de l'Ohře. Deux tours se distinguent dans sa silhouette ramassée: Blanche, de plan carré, qui devait servir jadis de donjon, et Noire, cylindrique, qui défendait l'accès du baille. La colline de Házmburk est mentionnée comme site fortifié dès le VIIIᵉ siècle.

Házmburk, alcázar construido en el siglo XIV en una montaña volcánica basáltica, constituye el punto culminante de la región en la vega del río Ohře. Desde lejos se ven sus ruinas con las dos torres: la Torre Negra delante del alcázar y la Torre Blanca en su interior. Según podemos leer en las crónicas, la colina fue fortificada en el siglo VIII.

56

Porta bohemica, an imposing sector of the Elbe in the Bohemian Central Massif Nature Reserve (České Středohoří), is truly the entry gate to the inland of our country. The River Elbe flows here between igneous cups and mounds and on both sides of the river are a railway line and highway.

La gorge de la Porta Bohemica, partie de la zone protégée du Massif central, forme une sorte d'entrée majestueuse de l'intérieur du pays. Les eaux de l'Elbe y coulent entre de hauts cônes volcaniques au pied desquels passent, sur les deux rives, les routes et les rails de chemin de fer.

Porta Bohemica, es la verdadera entrada por la que se penetra al corazón de Bohemia y está formada por un trecho del río Elba y los Montes de la Bohemia Central. El Elba va serpenteando por entre macizos y pilones eruptivos y las vías férreas y las carreteras se adosan a sus dos riberas.

57

The remarkable rocky formation known as Pravčice Gateway (Pravčická brána), the highest in Europe, came into existence in the Turonian sandstones. Thanks to its width (more than 25 m) and height (over 21 m) it can compare with similar formations in the USA. There is a marvellous view from the wooded Nature Reserve plateau of the Elbe sandstones.

La Pravčická brána, un bloc rocheux taillé dans des grès turoniens, est par sa largeur (plus de 25 m) et sa hauteur (plus de 21 m) comparable aux grands sites touristiques des Etats-Unis. Une vue superbe sur le plateau gréseux de la réserve naturelle des rives de l'Elbe s'ouvre depuis son sommet.

La Puerta de Pravčice, el peñascal más alto de Europa, de naturaleza arenisca. Con más de 25 metros de ancho y 21 metros de alto se asemeja a formaciones similares de los Estados Unidos de Norteamérica. Desde su terraza se contempla una preciosa vista del boscoso paisaje de las areniscas del Elba.

58 · 59

Osek se zapsal do dějin našeho umění klášterem cisterciáků, založeným patrně koncem 12. stol. majiteli nedalekého stejnojmenného hradu. Kromě kostela z l. 1207—1220, zbarokizovaného v l. 1705—1725 Octaviem Broggiem, je nejstarší a také nejvýstavnější částí kapitulní síň. Její dvojlodí s kamenným čtenářským pulpitem se většinou datuje do doby kolem r. 1240 a stojí na samých počátcích gotiky v Čechách.

Осек, городок, основанный в качестве монастыря цистерцианцев в конце XII в. Кроме костела (1207—1220), перестроенного в стиле барокко в 1705—1725 гг., наиболее ценной и древней частью является зал канитула с пюпитром, датируемый 1240 г., т. е. моментом первой готической волны в Чехии.

Osek als Zisterzienserkloster geht bis auf das Ende des 12. Jahrhunderts zurück. Sein ältester und zugleich bestausgebauter Teil ist, abgesehen von der in den Jahren 1207—1220 entstandenen und während des Zeitabschnitts 1705—1725 barockisierten Kirche, der Kapitelsaal mit einem Lesepult, das in die ersten Anfänge der Gotik in Böhmen (1240) datiert wird.

Pohraniční masív Krušných hor se příkře svažuje do českého vnitrozemí, zatímco ploché hřbety poznenáhla přecházejí do Německé demokratické republiky. Krušné hory jsou významné krásnými vrchovišti s porosty borovice blatky. Lesní porosty jsou však na naší straně už velmi silně poškozeny exhalacemi ze Severočeské uhelné pánve.

Пограничный горный массив Крушные (Рудные) горы круто спускается к центральной части Чехии, в то время как его более плоские хребты плавно переходят на территорию ГДР. Горы славятся своими прекрасными верховьями и зарослями сосны.

Das die Grenze bildende Massiv des Krušné hory-Gebirges fällt nach dem Landesinnern Böhmens hin jäh ab, während der flache Kamm nur ganz allmählich in die tiefergelegenen Teile der Deutschen Demokratischen Republik übergeht. Dieses Gebirge zeichnet sich durch schöne Hochflächen aus, die mit einer eigenständigen Kiefernart (Pinus mugo ssp, uncinata) bestanden sind.

Karlovy Vary patří spolu s Františkovými a Mariánskými Lázněmi a Teplicemi k nejvýznamnějším českým lázeňským městům. Založil je Karel IV., v r. 1522 byly zdejší teplé prameny lékařsky popsány a koncem 16. stol. se připomíná na dvě stě lázeňských domů. Pohled od Kamzíka ukazuje část dnešního města s divadlem Vítězslava Nezvala z l. 1844—1886 (vpravo), Leninovým pomníkem a Grandhotelem Imperial z r. 1908.

Карловы Вары, наиболее популярный чешский курорт, был основан Карлом IV в XIV веке. В 1522 г. его источники были описаны с медицинской точки зрения, а в конце XVI в. здесь уже было свыше двухсот курортных заведений. На снимке — часть города с гостиницей »Империал«.

Karlovy Vary (Karlsbad), einer der bedeutendsten böhmischen Badeorte, wurde im 14. Jahrhundert von Karl IV. gegründet. Bereits 1522 wurde ein ärztliches Gutachten über seine Heilquellen abgegeben und gegen Ausgang des 16. Jahrhunderts zählte man hier an die zweihundert Badehäuser. — Auf dem Bild ein Teil der Stadt mit dem Grandhotel Imperial.

Cheb býval již v 9. stol. slovanským hradištěm. Koncem 12. stol., kdy načas patřil k Svaté říši římské, dal tu císař Friedrich I. Barbarossa postavit falc (jedinou v dnešním Československu), věž a volně stojící patrovou kapli. Z horní její části (na obr.) mohl panovník oddělen od lidu sledovat otvorem v podlaze bohoslužby v přízemí. Jedinou obdobou takovéhoto řešení u nás je románský kostel sv. Prokopa v Záboří n. L.

Хеб в IX в. представлял собой славянское городище, какое-то время входил в так наз. »Священную римскую империю«. Тогда, в конце XII в., император Фридрих I Барбаросса приказал построить крепость, башню и двуцьэтажную часовню, верхняя часть которой через отверстие в полу связана с нижним святилищем.

Cheb, im 9. Jahrhundert eine slawische Burgstätte, kam vorübergehend zum Heiligen Römischen Reich. Zu dieser Zeit, gegen den Ausgang des 12. Jahrhunderts, ließ Friedrich I. Barbarossa hier eine Pfalz mit Turm und selbständiger, einstöckiger Kapelle errichten, deren oberer Teil durch eine Öffnung im Flur mit dem darunterliegenden Sanktuarium verbunden war.

Cheb, dnes městská památková rezervace, se vysokými příčnými střechami liší od ostatních českých měst. K jeho stavebním zajímavostem patří také Špalíček, dva bloky domů gotického původu v ploše náměstí. Vlevo za ním je dům, kde byl 25. února 1634 svými důstojníky zavražděn Albrecht z Valdštejna. Kostel sv. Mikuláše vzadu, po hradu nejstarší stavba, má ještě pozdně románské části, jako věže, portál aj.

Хеб со своими высокими крышами домов и сейчас отличается от прочих чешских городов. На площади сохранился замечательный комплекс готических домов, известный под названием »Шпаличек«, за которым расположен дом, в котором в 1634 г. был убит Альбрехт из Вальдштейна (Валленштейнский). В костеле св. Микулаша (Николая) сохранились романские части постройки.

Cheb mit seinen hohen Dächern unterscheidet sich noch heute von den anderen tschechischen Städten. Den Marktplatz beherrscht eine aus zwei Blocks bestehende Häusergruppe gotischen Ursprungs, die Špalíček (Stökkel) genannt wird, hinter ihr steht das Haus, in dem 1634 Albrecht von Wallenstein ermordet wurde. Die St.-Nikolaus-Kirche (im Hintergrund) weist noch romanische Teile auf.

Ojedinělá rezervace Soos je přirozené minerální slatiniště s četnými vývěry teplých minerálních pramenů, se suchými výrony kysličníku uhličitého probublávajícího bahnem a s nápadnými výkvěty bílých, žlutavých, narudlých i nazelenalých solí; patří k nejvýznamnějším rezervacím našeho státu. Četné vzácné slanomilné druhy rostlin zde vytvářejí dnes již u nás velmi vzácná společenstva.

Заповедник »Соос« представляет собой естественные минеральные грязи с многочисленными бьющими горячими минеральными источниками, с сухим выделением углекислого газа, с заметными налетами белых, желтоватых, красноватых и зеленоватых солей. Многочисленные редкие солелюбивые виды растений образуют ныне удивительные и исключительные сообщества.

Das einzig dastehende Naturschutzgebiet Soos ist ein natürliches Mineralmoor mit zahlreichen Thermalquellen, mit trockenen Kohlendioxiddurchbrüchen im Schlamm und mit frappanten Ausblühungen von weißen, gelblichen, rötlichen und grünlichen Salzen. Nicht wenige seltene salzliebende Pflanzenarten bilden hier heute bereits einzig dastehende Gemeinschaften.

Osek was established as a Cistercian cloister sometime at the end of the 12th century. Apart from the church dating to 1207—1220, remodelled in Baroque in 1705—1725, the oldest and also the most important part is the chapter hall with the readers' pulpit dating from very Early Gothic in Bohemia (1240).

L'abbaye cistercienne d'Osek fut fondée vers la fin du XIIe siècle. Outre l'église de 1207—1220, reconstruite dans le style baroque en 1705—1725, l'ensemble de bâtiments réguliers renferme notamment une salle capitulaire du gothique primitif avec un très beau pupitre à lecture, qui date des environs de 1240 et représente son espace le plus ancien et le plus somptueux.

El monasterio de los cistercienses en Osek fue fundado a finales del siglo XII. Además de la iglesia, que se construyó de 1207 a 1220 y fue barroquizada de 1705 a 1725, su parte más antigua es la monumental sala capitular con un púlpito de lectura, que data de los comienzos mismos del arte gótico en Bohemia (1240).

60

The borderland massif of the Ore Mountains (Krušné hory) falls steeply into Bohemia, while its flat ridges gradually become part of the German Democratic Republic. The Ore Mountains are exceptionally beautiful upland moors with copses of peat mountain pine (Pinus mugo ssp. uncinata).

Les hauts plateaux de la chaîne de Krušné hory qui s'élève en pente douce du côté allemand, sont couverts d'admirables peuplements de pin à crochets.

El macizo limítrofe de los Montes Metálicos desciende abruptamente hacia el interior de Bohemia mientras que sus mezetas se inclinan en suaves pendientes hacia la República Democrática Alemana.

61

Karlovy Vary (Carlsbad), one of the most outstanding Bohemian spas, was founded in the 14th century by Charles IV. In 1522 the springs here were described in medical terms and by the end of the 16th century two hundred spa houses were listed.—A view of the town with the Grand Hotel Imperial.

Karlovy Vary, la plus célèbre station thermale de Bohême, fut fondée au XIVe siècle par Charles IV. La première description des propriétés médicales des sources date de 1522. A la fin du XVIe siècle, la ville comptait déjà deux cents établissements thermaux. Notre cliché montre le centre de Karlovy Vary avec le Grandhôtel Impérial.

Karlovy Vary (Carlsbad), uno de los balnearios más importantes de Bohemia. Fue fundado en el siglo XIV por Carlos IV. En 1522 fueron descritas las propiedades curativas de sus fuentes y a finales del siglo XVI ya existían allí doscientas casas termales. Nuestra foto muestra una parte de la ciudad con el Gran Hotel Imperial.

62

Cheb, a Slavonic fortified settlement in the 9th century, belonged for a time to the Holy Roman Empire. It was there, at the end of the 12th century, that Emperor Frederick I (Barbarossa) ordered the construction of a palatinate, a tower and a separate two-storey chapel whose upper storey was connected by a hole in the floor with the lower sanctuary.

Cheb, au IXe siècle un bourgwall slave, se trouva au XIIe siècle rattaché pour un temps au Saint-Empire. Frédéric Ier Barberousse y éleva alors un château fort armé d'une puissante tour carrée et comportant une chapelle à deux étages.

Cheb, un castro eslavo que en una época perteneciera al Sacro Imperio Romano. En las postrimerías del siglo XII, el emperador Federico I, Barbarroja, hizo levantar ahí una fortaleza con una torre y una capilla de dos plantas, cuya parte superior estaba comunicada con el santuario inferior por medio de una abertura abierta en el piso.

63

Cheb with its high roofs differs to this day from other Bohemian towns. On the town square is "Špalíček" (the Log) — two blocks of houses of Gothic origin; behind them is the house where Albrecht of Wallenstein was murdered in 1634. Part of the Church of St Nicholas (in the background) is Romanesque.

La ville de Cheb occupe une place à part parmi les villes de Bohême par l'allure gothique de ses hauts toits aux faîtes encore parallèles à la façade. Sur le côté nord de la place, deux pâtés de maisons du XVe siècle connus sous le nom de *Špalíček*, précèdent l'hôtel qui a vu l'assassinat de Wallenstein en 1634. L'église Saint-Nicolas (en arrière) conserve les restes d'un premier édifice roman.

Con sus enhiestas techumbres Cheb se distingue hasta hoy de las demás ciudades checas. En la plaza vemos el «Špalíček», dos manzanas de casas de origen gótico, y detrás de él, la mansión donde en el año de 1634 fue asesinado Albrecht de Valdštejn. La iglesia de San Nicolás, en el fondo, conserva algunos detalles románicos.

64

The Soos Reserve is a natural mineral bog with many springs of warm waters containing dry effusions of bubbling carbon dioxide, mud and efflorescent white, yellowish, reddish and greenish salts. Many of its precious salinophyle-type plants form a unique community today.

La réserve naturelle Soos est une belle tourbière où jaillissent d'innombrables sources thermales et les émanations du gaz carbonique cherchent leur issue à travers la vase, vivement colorée de sels blancs, jaunes, rouges ou verts. De loin en loin, des plantes halophytes forment des associations tout à fait uniques.

La reservación Soos es un yacimiento natural de turba con numerosos manantiales de aguas minerales calientes con «volcanes de barro», que resultan de las emanaciones de anhídrido carbónico que brotan del barrizal y desparraman en su derredor floraciones de sales blancas, amarillentas, rojizas y verdosas. Numerosas especies raras de plantas halófitas forman en este medio salino colonias muy singulares.

65

Domažlice, známé vítězstvím husitů nad křižáky r. 1431, nyní městská památková rezervace, jsou střediskem Chodska a dodnes tu spatříme ženy z okolí v krojích. Pravidelnému obdélnému náměstí, táhnoucímu se od býv. Hořejší k dochované raně gotické Dolejší bráně, tvoří dominantu nakloněná válcová věž raně gotického, barokně přestavěného kostela P. Marie, která spolu s věží Chodského hradu určuje siluetu města.

Домажлице со своим замком это центр ходского этнографического района, где и по сей цень можно встретить жителей в национальных костюмах. Доминантой прямоугольной площади, расположенной между бывшими Верхними воротами и Нижними воротами в стиле ранней готики, является покачнувшаяся цилиндрическая башня костела Девы Марии.

Die Stadt Domažlice mit ihrer Burg ist Mittelpunkt des Chodenlands und noch heute kann man hier Frauen aus den umliegenden Dörfern begegnen, die ihre charakteristische Tracht auch im Alltagsleben tragen. Als regelmäßiges Rechteck gestaltet, dehnt sich der Marktplatz vom ehemaligen Oberen zum frühgotischen Unteren Tor. Er wird von dem Rundturm der Marienkirche beherrscht.

Jezerní slať, státní přírodní rezervace u Horské Kvildy, je velmi krásné šumavské vrchoviště protékané Kvildským potokem. Je ostrůvkovitě porostlé rašelinnou klečí, místy vyrůstá bohatě zavětvený smrk či bříza pýřitá. Bylinný porost tvoří zejména suchopýr pochvatý s nápadnými bílými střapečky suchého okvětí. Botanickou raritou je zde bříza trpasličí — glaciální relikt — „strom" vysoký jen několik decimetrů.

Йезерни слать, государственный заповедник близ Горске Квильды, прекрасное шумавское верховье, по которому протекает Квильдский поток. Здесь встречаются островки торфяного стланика, а травянистый покров образует главным образом пушица (см. снимок). Ботанической редкостью считается карликовая береза — »дерево«, высота которого достигает лишь нескольких дециметров.

Jezerní slať, ein staatliches Naturschutzgebiet in der Nähe des Ortes Horská Kvilda, stellt eine außergewöhnlich schöne Hochfläche des Šumava-Gebirges dar. Sie wird von verstreuten Torfknieholzinseln durchbrochen und in der Pflanzenwelt herrscht insbesondere das Dungras vor. Eine botanische Seltenheit ist die Zwergbirke, ein nur wenige Dezimeter hoher „Baum", der ein Relikt aus der Eiszeit darstellt.

Železná Ruda vznikla v 16. stol. při huti a železnorudných dolech, které daly městečku jméno. V druhé polovině 17. stol. výrobu železa vystřídalo sklářství a sbírka skla, pozůstalost sklářské rodiny Abelů, tvoří základ expozice zdejšího muzea. Pozoruhodnou stavbou je barokní kostel P. Marie Pomocné z l. 1727 — 1732 s věží z r. 1777, zevně dvanáctiboký s cibulovou střechou, uvnitř o půdorysu šesticípé hvězdy.

Железна Руда возникла в XVI в. в районе рудников. С середины XVII в. добычу железной руды вытеснило производство стекла. Среди памятников архитектуры особого внимания заслуживает двенадцатистенный барочный костел Девы Марии Спасительницы (1727 — 1732) с башней (1777).

Die Stadt Železná Ruda verdankt ihre Entstehung im 16. Jahrhundert den Bergwerken, in denen Eisenerz gefördert wurde. Von der Mitte des 17. Jahrhunderts an begann jedoch das Glasmachergewerbe die Stelle des Erzbergbaus einzunehmen. Von den Bauwerken der Stadt ist am bemerkenswertesten die zwölfflankige barocke Marienkirche aus den Jahren 1727 — 1732 mit einem Turm vom Jahre 1777.

Komplex zachovaných rašelinišť poblíže Kladského rybníka tvoří významnou rezervaci v chráněné krajinné oblasti Slavkovský les. Rašeliniště s charakteristickou květenou jsou významným rezervoárem minerálních vod nedalekých světoznámých Mariánských Lázní.

Комплекс сохранившихся торфяных болот неподалеку от Кладского озера является заповедником охраняемой природы в районе Славковского леса. Торфяные болота с типичной для них флорой представляют собой важные резервуары минеральных вод близ прославленного курорта Марианске Лазни.

In dem unter Landschaftsschutz stehenden Gebiet Slavkovský les ist der Komplex erhalten gebliebener Torfmoore nahe dem Teich Kladský rybník eine Reservation von Bedeutung. Der Torfgrund mit seiner charakteristischen Flora bildet ein unentbehrliches Reservoir von Mineralwasser für den nahegelegenen weltbekannten Badeort Mariánské Lázně.

Šumava, největší chráněná krajinná oblast Československa (přes 1600 km²), je součástí nejlesnatějším územím našeho státu. Mohutné horstvo, na našem území dlouhé 125 km, tvoří několik řad zaoblených hřbetů, které zvolna přecházejí do mírně zvlněného podhůří. Černé jezero (na obr.) zabírá plochu 18,5 ha, je hluboké 39,8 m a je největší a nejkrásnější z osmi šumavských jezer ledovcového původu. Na jezerní stěně, jež příkře spadá k hladině, je pralesovitý porost.

Шумава, крупнейшая из охраняемых областей природы Чехословакии (свыше 1600 кв. км). является одновременно крупнейшим лесным массивом нашего государства. Черное озеро (см. снимок), площадь которого 18,5 га, и глубина 39,8 м является наиболее красивым и большим из восьми шумавских озер лединкового происхождения.

Das Šumava-Gebirge ist das ausgedehnteste, unter Landschaftsschutz stehende Gebiet der Tschechoslowakei (Flächenausmaß über 1600 km²) und zugleich die dichtbewaldetste Region der ČSSR. Der Bergsee Černé jezero (siehe Bild) nimmt eine Fläche von 18,5 ha ein, hat eine Tiefe von 39,8 m und ist der größte und zugleich schönste der acht von den Gletschern der Eiszeit herrührenden Seen in diesem Gebirgszug.

Kašperk založil Karel IV. s původním jménem Karlsberg r. 1356 k ochraně blízkých zlatých dolů a staré cesty do Čech. Hrad má zvláštní dispozici (obdobnou jako mladší Radyně u Plzně) se dvěma hranolovými věžemi srůstajícími se stejně širokým palácem. Od JV ho chránilo ještě předsunuté opevnění, dnes zvané Pustý zámek. V r. 1617 získali hrad měšťané Kašperských Hor a záhy ho nechali zpustnout.

Кашперк был основан в 1356 г. с целью охраны золотых рудников и древнего пути в Чехию. Крепость расположена весьма своеобразно с двумя призматическими башнями, сросшимися с одинаковым по ширине дворцом. С юго-восточной стороны крепость обнесена еще одним внешним укреплением (см. снимок, на первом плане).

Die Burg Kašperk wurde im Jahre 1356 zum Schutz der Goldgruben in der Umgebung und zur Sicherung des alten Zufahrtswegs nach Böhmen gegründet. Sie hat eine eigentümliche Disposition mit zwei vierkantigen Türmen, die in den ebenso breiten Palast gleichermaßen hineinwachsen. Gegen Südosten war die Burg noch durch vorgeschobene Festungswerke geschützt (im Bild vorn).

Domažlice with its castle is the centre of the Chodsko district and to this day we find women in the environs wearing costumes. The round, leaning tower of the Church of the Virgin Mary is the dominating feature of the symmetrical rectangular square extending from the former Upper Gate to the Early Gothic Lower Gate.

Dans les rues de Domažlice, centre vivant de la région de Chodsko, on peut croiser encore aujourd'hui des femmes en costume populaire. La ville est disposée autour d'une place strictement rectangulaire, dominée par la tour cylindrique et légèrement penchée de l'église Sainte-Marie. Le noyau urbain renferme en outre les restes du château fort.

Domažlice tiene un precioso castillo. Incluso en la actualidad nos topamos aquí a las campesinas ataviadas con trajes típicos de esta región de Bohemia. La plaza describe un rectángulo, que se extiende desde la antigua Puerta Alta hasta la Puerta Baja y dentro de su perímetro atrae nuestra atención la torre inclinada cilíndrica de la iglesia de Nuestra Señora.

66

The marshes of Jezerní slať, a State Nature Reserve near Horská Kvilda, form a very beautiful Šumava bog through which the Kvilda rivulet runs. They have patches of peat mountain pine and outstanding among their herb plants is cotton-grass (see photo). A botanical rarity is the dwarf birch underbrush—a glacial relic—a "tree" only a few decimetres tall.

La tourbière près de Horská Kvilda dans la Šumava, réserve naturelle intégrale, occupe un vaste haut plateau, traversé par le ruisseau de Kvilda. Parsemée de formations d'arbrisseaux rabougris, elle est propice aux plantes telles que linaigrette vaginée et, notamment, le bouleau nain, arbre haut de quelques décimètres.

Las turberas aledañas a Horská Kvilda, Zona Natural Protegida, forman parte de la bellísima región montañosa de Šumava. En sus turberas crecen, como pequeños islotes, pinos alpestres y otros géneros de plantas diferentes como el Eriophorum vaginatum (en la foto). Otra singularidad de este rincón de Bohemia es el abedul enano, árbol de sólo unos decímetros de altura.

67

Železná Ruda came into existence in the 16th century near the local iron ore mines. From the middle of the 17th century, however, the production of iron was replaced by glass. Among its buildings, one worthy of attention is the twelve-sided Baroque Church of the Virgin Mary dating from 1727—1732 with its tower built in 1777.

La ville de Železná Ruda s'est développée à partir du XVIᵉ siècle à proximité des mines de fer. Dès le milieu du XVIIᵉ siècle, la transformation du minerai fut cependant remplacée par la fabrication du verre. Parmi les monuments de la ville se fait remarquer l'église de 1727—1732, avec une tour de 1777, élevée sur un plan à douze côtés et consacrée à Notre-Dame de Protection.

La ciudad de Železná Ruda surgió en los alrededores de las minas de hierro de Šumava en el curso del siglo XVI. Sin embargo, unos cien años más tarde la fabricación de vidrio desplazó a la extracción de hierro. Es interesante su iglesia de Nuestra Señora del Socorro, edificio dodecágono, cuya construcción duró de 1727 a 1732, mientras que su torre data de 1777.

68

A complex of surviving peat-bogs near the Kladský Pond forms an outstanding Nature Reserve of the Slavkovský Forest. The peat-bogs with their characteristic flora are an excellent reservoir of mineral waters for the nearby, world-famous Mariánské Lázně Spa.

Les tourbières qui entourent l'étang Kladský forment une réserve naturelle importante, partie de la vaste zone protégée de Slavkovský les. Avec leur flore caractéristique, elles constituent un réservoir d'eau minérale de la célèbre station thermale de Mariánské Lázně.

Las turberas que circundan el estanque Kladský constituyen una importante reservación estatal en la Zona Natural Protegida de Bohemia Occidental. Estas turberas, con su típica flora, son un reservorio importante de aguas minerales que brotan en el cercano y famoso balneario de Mariánské Lázně.

69

Šumava, the largest Nature Reserve in Czechoslovakia (more than 1,600 sq.km.) is also the most wooded part of our country. The Black Lake (Černé jezero) (on photo) covers an area of 18.5 hectares. It is 39.8 m deep and the largest and most beautiful of the eight Šumava lakes of glacial origin.

La chaîne de la Šumava est couverte d'une très dense forêt et constitue la plus vaste zone protégée (plus de 1600 km²) de Tchécoslovaquie. Le lac Noir (voir cliché), profond de 39,8 m et occupant une surface de 18,5 hectares, est le plus beau des huit lacs glaciaires de la région.

Šumava es, por sus 1.600 Km² de extensión, la Zona Natural Protegida más extensa y, además, la más boscosa de Checoslovaquia. El Lago Negro (en la foto), cubre una superficie de 18,5 hectáreas y tiene una profundidad de 39,8 metros siendo, por ende, el más grande y más bello de los ocho lagos de origen glaciar en Šumava.

70

Kašperk was founded in 1356 to protect the nearby gold mines and the old roads to Bohemia. The castle has a special ground plan with two conical towers rising out of a palace the same width as the towers. It was defended on the south-east by advanced fortifications (in foreground of photo).

Le château de Kašperk fut fondé en 1356 pour protéger les mines d'or ouvertes dans la région et la route marchande qui traversait à cet endroit la frontière. Le palais forme un bloc avec deux tours carrées. Sur son front sud-est, le château est défendu par une ligne d'ouvrages avancés (voir cliché).

Kašperk fue fundado en 1356 para proteger las minas de oro de ese lugar y los caminos de llegada a Bohemia. El castillo tiene una disposición singular con dos torres poligonales adosadas al ancho palacio. Una atalaya avanzada defendía en su tiempo el acceso al castillo desde el sudeste.

71

Zlatá Koruna, cisterciácký klášter, byla založena r. 1263 králem Přemyslem Otakarem II. při Vltavě jako opora královské moci proti Vítkovcům. K nejvýstavnějším částem gotického kláštera (zrušeného r. 1785 a načas proměněného v továrnu) patří kaple Andělů Strážných jako nejstarší, kostel P. Marie, ambity a při nich kapitulní síň (na obr.), dokončená kolem r. 1290 a po r. 1755 doplněná rokokovým štukem.

Злата Коруна, монастырь цистерцианцев был основан в 1263 г. для поддержки королевской власти против дворянского рода Витковцов. Среди наиболее значительных частей монастыря следует упомянуть костел Девы Марии, а также зал капитула (1290), украшенный после 1755 г. стюкко в стиле рококо.

Das Zisterzienserkloster Zlatá Koruna aus dem Jahre 1263 war eine Stiftung, die offensichtlich die kaiserliche Macht gegenüber dem Geschlecht der Vítkovci stärken sollte. Die schönste Bauart weist neben der Marienkirche der um das Jahr 1290 entstandene Kapitelsaal auf, dem i. J. 1755 Rokoko-Stukkatur beigegeben wurde.

Státní přírodní rezervaci Čertovu stěnu pokrývá mocné kamenné moře s dokonale vyvinutými obřími hrnci v řečišti Vltavy. Roste tu vřesovec pleťový, pozůstatek z doby ledové. Starou pověst o vzniku tohoto divokého místa zhudebnil dle libreta Elišky Krásnohorské génius české hudby Bedřich Smetana.

Чертова стена, государственный заповедник, распростершийся на 10 га, представляет собой каменное могучее »море«. Древнюю легенду о возникновении этих диких мест положил на музыку композитор Бедржих Сметана.

Ein ausgedehntes steinernes Meer mit perfekt geformten Riesenschüsseln im Flußbette der Moldau bedeckt die Čertova stěna (Teufelswand), ein etwa 10 ha umfassendes Naturschutzgebiet. An die Entstehung dieses sich durch elementare Wildheit auszeichenden Ortes knüpft sich eine Sage, der Bedřich Smetana musikalischen Ausdruck gab.

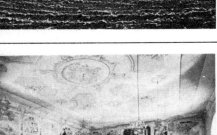

Na Šumavě se rozkládá na horním toku Vltavy „jihočeské moře" — největší vodní nádrž v ČSR. Lipno, první schůdek kaskády vltavských přehrad, se táhne na vzdálenost 42—44 km a zabírá plochu 4870 ha. Chobotnaté úzké zátoky poskytují útočiště vodnímu ptactvu a hluboké vody přehrady jsou rájem rybářů.

На Шумаве, в верхнем течении реки Влтавы, простирается »южночешское море« — крупнейшее водохранилище в ЧСР Липно, первая ступень Влтавского каскада. Его длина 42—44 км, общая площадь 4870 га.

Am Oberlauf der Moldau im Šumava-Gebirge erstreckt sich das „Südböhmische Meer" — die Talsperre Lipno. Dieser größte künstliche See in der Tschechischen Sozialistischen Republik bildet die erste Stufe der Talsperren-Kaskade an der Moldau, ist 42—44 km lang und nimmt eine Fläche von 4870 ha ein.

Český Krumlov, poddanské městečko, hrad a pak zámek, rodové sídlo mocných Rožmberků, a při něm Latrán s vlastní radnicí, si jako zázrakem uchovaly historickou podobu a tvoří dnes městskou památkovou rezervaci. K nejmladším doplňkům zámku, již za Schwarzenbergů, náleží divadlo z l. 1766—1767 a neméně pozoruhodný Maškarní sál (na obr.), nazvaný podle iluzívní rokokové výmalby z r. 1748 od Josefa Lederera.

Чески Крумлов, крепость феодального рода Рожмберков, при последующих владельцах — Шварценбергах — обогатилась зданием театра (1766—1767), а также прославленным Маскарадным залом (см. снимок), названным так из-за иллюзорной росписи в стиле рококо, которую осуществил в 1748. г. Йозеф Ледерер.

Český Krumlov, die Stammburg des mächtigen Adelsgeschlechts Rožmberk, wurde von dem nachmaligen Eigentümer — dem Haus Schwarzenberg — mit einem in den Jahren 1766—1767 erbauten Theater und dem illustren Maskensaal vom Jahre 1720 ausgestattet (siehe Bild). Dieser verdankt seinen Namen den illusionären Rokokomalereien aus d. J. 1748, die von Josef Lederer stammen.

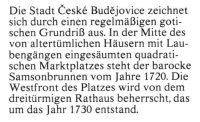

České Budějovice, krajské město a městská památková rezervace, byly založeny kolem r. 1265 na šachovnicovém půdorysu s pravoúhlým protínáním ulic. Střed velkého čtvercového náměstí, obklopeného starobylými domy s podloubím, tvoří barokní Samsonova kašna z r. 1720, navržená Františkem Baugutem a tesaná Josefem Dietrichem. Západní frontě náměstí vévodí barokní třívěžová radnice z doby kolem r. 1730.

Ческе Будеевице — это город пропорциональной готической планировки. В центре квадратной площади, окруженной древними домами с аркадами, расположен фонтан Самсона (1720). На западной стороне площади возвышается трехбашенная ратуша (около 1730).

Die Stadt České Budějovice zeichnet sich durch einen regelmäßigen gotischen Grundriß aus. In der Mitte des von altertümlichen Häusern mit Laubengängen eingesäumten quadratischen Marktplatzes steht der barocke Samsonbrunnen vom Jahre 1720. Die Westfront des Platzes wird von dem dreitürmigen Rathaus beherrscht, das um das Jahr 1730 entstand.

Hluboká nad Vltavou, původně raně gotický královský hrad, před nímž dal Václav II. popravit r. 1290 svého otčíma Záviše z Falkenštejna, je dnes známa svou romantickou přestavbou z l. 1841—1871 v anglické novogotice. Neméně známá je však i Alšova jihočeská galerie v adaptovaných přilehlých budovách, k jejímž cenným exponátům patří i tzv. Adorace děcka z Hluboké, gotický deskový obraz, dnes připisovaný mistru Třeboňskému.

Глубока-на-Влтаве, первоначально королевская крепость, позднее замок, который в 1841—1871 гг. был перестроен в романтическом псевдоготическом стиле по образцу английского замка. В прилегающем здании расположена южночешская Галерея им. Алеша. Среди ее экспонатов находится и эта готическая доска »Преклонение перед Младенцем« XIV века.

Hluboká nad Vltavou, ursprünglich Königsburg, heute Schloß, erhielt seine romantische Gestalt bei dem in den Jahren 1841—1871 ausgeführten Umbau im Stil der englischen Neugotik. Heute beherbergen die angrenzenden Gebäude die Südböhmische Kunstgalerie, benannt nach dem Maler Mikoláš Aleš. Zu den hier ausgestellten Exponaten gehört auch das gotische Gemälde „Anbetung des Jesuskinds von Hluboká" aus dem 14. Jh.

Zlatá Koruna, a Cistercian cloister, was founded in 1263 to support the royal power against the rule of the Vítek family. Besides the Church of the Virgin Mary, the most important part of the cloister is its chapter hall, c. 1290, to which Rococo stucco was added after 1755.

L'abbaye cistercienne de Zlatá Koruna fut fondée en 1263 par le roi de Bohême qui voulut affirmer par là son autorité sur cette partie sud du pays où régnaient alors en maîtres souverains les seigneurs de la puissante famille des Vítek. L'enceinte de l'abbaye renferme notamment une église consacrée à la Vierge et une salle capitulaire des environs de 1290, ornée de stucs rococo après 1755.

El monasterio cistercianense de Zlatá Koruna fue fundado en 1263 para sustentar el poder real contra los señores de la casa Vítek. Las dos partes más valiosas del monasterio son la iglesia de Nuestra Señora y la Sala Capitular (de alrededor de 1290), con su estuco de estilo rococó de 1755.

72

Devil's Wall (Čertova stěna) consists of approximately ten hectares of a large State Nature Reserve covered by a huge sea of stones with perfectly shaped giant cups lying in the Vltava riverbed. The old legend about how this strange place came into existence was set to music by Bedřich Smetana.

Le Mur du Diable, réserve naturelle d'une superficie de 10 hectares environ, comprend d'impressionnantes rivières de rochers et des marmites de géants forées dans le lit de la Vltava. La légende populaire qui se rattache à ce site sauvage est le sujet de l'opéra du même nom de Bedřich Smetana.

El Frontón del Diablo, Zona Natural Protegida de más de 10 hectáreas de extensión, cubierta por un mar pétreo con gigantescos bloques de piedra en la vega del Vltava. Una antigua leyenda sobre el origen de este romántico y agreste paraje sirvió al compositor checo Bedřich Smetana para su ópera del mismo nombre.

73

In the upper reaches of the Vltava, in the Šumava Mountains, is the "South Bohemian Sea" — the largest body of water in the Czech Socialist Republic. Lipno, the first stage of the Vltava dam cascade, is 42 to 44 km long and covers an area of 4,870 ha.

Le vaste lac du barrage de Lipno, surnommé «mer de Bohême du Sud», s'enfonce profondément dans la chaîne de la Šumava. Il est le premier d'une suite de barrages qui jalonnent tout le cours de la Vltava.

La represa de Lipno fue construida en el curso superior del Vltava, en Šumava. Cubre una distancia de 42 a 44 Km, y su superficie es de 4.870 hectáreas. Forma el primer escalón del sistema de represas sobre el Vltava.

74 · 75

Český Krumlov, the family castle of the powerful Rožmberks, had a theatre added to it by its later owners — the Schwarzenbergs — in 1766—1767, and also the famous Masked Hall (see photo), named after the illusive Rococo paintings of 1748 by Josef Lederer.

Le château de Český Krumlov, berceau de la puissante famille des Rožmberk, fut acquis au XVIIIᵉ siècle par les princes de Schwarzenberg. Ceux-ci y firent aménager en 1766—1767 une salle de théâtre et, surtout, la célèbre salle du Carnaval qui reçut son nom d'après les peintures en trompe-l'œil du style rococo, œuvre de Josef Lederer de 1748.

Český Krumlov, castillo de la familia de los poderosos señores de Rožmberk, pasó al poder de los Schwarzenberg. Estos hicieron construir en él, en 1766 y 1767 un teatro que se conserva hasta nuestros días. En la foto: Sala de Máscaras, así nombrada por las pinturas ilusivas de estilo rococó realizadas en 1748 por Josef Lederer.

76

České Budějovice, a town with a symmetrical Gothic lay-out, has a perfect square in the centre surrounded by old arcaded houses; in the middle is the Baroque Samson Fountain dating from 1720. The western side of the square is dominated by a triple-tower town hall, c. 1730.

České Budějovice est une ville bâtie sur un plan gothique très régulier autour d'une place carrée, ceinturée d'antiques maisons à arcades et ornée d'une fontaine baroque de 1720, dite fontaine de Samson. Le côté ouest de la place est dominé par l'hôtel de ville à trois tours de 1730.

České Budějovice, ciudad proyectada en un estilo gótico regular, con su plaza rectangular enmarcada por antiguas mansiones con arcadas y una fuente con la estatua barroca de Sansón, que data de 1720. En el costado occidental de la plaza se levanta el Ayuntamiento con tres torres, de 1730.

77

Hluboká on the Vltava was originally a royal castle, today it is a château; in 1841—1871 it was rebuilt in English Neo-Gothic style and presently houses the South Bohemian M. Aleš Gallery in the adjacent buildings. One of its possessions is the Gothic "Adoration of the Child from Hluboká", from the 14th century.

Hluboká nad Vltavou, d'abord château fort du domaine royal, date sous son aspect actuel d'une reconstruction romantique selon le modèle du style néo-gothique anglais, entreprise en 1841—1871. Il abrite aujourd'hui la Galerie d'art de Bohême du Sud qui possède également cette adoration des Mages du XIVᵉ siècle, dite Adoration de Hluboká.

Hluboká sobre el Vltava, fue originalmente un castillo real, reconstruido entre 1841 y 1871 en el romántico estilo del neogótico inglés. En uno de sus edificios está instalada la Pinacoteca Aleš. Una de las obras allí expuestas: La Adoración del Niño Dios de Hluboká, del siglo XIV.

78

Malebná krajina jižních Čech se zachovala ve své nejkrásnější podobě na Třeboňsku. Nejvýraznějším prvkem této krajiny, vedle rázovitých půvabných vesnických celků a samot, jsou stovky stokami propojených rybníků a rybníčků, z nichž k nejkrásnějším patří Svět v Třeboni. Dokonalá vodohospodářská úprava Třeboňska byla provedena koncem 16. a počátkem 17. století a nemá obdoby nejenom u nás.

Живописный пейзаж южной Чехии особенно хорошо сохранился в области Тршебоньска. Среди сотен озер и прудов, связанных каналами, наиболее красивым является озеро Свет. Эта водохозяйственная система была создана в конце XVI — начале XVII вв. и является уникальной не только в ЧССР.

Ihre schönste Gestalt hat sich die malerische Landschaft Südböhmens in der Umgebung von Třeboň bewahrt. Hunderte durch Kanäle miteinander verbundene größere und kleinere Teiche, der schönste von ihnen Svět genannt, bilden hier ein perfektes wasserwirtschaftliches System, das gegen den Ausgang des 16. und zu Beginn des 17. Jahrhunderts entstand und nicht nur in der ČSSR einzig dasteht.

Zvíkov, dějiště Stroupežnického hry Zvíkovský rarášek, byl stavěn na prehistorickém hradišti nad soutokem Vltavy a Otavy kolem r. 1230 (z té doby se dochovala pozdně románská hranolová hlízová věž). Nynější raně gotický královský hrad v čele s útočištnou věží pochází z l. 1250—1270. Nejnádhernější prostorou je raně gotická kaple s malbami z konce 15. stol. Situaci hradu změnilo vzdutí vod za Orlickou přehradou.

Звиков, королевский замок при слиянии Влтавы и Отавы (ныне здесь возведена Орлицкая плотина), был построен в 1250—1270 гг., т. е. в эпоху ранней готики, к башне еще более древней крепости (1230). С архитектурной точку зрения наиболее интересна капелла замка, расписанная в XV веке.

Die vormalige Königsburg Zvíkov am Zusammenfluß der Moldau und der Otava (ihre Wasser werden heute durch die Talsperre Orlík gestaut) wurde 1250—1270, also während der Frühgotik, in Anlehnung an den Vierkantturm eines älteren, im Jahre 1230 entstandenen Kastells erbaut. Aus architektonischer Sicht ist namentlich die Burgkapelle mit Malereien aus dem 15. Jh. bemerkenswert.

Podolsko ještě r. 1960 mělo dva mosty přes Vltavu. Starší, empírový, poslední řetězový most u nás z l. 1847—1848 (o délce 91 m) byl před vzdutím hladiny za Orlickou přehradou v r. 1960 rozebrán a v l. 1971—1975 znovu postaven na Lužnici u Stádlce. Nový most (dlouhý 530 m), projektovaný Janem Blažkem a realizovaný v l. 1936—1940, tehdy největší mostní stavba, se stal známý na celém světě obloukem o rozpětí 150 m.

Подольско славится своим мостом через Влтаву, воды которой поднялись сегодня благодаря Орлицкой плотине. Этот мост, построенный в 1936—1940 гг. поражал аркой с пролетом 150 м. Древний цепной мост в стиле ампир (1847—1848) был в 1960 г. разобран, а в 1975 г. снова собран возле Стадлце.

Podolsko wurde in der breiteren Öffentlichkeit dank der neuen Brücke bekannt, die sich hier 1936 über die Moldau zu wölben begann. Die für die damalige Zeit ungewöhnlich große Spannweite des Hauptbogens der Brücke (150 m) versetzte jedermann in Erstaunen. Ihr Vorgänger, eine im Empire-Stil geformte Kettenbrücke wurde i.J. 1960 abgetragen und bei Stádlec (1960—1975) wiederaufgestellt.

Tábor vyrostl na jaře r. 1420 na troskách opuštěného města Hradiště a v sousedství hradu jako bašta radikálního křídla husitského revolučního hnutí. V r. 1437 se však stal královským městem a krátce nato byla založena radnice (se svým český orloj o 24 číslicích a 1 ručičce), dnes v novogotické úpravě z r. 1878. Vedlejší štít domu čp. 22, u nás zcela ojedinělý, vznikl po požáru města r. 1532.

Табор, основанный в 1420 г. на развалинах опустевшего города Градиште в качестве цитадели гуситского революционного движения, в 1437 году превратился в королевский город, где вскоре началось строительство ратуши (последняя перестройка в 1878 г.). Фронтон дома N°22 возник после пожара в 1532 г.

Die Stadt Tábor, i.J. 1420 über den Ruinen der verlassenen Stadt Hradiště als Bollwerk der Hussitenbewegung entstanden, wurde i.J. 1437 zur königlichen Stadt erhoben und kurz darauf begann der Bau des Rathauses (seine heutige Gestalt stammt aus dem Jahre 1878). Die Stirnseite des Hauses Nr. 22 wurde nach dem Brand vom Jahre 1532 errichtet.

Tábor má největší radniční — pozdně gotickou — síň u nás. Do starší stavby založené kolem r. 1440 ji vestavěl do r. 1521 mistr Staněk. Do stěny (nad portálkem vzadu) byl zasazen nádherně v opuce tesaný pozdně gotický městský znak z l. 1515—1516, provázený postavami Husa, Jeronýma, Žižky a Prokopa Velikého. Žižkova jezdecká socha od Bohumila Kafky je modelem pro pomníky v Praze na Vítkově a v Přibyslavi.

Табор славится крупнейшим в Чехии залом ратуши. Мастер Станек в 1521 году встроил этот зал в более древнюю постройку (около 1440). Сзади над порталом — каменный городской герб (1515—1516), конная статуя Яна Жижки — работа скульптора Богумила Кафки.

Tábor kann sich des größten Raatssaals in Böhmen rühmen; er wurde in der Zeit vor dem Jahre 1521 durch Meister Staněk in ein älteres, um d.J. 1440 entstandenes Bauwerk eingefügt. Rückwärts am Portal ist das steinerne Stadtwappen aus d.J. 1515—1516 eingefügt. Die Reiterstatue des hussitischen Heerführers Jan Žižka schuf der Bildhauer Bohumil Kafka.

Plástovice si uchovaly ráz zděné jihočeské vesnice se štítovými přízemními i patrovými statky a branami vjezdů, na fasádách datovanými kolem r. 1860. Náves doplňují kaplička z r. 1840 a obnovená klenutá kovárna z r. 1851 (na obr.), skládající se z předsíně a vlastní dílny. Pro zachovalost obce jako celku se uvažuje o jejím prohlášení rezervací lidové architektury.

Пластовице, южночешская деревня с каменными одноэтажными и двухэтажными дворами с фронтонами и въездными воротами, на фасадах сохранились даты около 1860 г. На деревенской площади стоит часовня (1840) и кузница (1851), в которой сохранились сени и мастерская.

Die Gemeinde Plástovice hat sich den Charakter eines südböhmischen Dorfes mit den aus Mauerwerk bestehenden ebenerdigen oder einstöckigen Höfen bewahrt, den schmucke Giebel und Toreinfahrten bezaubern; den Jahreszahlen an den Fassaden gemäß entstanden sie um das Jahr 1860. Am Dorfplatz eine Kapelle aus d.J. 1840 und eine renovierte Schmiede vom Jahre 1851 mit Vorraum und Werkstatt (siehe Bild).

The picturesque countryside of South Bohemia has survived in its loveliest form in the Třeboň basin.
Hundreds of canals link fish ponds, big and small, the most beautiful of which is the Svět Pond, forming a marvellous water conservancy system. It was built at the end of the 16th and beginning of the 17th centuries — and is unparalleled not only in the ČSSR.

Le paysage de Bohême du Sud a gardé tout son charme pittoresque dans les environs de Třeboň. Des centaines d'étangs artificiels communiquant entre eux au moyen de canaux, creusés à la fin du XVIᵉ et au début du XVIIᵉ siècle, forment un réseau hydrographique qui n'a pas son pareil même en dehors des frontières tchécoslovaques.

El pintoresco paisaje de Bohemia Meridional se ha conservado en toda su belleza en los alrededores de Třeboň. Una red de centenares de canales comunica estanques y viveros que en su conjunto constituyen un acabado sistema hidroeconómico. Este sistema fue construido a finales del siglo XVI y principios del siglo XVII y no tiene parangón ni en Checoslovaquia ni en todo Europa. En la foto, uno de los estanques más hermosos, el Svět.

Zvíkov, a royal castle at the confluence of the Vltava and Otava (blocked today by the Orlík Dam), was built in Early Gothic style in 1250 — 1270 next to the conical tower of an older, smaller castle of 1230. The most outstanding part, architecturally, is the castle chapel with 15th century paintings.

Zvíkov, château royal du premier gothique sur le confluent de la Vltava et de l'Otava, aujourd'hui entouré des eaux retenues par le barrage d'Orlík, fut bâti en 1250 — 1270. Il englobe une tour carrée de 1230 et possède une admirable chapelle ornée de peintures du XVᵉ siècle.

Zvíkov, castillo real que domina sobre la confluencia del Vltava con el Otava. Fue construido entre 1250 y 1270 en estilo gótico temprano al lado de una torre poligonal del año de 1230, que formaba parte de un alcázar más antiguo. Desde el punto de vista arquitectónico destaca ante todo la capilla del castillo, con pinturas murales del siglo XV.

80

Podolsko is well known for a bridge across the Vltava (restrained today by the Orlík Dam). When it was under construction in 1936 — 1940 its fairway arch, 150 m long, was considered very remarkable. The older Empire chain bridge built in 1847 — 1848 was taken apart in 1960 and by 1975 was rebuilt near Stádlec.

Podolsko est connu pour son pont sur la Vltava qui coule aujourd'hui plusieurs dizaines de mètres plus haut que le niveau d'avant l'édification du barrage d'Orlík. A l'époque de sa construction, en 1936 — 1940, le pont de Podolsko étonnait par son arche centrale de 150 m d'ouverture. Le pont suspendu des années 1847 — 1848 qui l'avait précédé à cet endroit, fut désassemblé en 1960 et reconstruit en 1975 à quelques kilomètres plus loin, près de la commune de Stádlec.

Podolsko, población a orillas del Vltava, acrecentado hoy por el embalse de Orlík que se ha hecho famosa a raíz de la construcción, entre 1936 y 1940, de un puente que causara admiración por su luz de arco de 150 m. Un puente de estilo imperio — suspendido por cadenas — que existía en ese lugar desde 1847/1848 fue desmantelado en 1960, y en 1975 instalado cerca de Stádlec.

81

Tábor, founded in 1420 on the ruins of the abandoned town of Hradiště as a fortress of the Hussite revolutionary movement, became a royal town in 1437 and shortly afterwards construction commenced on the town hall (its present appearance is from a reconstruction carried out in 1878). The gable of house number 22 was built after the fire of 1532.

Tábor, fondé en 1420 sur les ruines de ville abandonnée de Hradiště en tant que bastion du mouvement hussite, fut élevé au rang de ville royale en 1437. Peu après on procéda à la construction de l'hôtel de ville, aménagé sous son aspect actuel en 1878. Le fronton de la maison Nº 22 date d'après l'incendie de 1532.

Tábor, fundado en 1420 sobre las ruinas de la antigua y abandonada ciudad de Hradiště, fue el bastión del movimiento revolucionario husita y en 1437 se convirtió en ciudad real. Poco tiempo después se empezaron las obras de su Ayuntamiento, que hoy conocemos en la forma que se le diera en 1878. El hastial de la casa número 22 fue construido después del gran incendio de 1532.

82

Tábor has the largest town hall in Bohemia; Master Staněk made it in 1521 out of an older building dating from c. 1440. Over the portal, in the back, is the town emblem hewn out of stone in 1515 — 1516; the equestrian statue of the military leader Jan Žižka is the work of Bohumil Kafka.

L'hôtel de ville de Tábor possède la plus vaste salle de séances en Bohême. Elle fut aménagée avant 1521 dans la construction plus ancienne, datant des environs de 1440. Le portail percé dans le mur de fond est surmonté d'armoiries de la ville de 1515 — 1516 sculptées en pierre. La statue équestre du chef hussite Jean Žižka est l'œuvre de Bohumil Kafka.

Tábor posee la sala consistorial más grande de toda Bohemia. Es obra del maestro Staněk, quien la construyó en 1521 en el edificio erigido alrededor de 1440. En el fondo vemos un portal, y encima de él el escudo de la ciudad esculpido en piedra entre 1515 y 1516. En el centro se aprecia la estatua del caudillo husita Jan Žižka, obra de Bohumil Kafka.

Plástovice has retained the character of a typical South Bohemian village, with gabled ground floor and two-storey buildings and entrance gateways; their façades date to c. 1860. The village green has a chapel built in 1840 and a restored smithy from 1851 (on photo) with a vestibule and workshop.

Plástovice a gardé son allure de village typique de Bohême du Sud, avec des fermes basses ou à l'étage, surmontées de frontons aux millésimes proches de 1860 et possédant des porches imposants. Sur la place, ornée d'une chapelle de 1840, on trouve une forge de maréchal-ferrant de 1851, récemment restaurée (voir cliché).

Plástovice, un pueblo en la Bohemia del Sur, supo conservar los rasgos típicos de aquellas regiones con las casas rústicas de sus fincas, ornamentadas con hastiales y con amplias puertas cocheras. En sus fachadas leemos el año de 1860. En la plaza de la aldea hay una capilla de 1840 y la herrería de 1851 (en la foto) con su soportal y su taller.

Červená Lhota byla postavena po r. 1530 na místě předhusitské tvrze jako renesanční zámek nynějšího rozsahu. Z raně barokní úpravy pochází vstupní portál, jinak byl celý objekt v 19. stol. přefasádován v romantické novogotice se stupňovými a zubatými štíty, ale již tehdy dostal červené nátěry. Dnešní vzhled s obloučkovými štíty a zastřešením vstupní věže je novodobý z 20. stol.

Червена Лгота возникла в 1530 г. в качестве ренессансного замка в тех местах, где когда-то было еще догуситское укрепление. В XIX в. замок приобрел романтический псевдоготический вид. Его сегодняшний вид с извилистыми фронтонами и перекрытой входной башней возник уже в XX в.

Als Renaissance-Schloß nach d.J. 1530 an der Stelle einer hussitischen Feste errichtet, erhielt Červená Lhota im 19. Jh. Fassaden im Stil der romantischen Neugotik. Seine heutige Gestalt mit den bogenförmigen Giebeln und der Verdachung des Einfahrtsturms erhielt das Bauwerk erst im 20. Jahrhundert.

Jindřichův Hradec je rodovým hradem pánů z Hradce, Vítkovců znaku zlaté pětilisté růže v modrém poli a jedním z míst, kde prý se zjevovala Bílá paní. Původní románský hrádek sice zanikl, ale ostatní stavební fáze, raně gotický hrad s válcovou věží, pozdně gotické úpravy a pak dlouhá renesanční výstavba zámku až do konce 16. stol. jsou patrné jak na vnitřním objektu, tak na obou níže položených předhradích.

Йиндржихув Градец был основан в романскую эпоху. Хотя первоначальная крепость и не сохранилась зато все остальные строительные этапы — замок в стиле ранней готики с цилиндрической башней, перестройка в стиле поздней готики и ренессансное строительство можно легко проследить в панораме замка.

Die Entstehung der Stadt Jindřichův Hradec läßt sich bis in die romanische Epoche zurück verfolgen. Zwar sind von dem ursprünglichen Kastell nicht einmal Reste übriggeblieben, doch die nachfolgenden Bauetappen — die frühgotische Burg mit dem Rundturm, die spätgotischen Umbauten und die langandauernde Bautätigkeit zur Zeit der Renaissance — all dies ist allein schon im Panorama des Schlosses erkennbar.

Slavonice, dnes městská památková rezervace, po dobytí Švédy v r. 1645 nadlouho zchudly a tím si zachovaly téměř neporušenou zástavbu z doby rozkvětu v 15. a 16. stol.; vedle hradeb s branami a kostela se jsou gotické a renesanční domy, některé se štíty zcela ojedinělých tvarů, mnohé se sgrafitem, s malovanými místnostmi, nebo bohatými klenbami, jako je např. sklípková vějířová klenba v mázhausu čp. 46.

Славонице, город, в котором кроме укреплений с городскими воротами и костела сохранились со времен расцвета (XV — XVI) готические и ренессансные дома с редкими по форме фронтонами или же с расписанными внутренними помещениями со сводами, как, например, сомкнутый свод прихожей (»мазхауза«) в доме N° 46.

In Slavonice sind nicht nur Reste der ursprünglichen, von Toren durchbrochenen Stadtmauern sowie die alte Kirche erhalten geblieben, sondern als stumme Zeugen der Blüte der Stadt im 15. und 16. Jahrhundert auch mehrere Häuser im Stil der Gotik und der Renaissance, einige von ihnen mit originell geformten Giebeln, andere mit durch Malereien verzierten Interieurs oder mit Gewölben, wie jenem im Haus Nr. 46.

Telč se svým náměstím se štítovými domy gotického a renesančního původu, zčásti s mladšími fasádami, reprezentovala prostřednictvím modelu a snímků naše památkové bohatství na světové výstavě Expo 58. Její hlavní výstavba i s renesančním zámkem (vzadu) spadá do doby, kdy původně královské město vlastnili páni z Hradce. Mladší, raně barokní, je dvouvěžový jezuitský kostel z l. 1666 — 1667 (vlevo).

Тельч, единственный город в Чехословакии, в котором полностью сохранился комплекс домов с живописными фронтонами фасадов, возникший в XVI — XIX вв. Более узкая часть площади завершается ренессансным замком, две башни относятся к иезуитскому костелу (1666 — 1667 гг.).

Telč ist die einzige Stadt in der Tschechoslowakei, in der sich ein unversehrter Komplex von Giebelfronten der Bürgerhäuser erhalten hat, so wie sie zwischen dem 16. und dem 19. Jahrhundert entstanden waren. Die schmälere Seite des Marktplatzes wird von dem im Renaissance-Stil erbauten Schloß eingenommen, die Jesuitenkirche mit Doppelturm stammt aus den Jahren 1666 — 1667.

Výrazný harmonický celek půvabné krajiny chráněné krajinné oblasti Žďárské vrchy je typickou ukázkou citlivého působení člověka na přírodu. V dokonale vyvážených vztazích se zde střídají zemědělské kultury a lesy, pole, louky a pastviny, je zde dostatek křovin a stromoví. Tato krajina je krásná nejen na pohled, ale i pro rekreaci.

Красота и гармония живописного пейзажа охраняемой области Ждярске Врхи является типичным примером благотворного воздействия человека на природу — здесь в совершенном равновесии чередуются площади, занятые под сельскохозяйственные культуры, с лесами, лугами и пастбищами.

Das anmutige und in seiner Gesamtheit harmonisch wirkende, unter Landschaftsschutz stehende Hügelland Žďárské vrchy kann als typisches Beispiel dafür gelten, was ein feinfühliges Einwirken des Menschen auf die Natur zu schaffen vermag. In perfekter Ausgewogenheit der Wechselbeziehungen lösen hier landschaftliche Kulturen, Wälder, Felder, Wiesen und Weiden einander ab.

Brno, za Karla IV. a znovu od r. 1641 hlavní město Moravy, má ve svém panoramatu dvě dominanty: kostel sv. Petra a Pavla na Petrově, stojící na vyvýšeném místě původního hradu údělných knížat — Přemyslovců z 11. stol. (pod ním později vzniklo město) a na druhém návrší hrad Špilberk, postavený za Přemysla Otakara II., po třicetileté válce přeměněný v barokní pevnost a pak proslulé vězení.

Брно доминируют костел св. Петра и Павла, построенный на возвышении, где когда-то была крепость, под которой возник город, а также крепость Шпильберк в стиле ранней готики, которая в XVIII в. была превращена в тюрьму.

Das Panorama von Brno beherrschen zwei Bauschöpfungen: auf dem Petrov — Hügel die Peter-Paul-Kirche, errichtet auf einer Anhöhe am Standort der ursprünglichen Burg, zu deren Füßen sich später die Stadt auszubreiten begann, und auf dem gegenüberliegenden Hügel die frühgotische Burg Špilberk, im 18. Jahrhundert zu einer Festung und einem berüchtigten Kerker umgebaut.

Červená Lhota was built on the site of a pre-Hussite stronghold after 1530 as a Renaissance château. In the 19th century the façade of the whole building was reconstructed and its appearance today, with arched gables and a covered entrance tower, dates from the 20th century.

Le château Renaissance de Červená Lhota fut bâti après 1530 sur l'emplacement d'une maison forte d'avant les guerres hussites. Au XIXe siècle, l'édifice reçut de nouvelles façades dans le style néo-gothique, tandis que ses frontons et le haut toit de la tour d'entrée datent seulement du XXe siècle.

Červená Lhota, castillo de estilo renacimiento, construido después de 1530 en el lugar donde antaño se levantara una fortaleza gótica. En el siglo XIX todo el edificio recibió una nueva fachada en estilo neogótico romántico; su aspecto actual con hastiales redondos y el techo de la torre de la entrada, proviene del siglo XX.

85

The town of Jindřichův Hradec was founded in Romanesque times. The original redoubt disappeared, but the other buildings, the Early Gothic castle with its round tower, the Later Gothic alterations, and the long Renaissance reconstruction are evident from this panoramic view of the château.

La fondation de Jindřichův Hradec remonte à l'époque romane. La forteresse primitive disparut mais toutes les autres campagnes de travaux transparaissent dans la silhouette du château actuel: palais gothique avec sa tour cylindrique, reconstructions du gothique tardif, vastes bâtiments de la Renaissance.

Jindřichův Hradec fue fundado ya en la época románica. El palacete original no se conservó pero los aspectos que asumió más adelante, el castillo gótico temprano con la torre cilíndrica, las adaptaciones en gótico tardío y la considerable reconstrucción renacentista, aún están visibles en esta panorámica del castillo.

86

Besides its ramparts with gateways and its church, Slavonice still retains from its great age of glory, the 15th and 16th centuries, Gothic and Renaissance houses, some with gables of singular shape, others with painted rooms or vaulting, such as the diamond-vaulted great hall in house number 46.

La ville de Slavonice a conservé de l'époque de sa gloire, au XVe et au XVIe siècle, une enceinte fortifiée percée de portes, l'église paroissiale et de longs alignements de maisons gothiques ou Renaissance, les unes ornées de frontons découpés avec raffinement, les autres possédant des salles richement décorées de peintures ou couvertes de voûtes telles que la voûte à facettes de diamant du vestibule de la maison N° 46.

En Slavonice, Moravia del Sur, se han conservado murallas con sus portales, la iglesia y casas góticas y renacentistas de los siglos XV y XVI, época del florecimiento de esta ciudad. Algunas casas tienen hastiales de pintorescas formas y otras ostentan salas ornamentadas e interesantes bóvedas y zaguanes con bóveda diamantina.

87

Telč is the sole town in Czechoslovakia to have retained intact a set of gabled house fronts, built from the 16th to 19th centuries. The narrower side of the square is closed by a Renaissance château; the twin towers belong to the Jesuit church built in 1666—1667.

Telč est l'unique ville de Tchécoslovaquie qui a gardé intact un grand ensemble de maisons aux frontons appartenant à tous les styles depuis le XVIe jusqu'au XIXe siècle. Sur son côté court, la place est bordée de la façade du château, les deux tours surmontent l'église jésuite de 1666—1667.

Telč es la única ciudad de Checoslovaquia que ha conservado íntegro todo el frontispicio de fachadas con hastiales de las casas construidas desde el siglo XVI hasta el siglo XIX. La parte superior de la plaza está rematada por un castillo renacentista. Las dos torres pertenecen a la iglesia de los jesuitas (1666—1667).

88

The remarkable harmonic entity of the delightful Žďár Hills Nature Reserve is a typical example of the sensitive impact of man on the environment. There is a perfectly balanced relation between agricultural farms and forests, fields, meadows and pasture land.

Le grand site protégé des collines de Žďárské vrchy offre un précieux témoignage d'une nature délicatement humanisée. Les champs, les forêts, les prairies et les pâturages se succèdent en alternance, composant un paysage à la fois divers et harmonieux.

El armónico y encantador paisaje de los Montes de Žďár, Zona Natural Protegida en la región limítrofe entre Bohemia y Moravia, nos muestra con qué sensibilidad el hombre puede modificar la naturaleza: con un ritmo perfectamente equilibrado se alternan labrantíos con bosques, campiñas, praderas y pastizales.

89

Brno has two dominating elements in its panorama: the Church of Saints Peter and Paul on Petrov, standing on the exposed site of what was originally a castle, and under which the city later grew, and on the second hill the Early Gothic castle Špilberk, transformed in the 18th century into a fortress and a notorious prison.

Le panorama de Brno possède deux dominantes: l'église Saint-Pierre-et-Saint-Paul sur la colline de Petrov, emplacement du château fort aujourd'hui disparu mais qui est à l'origine du développement de la ville actuelle, et le château de Špilberk remontant au premier gothique, qui fut transformé au XVIIIe siècle en forteresse avec la fameuse prison.

El panorama de Brno posee dos aspectos descollantes: la iglesia de San Pedro y San Pablo, en Petrov, construida en la colina donde en tiempos remotos estuviera el alcázar a cuyas plantas fue creciendo la ciudad; y en otra colina, el castillo gótico de Špilberk, que en el siglo XVIII fuera transformado en fortaleza y prisión.

90 · 91

Brno je sídlem Moravského zemského muzea, umístěného v barokním Dietrichštejnském paláci. Před ním na někdejším Zelném trhu stojí kašna Parnas z l. 1690—1696, navržená Janem B. Fischerem z Erlachu jako grotta — jeskyně s postavou Herkula držícího spoutaného Kerbera. Kostel sv. Petra a Pavla na Petrově, v místech původního hradu, byl regotizován v l. 1889—1891 a doplněn věžemi v l. 1904—1908.

В Брно находится Моравский музей, расположенный в здании барочного Дитрихштейнского дворца, перед которым стоит водоем »Парнас« (1690—1696), украшенный скульптурой Геракла побеждающего Цербера. На заднем плане возвышается восстановленный в готическом стиле костел св. Петра и Павла на Петрове.

Der Barockpalast des Adelgeschlechts Dietrichstein in Brno beherbergt heute das Mährische Landesmuseum. Vor dem Gebäude der Parnas-Brunnen aus dem Jahre 1690—1696, in dessen Höhle Herkules mit dem Höllenhund Zerberus ringt; im Hintergrund die regotisierte Peter-Paul-Kirche am Petrov-Hügel.

Vranov, z gotického zeměpanského hradu přestavěný na barokní zámek, se obrací k východu — nad gotickou vodní věží — eliptickou budovou sálu předků. V této stavbě z l. 1687—1695 podle návrhu Jana Bernarda Fischera z Erlachu, vymalované Janem Michaelem Rottmayerem, je oslavován kult rodových předků jejich sochami od Tobiáše Krackera. Romantické napodobeniny ruin antických oblouků připojili k bokům budovy až r. 1787.

Вранов-на-Дые, первоначально готическая крепость, затем замок в стиле барокко, в восточной части которого находится эллиптическое здание Зала предков (1687—1695) работы Яна Б. Фишера из Эрлаха. Владелец замка обогатил прекрасно расписанный интерьер скульптурами своих предков.

Der vormaligen gotischen Burg Vranov nad Dyjí wurde nach ihrem Umbau zu einem Barockschloß durch Johann Bernhard Fischer von Erlach in den Jahren 1687—1695 ein nach Osten gerichteter eliptischer Ahnensaal hinzugefügt. In dem mit prachtvollen Malereien geschmückten Interieur ließ der neue Besitzer des Schlosses zur Pflege des Ahnenkults Statuen seiner Vorfahren aufstellen.

Největší krasové území Českého masívu, Moravský kras, je chráněnou krajinnou oblastí. Dno propasti Macochy, hluboké 138 m, tvoří koryto Punkvy. Tato ponorná řeka zde vytváří dvě jezírka a protéká Punkevními dómy s bohatou krápníkovou výzdobou. Území je porostlé smíšenými teplomilnými lesy, ale v hlubokých roklích se v důsledku „zvratu pásem" vyskytují i vzácné horské druhy, např. kruhatka Matthioliho a jelení jazyk.

Крупнейшее карстовое образование Чешского массива, Моравский карст, является заповедником. По дну пропасти Мацоха на глубине 138 м протекает река Пунква. Эта подземная река образует два озера и течет среди »Пункевних домов« со сталактитовыми образованиями.

Das ausgedehnteste Karstgebiet des Tschechischen Massivs, der Moravský kras, steht selbststredend unter Landschaftsschutz. Die 138 m tiefe Talsohle der Macochaschlucht ist zugleich das Flußbett des Punkva-Flusses. Dieser unterirdische Fluß bildet zwei kleine Seen und durchfließt die reich mit Tropfsteingebilden besetzten Punkva-Dome.

Jaroměřice nad Rokytnou se zapsaly do kulturního dění své doby nejen barokní přestavbou renesančního zámku v l. 1700—1737 podle projektu Jana Lukáše Hildebrandta a novostavbou přilehlého kostela sv. Markéty v l. 1715—1732 od Jana B. Fischera z Erlachu: stavebník Jan Adam z Questenberka tu zřídil zámecké divadlo, v němž čeští hudebníci a zpěváci provozovali pro poddané opery, překládané zvlášť do češtiny.

Яромержице-на-Рокитне были в XVIII в. важным культурным центром. Ян Адам из Квестенберка устроил в замке, построенном в 1700—1737 гг. и дополненном костелом в 1715—1732 гг., театр, в котором ставил для своих подданных оперы, переведенные на чешский язык.

Dem Schloß Jaroměřice nad Rokytnou kommt eine große kulturgeschichtliche Bedeutung zu. In dem Schloß, das während der Jahre 1700—1737 einen Umbau erlebte und durch eine in den Jahren 1715—1732 erbaute Kirche auch eine Erweiterung erfuhr, ließ Jan Adam von Questenberg ein Theater einrichten, in dem für seine Untertanen Opern aufgeführt wurden, deren Text ins Tschechische übersetzt worden war.

Třebíč se skládá ze středověkého města, ghetta a okrsku benediktinského kláštera, založeného r. 1101. Jeho budovy byly přeměněny v zámek, ale dochovala se bazilika sv. Prokopa z l. 1240—1260, u nás i ve střední Evropě ojedinělá zvláštním skloubením prvků pozdně románských a raně gotických, osmidílnými klenbami aj. Úpravy (klenbu lodi, průčelí) v barokní gotice provedl v l. 1725—1734 František Maxmilián Kaňka.

Тршебич славится редким архитектурным памятником — базиликой св. Прокопа (1240—1260) бывшего монастыря бенедиктинцев. В интерьере и экстерьере базилики сталкиваются позднероманские и раннеготические элементы, явление исключительное в среднеевропейской архитектуре.

Die Stadt Třebíč kann sich einer kostbaren Denkwürdigkeit rühmen, und zwar in Gestalt der in den Jahren 1240—1260 erbauten Basilika des hl. Prokop in dem ehemaligen Benediktinerkloster. Im Baustil des Gotteshaus verketten sich außen wie innen spätromanische und frühgotische Elemente, was in der mitteleuropäischen Architektur nur ganz vereinzelt vorkommt.

Slavkov u Brna pod německým jménem Austerlitz vstoupil do evropských dějin jako místo Napoleonova vítězství v „bitvě tří císařů" 2. prosince 1805. (Napoleon využil jako velitelského pahorku obrovské prehistorické mohyly Žuráně, kde najdeme desku s plánkem bitvy.) Památníkem a muzeem této události je secesní mohyla Míru u obce Prace z l. 1909—1912, dílo Josefa Fanty, Franty Anýže a sochaře Čeňka Vosmíka.

Славков близ Брно под немецким названием Аустерлиц вошел в историю в качестве места, где Наполеон одержал победу в битве трех императоров 2 декабря 1805 г. В память этого события у поселка Праце на холме был воздвигнут курган Мира (1909—1912). Сооружение в стиле Модерн создал Йозеф Фанта.

Slavkov bei Brno ist in die Geschichte unter dem deutschen Namen Austerlitz als Schauplatz von Napoleons Sieg in der Drei-Kaiser-Schlacht vom 2. Dezember 1805 eingegangen. An dieses historische Ereignis erinnert das im Stil der Sezession erbaute Friedensmausoleum bei der Gemeinde Prace, von Josef Fanta in den Jahren 1909—1912 geschaffen und gleichzeitig als Museum dienend.

Brno is the site of the Moravian Land Museum, housed in the Baroque Dietrichštejn Palace. In front of it is the Parnassus Fountain, 1690—1696, in the cave of which Heracles overcomes the monstrous dog Cerberus; in the background is the re-Gothicized Church of Saints Peter and Paul on Petrov Hill.

Brno est le siège du Musée de Moravie, installé dans le palais baroque des seigneurs de Dietrichstein. Au premier plan la fontaine du Parnasse de 1690—1696, avec une grotte où l'on voit Hercule enchaînant Cerbère, au fond l'église Saint-Pierre-et-Saint-Paul sur la colline de Petrov, restaurée à l'époque moderne dans le style gothique.

El Museo de Morevia, en Brno, está situado en el palacio barroco de Dietrichštejn. Delante de este museo vemos la fuente esculpida del 1690 al 1696 y que se conoce con el nombre de El Parnaso, en cuya cueva Hércules vence al Cancerbero. Al fondo vemos la iglesia de San Pedro y San Pablo.

92

Vranov nad Dyjí, after being reconstructed from a Gothic castle into a Baroque château, now faces the east with the addition of the eliptical building called the Ancestors' Hall. This hall dates from 1687—1695 and is the work of Jan B. Fischer of Erlach. In the magnificently painted interior, its owner glorified the cult of ancestors through statues.

Vranov nad Dyjí, château gothique transformé en somptueuse résidence baroque par Jean B. Fischer d'Erlach en 1687—1695, se tourne vers l'est par un édifice imposant de plan ovale qui renferme la salle dite des Ancêtres. Celle-ci est ornée de peintures et de sculptures glorifiant les hauts faits des ancêtres du seigneur des lieux d'alors.

Después de su reconstrucción el castillo gótico de Vranov, sobre el río Dyje, se transformó en castillo barroco de planta elíptica orientada hacia el Este, en cuyo interior se encuentra el Salón de los Magnos Antepasados, obra de Jan B. Fischer de Erlach, en cuya edificación se dilató de 1687 a 1695.

94

The largest karst district of the Bohemian Massif, the Moravian Karst, is a Nature Reserve. The bottom of Macocha abyss, 138 m deep, is the bed of the River Punkva. This underground river forms two little lakes here and runs through the Punkva "cathedrals" with their rich dripstone decorations.

Le site protégé du Kars morave constitue la plus vaste région karstique du Massif de Bohême. Le gouffre Macocha est un puit profond de 138 m au fond duquel s'ouvre la rivière souterraine de Punkva. On visite en bateau ses galeries et ses dômes avec leurs stalactites, leurs draperies et leurs colonnades de stalagmites.

Todo el territorio del Carso Moravo, el mayor del país, es Zona Natural Protegida. La sima del precipicio Macocha (La Madrastra), sirve de cauce al río subterráneo Punkva, que forma aquí dos pequeñas lagunas y pasa a los llamados Templos del Punkva, grutas con una riqueza enorme de estalactitas y estalagmitas.

95

Jaroměřice nad Rokytnou played an outstanding cultural role in the 18th century. Jan Adam of Questenberk had a theatre installed in the château which was rebuilt in 1700—1737 and to which a church was added in 1715—1732. In this theatre Jan Adam arranged performances of operas, sung in Czech for his serfs.

Le nom de Jaroměřice nad Rokytnou reste inscrit durablement dans les annales de la culture de Bohême du XVIIIe siècle. Dans ce château reconstruit en 1700—1737, avec une église de 1732, Jean-Adam de Questenberk fit aménager une salle de théâtre pour y donner, en langue tchèque, des spectacles d'opéra à l'intention de ses sujets.

Jaroměřice nad Rokytnou es célebre por el importante papel cultural que desempeñó en el siglo XVIII, cuando Jan Adam de Questenberk, dueño por aquella época del castillo edificado de 1700 a 1737 y completado con una iglesia cuya construcción duró de 1715 a 1732, hizo instalar un teatro donde se representaban óperas traducidas al checo para el solaz de sus súbditos.

96

Třebíč can boast a valuable landmark—the Basilica of St Procopius, 1240—1260, constructed from an earlier Benedictine monastery. In its design—both outside and inside—the elements of Late Romanesque and Early Gothic blend together, and this is absolutely unique in Central European architecture.

L'église Saint-Procope de 1240—1260 à Třebíč, qui appartenait jadis à une abbaye bénédictine, est un monument de rare beauté. Son architecture allie des éléments du roman tardif avec ceux du gothique précoce d'une manière qui reste en Europe centrale tout à fait exceptionnelle.

Třebíč ofrece a sus visitantes una valiosa joya del arte medieval: la Basílica de San Procopio (1240—1260), que es una de las dependencias del monasterio de los benedictinos. Los elementos románicos tardíos de su arquitectura exterior e interior se imbrican con elementos góticos tempranos. Este es un fenómeno único en la arquitectura centroeuropea.

97

Slavkov near Brno entered history under its German name, Austerlitz, as the site of Napoleon's victory in the "Battle of the Three Emperors" on December 2, 1805. The Art Nouveau Monument to Peace near the village Prace, the work of Josef Fanta in 1909—1912, is a reminder and memorial to this event.

Slavkov près de Brno est entré dans l'histoire sous son nom allemand d'Austerlitz. Le 2 décembre 1805, Napoléon y remporta sa plus brillante victoire dans la fameuse bataille des Trois Empereurs, dont le souvenir est rappelé par un monument moderne style près de la commune de Prace, œuvre de Josef Fanta des années 1909—1912.

Slavkov (Austerlitz), en las cercanías de Brno, es famoso por la victoria de Napoleón en la histórica Batalla de los Tres Emperadores, librada el 2 de diciembre de 1805. El Túmulo de la Paz, monumento y museo que recuerda este glorioso acontecimiento, fue realizado en el estilo del arte nuevo por el maestro Josef Fanta (1909—1912).

98

Bučovice se ve výstavbě moravských renesančních arkádových zámků časově řadí na druhé místo za Moravský Krumlov, avšak formální dokonalostí arkád tu císařský architekt Pietro Ferrabosco di Lagno v l. 1567—1582 předčil všechny ostatní stavby toho druhu u nás. K zámku, dodatečně opatřenému věžicemi, přiléhá zahrada a celek obklopuje hradba s nárožními bastiony a příkop. Kašna s bakchantem vznikla r. 1637.

Бучовице, наиболее совершенный по форме моравский ренессансный замок с аркадами, был возведен в 1567—1582 гг. по проекту архитектора П. Феррабоско. Позднее были к замку пристроены башенки. Торс водоема в стиле маньеризма относится к 1637 г.

Schloß Bučovice, in den Jahren 1567—1582 von dem kaiserlichen Architekten Pietro Ferrabosco di Lagno erbaut, ist seiner Gestalt nach das vollkommenste Renaissance-Arkadenschloß in Mähren, wenngleich ihm die hinzugefügten Türmchen ein anderes Aussehen verliehen haben. Der nur als Torso erhaltene manieristische Brunnen stammt aus dem Jahre 1637.

Olomouc, do r. 1641 hlavní město Moravy, napovídá svým půdorysem mnoho ze své minulosti. Dodnes lze rozeznat polohu přemyslovského hradu (kde byl r. 1306 zavražděn Václav III.), předhradí, osazeného později biskupstvím (od r. 1777 arcibiskupstvím) a vlastní město. Střed náměstí vyplňuje původem gotická radnice s obnoveným orlojem a sousoší N. Trojice z l. 1716—1754, vzadu se tyčí kupole kostela sv. Michala.

Оломоуц — до 1641 года столица Моравии — славится своими памятниками. В центре площади расположена по своему происхождению готическая ратуша с обновленными курантами и скульптурной группой св. Троицы (1716—1754). На заднем плане высится купол барочного костела св. Михала.

Olomouc war bis 1641 Hauptstadt Mährens und hat noch heute Denkwürdigkeiten in Überfluß. Die Mitte des Marktplatzes wird von dem ursprünglichen gotischen Rathaus mit der wiederhergestellten astronomischen Uhr und der Statuengruppe der Heiligen Dreifaltigkeit aus den Jahren 1716—1754 eingenommen. Im Hintergrund die Kuppel der barocken St.-Michaels-Kirche.

Kroměříž, dnes městská památková rezervace, prozrazuje svou výstavností, že již od 13. stol. byla rezidencí olomouckých biskupů a od r. 1777 arcibiskupů. Proslulé jsou její zahrady, starší Podzámecká a mimo hradby mladší, Květná (na obr.), kterou navrhl r. 1666 Filiberti Luchese jako raně barokní francouzskou zahradu s 233 m dlouhou kolonádou, letohrádkem, kašnami a různými dobovými stavbami a hříčkami.

Кромержиж, резиденция оломоуцких епископов, а с 1777 г. архиепископов, может гордиться кроме всего прочего также Подзамецким парком и французским парком под названием »Цветочный сад« (см. снимок) с большой колоннадой (233 м), летним дворцом и водоемами. Парк был разбит в 1666 г. по проекту Филиберти Лучезе.

Kroměříž, Residenzstadt der Bischöfe und seit 1777 der Erzbischöfe von Olomouc, ist durch seine Gärten berühmt. Der erste breitet sich zu Füßen des Schlosses aus und wird Podzámecká genannt, der zweite liegt jenseits der Stadtmauern und heißt Květná zahrada (Blumengarten, siehe Bild). Zusammen mit seinem 233 m langen Wandelgang, dem Lustschlößchen und den Brunnen wurde er i.J. 1666 von Filiberti Luchese projektiert.

Hluboce zaříznuté údolí nespoutaného toku Bílé Opavy je jedním z nejpřitažlivějších míst chráněné krajinné oblasti Jeseníky. Prudký tok bystřiny zde vytváří četné peřeje a vodopády. Skalnaté srázy jsou porostlé urostlými horskými smrky a jeřáby.

Глубокая долина с протекающей бурной рекой Била Опава является одним из наиболее популярных мест охраняемой области Есеники. Бурное течение здесь образует многочисленные пороги и водопады.

Das tiefeingeschnittene Tal des Wildbaches Bílá Opava ist einer der anziehendsten Teile des unter Landschaftsschutz stehenden Jeseníky-Gebirges. Der ungestüm dahinschießende Wildbach bildet hier zahlreiche Stromschnellen und Wasserfälle.

Vrcholy Šeráku a Keprníku leží v nejvyšších partiích Hrubého Jeseníku. Husté porosty smilky tuhé zde vytvářejí houževnaté koberce jen tu a tam narušené vystupujícími skalisky. Travnaté hole obklopuje smrkový porost s vtroušeným jeřábem. Ze Šeráku se rozevírá široký rozhled ke Králickému Sněžníku.

Горный хребет между вершинами Шерак и Кепрник это наиболее высокая часть Грубого Есеника. Обнаженные верхушки гор окружены зарослями ели с вкрапленной в них рябиной. С Шерака хорошо виден Кралицки Снежник.

Die Berggipfel Šerák und Keprník zählen zu den am höchsten gelegenen Teilen des Gebirgszuges Hrubý Jeseník. Die kahlen, durchwegs grasbewachsenen Flächen werden von Fichtenbeständen eingesäumt, unter die sich hie und da Vogelbeerbäume mischen. Vom Šerák aus schweift der Blick in die Weite bis zum Králický Sněžník.

Z Keprníku (1423 m) jsou nádherné rozhledy na složitý systém hřebenů a pásem Hrubého Jeseníku, jedné z nejkrásnějších a nejzachovalejších chráněných krajinných oblastí ČSR. Ve vrcholové části má toto pásmo, jako jediné v ČSR — s výjimkou Krkonoš — přirozený pás horských holí s bohatou alpinskou a subalpinskou květenou.

С Кепрника (1423 м) как на ладони видна сложная система хребтов Высокого Грубого Есеника, одна из наиболее сохранившихся охраняемых природных областей ЧСР. с альпийской и субальпийской флорой.

Vom Keprník (1423 m) genießt man manchen schönen Ausblick auf das komplizierte System der Bergkämme des Hrubý Jeseník, bis heute eines der schönsten und unberührtesten Naturschutzgebiete der ČSR. In den höchstgelegenen Teilen zieht sich eine natürliche Zone von Kahlflächen mit reicher alpiner und subalpiner Flora hin.

From the formal point of view, Bučovice, erected between 1567 and 1582 by the Emperor's architect Pietro Ferrabosco de Lagno, is the most perfect Moravian Renaissance arcaded château, although it was altered by adding towers. The torso of the Mannerist fountain dates from 1637.

Bučovice, construit en 1567—1582 par l'architecte de l'empereur Pietro Ferrabosco di Lagno, est en Moravie le château Renaissance de style le plus achevé, et cela en dépit des tourelles ajoutées à une époque postérieure. Le fragment d'une fontaine maniériste date de 1637.

Bučovice es un castillo con arcadas del más puro y perfecto estilo renacentista en Moravia. Las cuatro torres añadidas con posterioridad cambian un poco su aspecto original. El fuste de la fuente es manerista y se remonta al año de 1637.

Olomouc was the capital of Moravia until 1641, and to this day has many landmarks. The centre of its square boasts an original Gothic town hall with a restored horologue and statuary of the Holy Trinity dating from 1716 to 1754. In the background is the dome of the Baroque Church of St Michael.

Olomouc, jusqu'en 1641 capitale de la Moravie, possède un grand nombre de monuments historiques. Le centre de la place est occupé par l'hôtel de ville d'origine gothique, avec une horloge restaurée à l'époque moderne, et le groupe de la Sainte Trinité de 1716— 1754. A l'arrière-plan on voit se dessiner le dôme baroque de l'église Saint-Michel.

Olomouc, hasta 1641 capital de Moravia, destaca por la cantidad de edificios y monumentos históricos que contiene. En el centro de la plaza se levanta el edificio gótico del Ayuntamiento con su reloj restaurado, y la estatua de la Santísima Trinidad erigida en los años de 1716 a 1754. Al fondo vemos la cúpula de la iglesia barroca de San Miguel.

100

Kroměříž, the residential town of the Olomouc bishops, and starting from 1777 of archibishops, is famous for its Podzámecká Garden and Květná (Flower) Garden lying beyond the town ramparts (photo). It has a colonnade 233 m long, a summer palace and fountains designed in 1666 by Filiberti Luchese.

Kroměříž, jadis résidence des évêques et, à partir de 1777, des archevêques d'Olomouc, est célèbre pour ses jardins: Podzámecká, qui est la plus ancienne, et Květná (voir cliché), dessinée en 1666 au-delà des remparts de la ville par Filiberti Luchese, avec une colonnade longue de 233 m, un pavillon et plusieurs fontaines.

La ciudad de Kroměříž, residencia de los obispos y, desde 1777, los arzobispos de Olomouc, es famosa por sus parques: el Parque del Castillo y el Jardín Florido (en la foto), fuera del antiguo recinto de la ciudad, con su columnata de 233 metros de longitud, el palacete estival y las fuentes, obras proyectadas por Filiberti Luchese en 1666.

101

The deeply cut valley of the wild White (Bílá) Opava waters is one of the most attractive places in the Jeseníky Mountains Nature Reserve. The swift mountain stream forms countless rapids and waterfalls.

La profonde vallée de la Bílá Opava est un des sites touristiques les plus recherchés de la zone protégée des monts de Jeseníky. Le cours rapide du torrent y dévale la pente, creusant des sillons et tombant en cascades.

La profunda y estrecha garganta de la indómita corriente del Opava Blanco constituye uno de los lugares más atractivos de la Zona Natural Protegida de Jeseníky. La turbulenta corriente del Opava forma en este lugar numerosos saltos de agua y cascadas.

102

Šerák and Keprník peaks lie in the highest parts of the Hrubý Jeseník Mountains. The grassy uplands are surrounded by fir trees with a scattering of rowan mountain ash. From Šerák there is a wonderful view of Králický Sněžník.

Le Šerák et le Keprník appartiennent aux plus hauts sommets de la chaîne de Hrubý Jeseník. Au-dessus des forêts d'épicéas, parmi lesquels apparaissent quelques sorbies, la montagne n'est couverte que de pelouse alpine. Une admirable vue panoramatique se présente du haut du Šerák.

Los picachos de Šerák y Keprník constituyen los parajes más empinados del Hrubý Jeseník. Están cubiertos por hierba, pinares y serbales cuya simiente fue acarreada hasta ahí al capricho de los vientos. Desde el Šerák se descubre una dilatada vista panorámica hacia el monte Kralický Sněžník.

From Keprník (1,423 m) a marvellous picture can be seen of the complex ridge system of the Hrubý Jeseník Mountains, one of the best preserved Nature Reserves of the Czech Socialist Republic. This natural belt of mountain uplands has rich Alpine and sub-Alpine flowers.

Depuis le Keprník (1423 m.) la vue s'ouvre sur les crêtes de Hrubý Jeseník, zone de protection qui est jusqu'ici restée le mieux préservée des interventions humaines. Au-delà de la limite de la forêt, les sommets présentent une riche flore alpine et subalpine.

El Pico de Keprník (1.423 m) ofrece preciosas perspectivas sobre el complejo sistema de la serranía del Hrubý Jeseník, una de las Zonas Naturales Protegidas mejor conservadas de la República Socialista Checa. Esta sierra está coronada por una cadena de montes con abundante flora alpina y subalpina.

Štramberk splývá v povědomí veřejnosti především s válcovou věží — Trúbou, zbytkem hradu ze 14. stol. a s jeskyní Šipka ve vrchu Kotouči, nalezištěm čelisti neandrtálského člověka. Avšak samotné městečko je dnes městskou památkovou rezervací; podnět k jejímu vyhlášení dalo především předměstí rozložené mezi opevněným jádrem a nádražím, tvořící vzácně dochovaný soubor roubených domů valašského typu.

Штрамберк, город-заповедник с башней — »Штрамберкской трубой«, представляющей собой остатки древнего замка, а также известной пещерой Шипка, где были обнаружены челюсти неандертальца. Город был провозглашен заповедником также благодаря редкому сохранившемуся комплексу деревянных домов.

Die Stadt Štramberk ist durch ihren Trúba genannten Rundturm, durch die Reste einer Burg aus dem 14. Jh. und durch die Šipka-Höhle bekannt, wo der Kiefer eines Neandertalers gefunden wurde. Im Hinblick auf den Komplex erhalten gebliebener wertvoller Holzhäuser wurde die Stadt zum Denkmalschutzgebiet erklärt.

Mionší je významná beskydská hora (950 m) s přirozeným bukojedlovým pralesem na úbočí. V starém porostu se vyskytují mohutné jedle, buky, kleny, jilmy a smrky. Pro přirozený prales je vedle odumírajících velikánů stromů příznačné i bohatě vyvinuté keřové a bylinné patro. Prales Mionší je známou a po naučné stezce hojně navštěvovanou rezervací.

Мионши, гора в Бескидах (950 м), склоны которой покрыты зарослями ели и бука. Для этого девственного леса с вымирающими деревями-великанами типичными также являются богатые кустарниковые и травянистые »этажи« зарослей. Девственный лес Мионши это один из наиболее известных и популярных заповедников.

Der Abhang des Mionší (950 m) in dem Beskydy-Gebirge ist mit natürlichem Urwald bedeckt. Für einen originären Urwald ist außer den modernden Baumriesen eine üppige Strauch- und Kräutersohle charakteristisch. Der Urwald Mionší ist ein bekanntes und oftbesuchtes Naturschutzgebiet.

Rožnov pod Radhoštěm byl již v r. 1925 zvolen výtvarníky bratry Bohumilem a Aloisem Jaroňkovými k založení Valašského muzea v přírodě ve starém lázeňském parku. V r. 1961 vznikl ideový záměr jeho rozšíření, a to jako regionálního skansenu dřevěného lidového domu karpatského. V nové části (na obr.), zpřístupněné r. 1971, je několik desítek objektů zasazených co nejpřirozeněji do svažitého terénu.

Рожнов-под-Радгоштем интересен тем, что уже в 1925 году здесь был основан Валашский музей под открытым небом. С 1961 года на основании плана музей постоянно расширяется в качестве музея деревянного народного зодчества карпатского. С 1971 г. часть, изображенная на снимке, открыта для посещений.

Rožnov unter dem Radhošť war bereits i.J. 1925 als Standort des Museums im Freien der Walachei ausersehen. Im Sinne des Leitplans vom Jahre 1961 wird das Museum weiter ausgebaut, und zwar als regionaler Skansen des Karpaten-Holzhauses. Dieser Teil (siehe Bild) wurde i.J. 1971 der Öffentlichkeit zugänglich gemacht.

Beskydy, rozlehlou chráněnou oblast na česko-slovenském pomezí, tvoří rozložité masívní pásmo Moravskoslezských Beskyd příkře vystupujících nad horizont, Vsetínských vrchů a konečně samostatné lesnaté pásmo Javorníků. Beskydy jsou územím plným protikladů — od divokých niter hor s pralesovitými porosty a prudkými bystřinami až po drobná políčka a rozlehlé pastviny v okolí horských samot a drobných sídelních celků.

Бескиды, эту обширную природную область между Чехией и Словакией, образуют массивная горная часть Моравских Бескид, круто возвышающихся на горизонте, далее Всетинские холмы и, наконец, лесистая горная область Яворники.

Das Beskydy-Gebirge, ein Naturschutzgebiet entlang der Grenze zwischen Mähren und der Slowakei, zerfällt in das mächtige, steil sich über den Horizont erhebende Massiv der Mährisch-schlesischen Beskydy, in das Vsetíner Hügelland und das eine selbständige Einheit bildende, dichtbewaldete Javorníky-Gebirge.

Z posvátného Radhoště (1129 m) směrem k Javorníkům se rozkládají protáhlé horské hřebeny se střídajícími se údolími. Nejzazším pásmem je hřeben Javorníků, kterému dominuje Velký Javorník (1071 m). Horské louky na vrcholcích Beskyd nejsou přírodní, vznikly odlesněním a následnou pastvou. Vysoké srážky — v Beskydech jsou nejvyšší pro celou ČSSR — působí smývání povrchových půdních vrstev až na skalní podklad.

От горы Радгошть (1129 м) к горной области Яворники протянулись хребты, чередующиеся с долинами; завершающим является пояс Яворников с вершиной Большой Яворник (1071 м).

Von dem sakralen Berg Radhošť (1129 m) bis zum Javorníky-Gebirge hin ziehen sich langgestreckte Bergrücken, zwischen die Täler eingebettet sind. In dunstiger Ferne der Javorníky-Kamm, beherrscht von dem Velký Javorník (1071 m).

Radhošť, pověstmi opředená hora v Beskydech, byl — teprve však počátkem 18. stol. — spojován s kultem Radegasta, pohanského boha slovanských Ratarů, uctívaného v Retře v Meklenbursku. Socha Radegasta na hřebenové cestě po Radhošti mezi kaplí sv. Cyrila a Metoděje a rekreačním střediskem Pustevny je dílo sochaře Albína Poláška, vytvořené r. 1930 ve Spojených státech a v září 1931 přivezené na místo z Frenštátu pětispřežím.

Радгошть, гора в Бескидах, долгое время была связана с культом древнеславянского бога Радегаста. Новейшую скульптуру Радегаста создал в 1930 г. в США скульптор Альбин Полашек. В 1931 г. скульптура была помещена на горной тропе, которая ведет по горному хребту к вершине.

Mit dem Radhošť in dem Beskydy-Gebirge ist der Kult des altslawischen Gottes Radegast verknüpft. Die neuzeitliche Statue des Radegast wurde i.J. 1930 in den USA von dem Bildhauer Albín Polášek geschaffen und im darauffolgenden Jahr an dem zum Radhošť führenden Kammweg aufgestellt.

Štramberk is known for its round tower—Trúba, the remains of a 14th-century castle, and the cave Šipka, where the jaw of a Neanderthal Man was found. It also happens to be a National Historic Town because of its remarkably preserved set of timbered houses.

Štramberk, connu pour sa tour ronde, la Trúba, vestige d'un château du XIVᵉ siècle, et la grotte Šipka où l'on a découvert une machoire de l'homme de Néanderthal, est en même temps une ville classée monument historique, comportant un rare ensemble de maisons à poutres apparentes.

La ciudad de Štramberk tiene una típica torre cilíndrica —la Trúba— resto de una alcazaba que se levantaba en el mismo lugar en el siglo XIV, y la cueva Šipka, donde fue descubierta una quijada del hombre de Neanderthal. Además Štramberk, como ciudad, es un monumento de interés histórico debido a que logró conservar un bello conjunto de casas rústicas de troncos.

Mionší is an outstanding Beskydy mountain (950 m) with a natural beach-fir primeval forest on its slope. Characteristic of primeval forests, apart from their big moribund trees, are also richly developed shrub and herb levels. The Mionší primeval forest is a well known and much visited reserve.

Les versants du Mionší (950 m), dans le massif des Beskydes, sont couverts d'une forêt vierge, peuplée de hêtres et de sapins, qui forme une réserve naturelle recherchée par les touristes. Outre les arbres géants qui meurent progressivement, cette forêt possède également une strate herbacée et une strate arbustive particulièrement vigoureuses.

Mionší (950 m), es una montaña en la sierra de Beskydy, cuyas laderas cubre una algaba con vetustos árboles de gran talla que se están extinguiendo, arbustos corpulentos y plantas frondosas. Esta selva es en la actualidad una Zona Natural Protegida muy conocida y frecuentada.

107

Rožnov pod Radhoštěm was chosen in 1925 as the site of the Wallachian Outdoor Museum. It was expanded as of 1961 into a regional ethnographic museum of wooden folk Carpathian houses and since 1971 this part (see photo) is open to the public.

Rožnov pod Radhoštěm possède dès 1925 un musée de plein air de la Valachie morave. Selon un programme adopté en 1961, celui-ci est aménagé sous la forme de skansen de la maison de bois des Karpathes, dont une partie (voir cliché) est depuis 1971 ouverte au public.

La ciudad de Rožnov, al pie del monte Radhošť, desde el año de 1925 fue designada para albergar el Museo de Valaquia al aire libre. Este museo debía ser ampliado para formar un *skanzen* regional con típicas casas folklóricas de madera, tales como las que se encuentran en los Cárpatos. El *skanzen* está abierto al público desde 1971.

108

The Beskydy, a large Nature Reserve on the border of Moravia-Slovakia, consists of the extensive massif of the Moravian-Slovak Beskydy which rises steeply over the horizon, the Vsetín Hills and, finally, the separate afforested Javorníky range.

La vaste zone protégée des Beskydes, aux Confins de la Moravie et de la Slovaquie, est formée par le massif des Beskydes moravo-silésiens, la chaîne des Vsetínské vrchy et la chaîne indépendante des Javorníky.

La vasta zona protegida de los Beskydes, en la frontera checo-eslovaca, está formada por la masiva y escarpada cadena de los Beskydes moravo-silesianos que se destacan imponentes contra el horizonte, los montes de Vsetín y la sierra boscosa de los Javorníky.

From sacred Radhošť (1,129 m) in the direction of the Javorníky Mountains is a long chain of ridges alternating with valleys. The hindmost strip is the summit of the Javorníky range dominated by Velký Javorník Mountain (1,071 m).

Depuis le Radhošť (1129 m), montagne sainte des vieux Slaves, jusqu'à la chaîne des Javorníky (1071 m), s'étendent de longues croupes moutonnées, séparées par des vallées.

Entre el sagrado Radhošť (1.129 m), y la sierra de los Javorníky se extienden largas cadenas de montañas entreveradas con valles. En la última cadena se yergue el pico más alto de la sierra: el Gran Javorník de 1.071 m. de altura.

Radhošť, a mountain in the Beskydy, was linked with the cult of the ancient Slavonic god Radegast. A modern depiction of Radegast was made in 1930 in the United States by sculptor Albín Polášek and in 1931 was erected on the path leading to the top of Radhošť.

Le mont de Radhošť, dans les Beskydes, est lié dans la pensée du peuple au culte du dieu vieux slave Radegast. Sa statue sculptée aux Etats-Unis en 1930 par Albín Polášek, fut érigée en 1931 au bord du chemin qui monte au sommet de la montague.

El monte de Radhošť estuvo relacionado con el culto al antiguo dios eslavo Radegast. La estatua del dios es obra del escultor Albín Polášek, quien la terminó en 1930, en los Estados Unidos de Norteamérica, y que fue colocada un año más tarde en el camino que conduce hasta la cumbre de la montaña.

Ploština, osada na Gottwaldovsku, byla 14. dubna 1945 nacisty vypálena a 27 jejích obyvatel za pomoc partyzánům bylo vhozeno do plamenů. Tuto tragickou událost, podobnou osudu Lidic, Ležáků a Javoříčka, připomíná památník na návrší nad osadou, dílo architekta Štěpána Zeliny a sochaře Ferdy Štábly: z podnože tvaru pětícípé hvězdy se kolem nápisu *Vaše oběti — naše svoboda* tyčí pět betonových pylonů.

Плоштина, поселок неподалеку от Готвальдова, был сожжен нацистами 14 апреля 1945 года. 27 жителей поселка за помощь партизанам были брошены в огонь и погибли. В память о трагическом событии на этом месте был поставлен памятник — пять тонких пилонов из бетона вокруг плиты с надписью: *»Ваши жертвы — наша свобода«.*

Die Ortschaft Ploština in der Nähe der heutigen Industriestadt Gottwaldov wurde am 14. April 1945 von den Nazifaschisten niedergebrannt und 27 ihrer Einwohner wurden wegen Unterstützung der Partisanen in die Flammen geworfen. Heute erhebt sich an dieser Stelle ein Mahnmal, bestehend aus fünf schlanken Pylonen, die sich um eine Tafel mit der Aufschrift *Eure Opfer — unsere Freiheit* gruppieren.

Buchlov jako královský strážní hrad při cestě přes Chřiby a pak sídlo správy lesů vznikl již před polovinou 13. stol., jak nasvědčuje románský portál ve východní věži. Druhá, západní hranolová věž (na obr.) je o něco mladší, raně gotická. Hrad byl pak v pozdní gotice stavebně doplněn o nové křídlo s kaplí a k renesanční výstavbě náleží dnešní vstupní hodinová věž z r. 1546 s barokním zastřešením.

Бухлов, первоначально королевский замок. В восточной башне сохранился позднероманский портал. Западная призматическая башня (см. снимок) построена в стиле ранней готики. Замок достраивался и в период поздней готики. Входная башня в ренессансном стиле (1546) была перекрыта крышей в стиле барокко.

Die einstige königliche Burg Buchlov hat sich im Ostturm ein spätgotisches Portal bewahrt. Der prismatische Westturm (siehe Bild) ist frühgotisch. In der Epoche der Spätgotik wurde die Burg weiter ausgebaut. Die Renaissance ist mit dem i.J. 1546 entstandenen Eingangs-Uhrturm vertreten, der eine barocke Verdachung erhielt.

Mikulov se rozkládá uprostřed vinic v sousedství malebných Pavlovských vrchů. Na místě slovanského hradiště vznikl ve 13. stol. hrad opevněný později proti Turkům, v renesanci změněný v zámek a přestavěný pak barokně, vévodící městečku — nyní památkové rezervaci. Východně od města se zvedá vápencová Svatá hora, od r. 1623 postupně doplněná kostelem sv. Šebestiána s volně stojící zvonicí a křížovou cestou.

Микулов с давних времен стоит на страже южноморавских границ. Над окруженным виноградниками городком возвышается замок в стиле барокко, бывшая крепость с системой укреплений против нападения турков. Восточнее расположена известняковая Святая гора с костелом св. Шебестиана (Себастьяна), возведенном в 1623 г., и колокольней.

Mikulov war von alters her zum Schutz der südmährischen Grenze bestimmt. Das in Weinberge eingebettete Städtchen wird von dem im Barockstil umgebauten Schloß beherrscht, ursprünglich einer Burg mit Befestigungswerken gegen die Türken. Östlich der Stadt erhebt sich der Kreidefelsen Svatá hora mit der Kirche des hl. Sebastian v.J. 1623 und dem Glockenturm.

Lednický zámek s rozlehlým parkem je klasickou ukázkou zdařilé krajinářské úpravy z počátku 19. století. Zámecký park se soustavou přilehlých rybníků tvoří naši nejvýznamnější ornitologickou rezervaci mezinárodního významu — Lednické rybníky. Leží na tahové cestě ptactva a vyskytuje se zde více než 250 druhů vodních i zpěvavých ptáků, mezi jinými zejména kvakoš velký a v zámeckém parku pak slavík.

Ледницкий замок с прилегающим обширным парком является классическим примером искусства оформления пейзажа в начале XIX в. Система окружающих его озер представляет собой орнитологический заповедник международного значения, в котором насчитывается свыше 250 видов певчих и водоплавающих птиц.

Schloß Lednice mit seinem weitläufigen Park kann als klassisches Beispiel einer gelungenen Landschaftsgestaltung vom Anfang des 19. Jh. gelten. Der Schloßpark mit dem angrenzenden System von Teichen ist ein ornithologisches Schutzgebiet von internationaler Bedeutung. Man findet hier 250 Arten von Wasser- und Singvögeln.

Petrov na Hodonínsku je jednou z jihomoravských obcí, kde tradiční vinařství se charakteristickým způsobem vepsalo i do jejich výstavby. Ke zpracování vína tu totiž byly postaveny řady vinných sklípků (v dnešní podobě z 18. a 19. stol.), některé o jedné prostoře, jiné s lisovnou vpředu a jedním nebo dvěma sklepy za ní. Skupina sklípků v Petrově, zvaná Plže, je dokonce památkově chráněna.

Петров в районе Годонина это один из южноморавских винодельческих поселков. Архитектуру поселка оживляют винные погребки, сохранившиеся с XVIII — XIX вв. Передняя часть такого погребка оборудована прессом, сзади находятся помещения для хранения вина.

Die Gemeinde Petrov bei Hodonín ist eines jener südmährischen Winzerdörfer, deren Verbauung durch eine Reihe von Weinkellern (ihre heutige Gestalt gewannen sie im 18. und 19. Jh.) belebt wird. In der Regel befindet sich gegen die Straße zu der Kelterraum und hinten schließen sich ein oder zwei Keller zur Lagerung des Weins an.

V lesních komplexech na soutoku Dyje s Moravou se zachovalo několik unikátních lužních pralesovitých porostů s duby, jasany, olšemi, vrbami a s bohatým podrostem jarní květeny. Tři nejkrásnější celky, z nichž uvádíme partii z lužního pralesa u Lanžhota, jsou přírodními rezervacemi. V často dlouhodobě zaplavovaném území jsou četná slepá ramena a tůně, kde hnízdí spousty vodního ptactva.

При слиянии рек Дыи и Моравы сохранилось несколько исключительных пойменных девственных уголков природы. Три наиболее впечатляющие из них открывает вид девственного леса близ Ланжгота. В этих заповедниках, надолго затопляемых водой, немало заводов, старыц русел и т.д., где вьют свои гнезда водоплавающие птицы.

In den Waldgebieten am Zusammenfluß der Dyje und der Morava haben sich mehrere dschungelartige Auwälder erhalten, die ein Unikat darstellen. Drei der schönsten Bestände sind Naturschutzgebiet, darunter auch der Auwald bei Lanžhot. Ein Teil dieses Waldes ist auf dem Bild festgehalten. In dem häufig lange Zeit unter Wasser stehenden Gebiet gibt es viele tote Arme und Tümpel, in denen zahllose Wasservögel nisten.

Ploština, a village in the Gottwaldov district, was razed by the Nazis on April 14, 1945, and 27 of its inhabitants were burned alive for helping the partisans. A memorial now stands here consisting of five tall cement pylons around a plaque with the inscription *Your sacrifice brought our freedom.*

Ploština, petite commune de la région de Gottwaldov, fut brûlée par les Nazis le 14 avril 1945. Ses 27 habitants périrent dans les flammes en punition du secours qu'ils avaient apporté aux partisans. Cinq hauts pylônes entourant une plaque avec inscription: *Votre martyre — notre liberté,* perpétuent le souvenir de cette tragédie.

El pueblo de Ploština, cerca de Gottwaldov, en Moravia, fue incendiado por los nazis el 14 de abril de 1945 y sus 27 habitantes fueron lanzados a las llamas por haber ayudado a los guerrilleros. Hoy día se levanta ahí este monumento: cinco esbeltos pilones y una placa en la que se lee: *«Vuestro sacrificio — nuestra libertad».*

112

Buchlov, originally a royal castle, has a Late Romanesque portal in its eastern tower. The western conical tower (see photo) is Early Gothic. Late Gothic changes were made to the castle, and the entrance watch tower (1546) is the result of a Renaissance reconstruction, while the roofing dates from Baroque times.

Buchlov, à l'origine un château fort du domaine royal, conserve du temps de sa fondation un portail du roman tardif, percé dans la tour est. La tour ouest (voir cliché), de plan carré, appartient au gothique primitif. La construction du château se poursuivit au gothique tardif et à la Renaissance. C'est à cette dernière époque que remonte la tour de l'horloge de 1546, couronnée d'un comble baroque.

Buchlov, originalmente un castillo real, tiene en su torre oriental un portal en estilo románico tardío. La torre occidental, de forma cilíndrica (en la foto), es gótica. El castillo fue ampliado en estilo gótico tardío y renacentista. La torre de la entrada es también renacentista y ostenta un reloj que data de 1546, y tiene un colgadizo barroco.

113

Mikulov has guarded the South Moravian frontier since time immemorial. The town, surrounded by vineyards, is dominated by a château reconstructed in Baroque style. Originally it was a castle with anti-Turk fortifications; east of it rises the limestone Sacred Mountain (Svatá hora) with the Church of St Sebastian built in 1623 and the belfry.

De temps immémorial, Mikulov garde la frontière sud de la Moravie. C'est une ville entourée de vignes et dominée par un château reconstruit au baroque, qui a conservé ses fortifications des guerres contre les Turcs. A l'est de la ville s'élève une colline calcaire, le Mont Saint avec une église de 1623, consacrée à saint Sébastien, et un clocher.

Mikulov guarda desde tiempos inmemoriales la frontera de Moravia meridional. La ciudad, circundada de viñedos, está dominada por un castillo acabado en estilo barroco, que antiguamente era una fortaleza contra las incursiones de los turcos. Al Este de Mikulov contemplamos la colina de Svatá Hora con su iglesia de San Sebastián (1623) y un campanario.

114

Lednice Château with its large park is a classical example of successful landscaping, dating from the beginning of the 19th century. The château park, with its system of adjoining fish ponds, is an ornithological reserve of international importance and more than 250 types of waterfowl and singing birds appear here.

Le château de Lednice est entouré d'un vaste parc paysager, dessiné sous son aspect actuel au début du XIXᵉ siècle. Avec les étangs qui l'animent ou sont creusés au-delà de son enceinte, il constitue une réserve ornithologique d'importance internationale, abritant quelque 250 espèces d'oiseaux aquatiques et chanteurs.

El castillo de Lednice, con su vasto parque, es una muestra clásica de cómo se puede acicalar el paisaje. Esta obra fue realizada a principios del siglo XIX. El parque señorial, con sus numerosos estanques adyacentes, es una reservación ornitológica de importancia internacional, en donde habitan 250 especies diferentes de aves acuáticas y canoras.

115

Petrov in the Hodonín district is a South Moravian winemaking village celebrated for a number of wine cellars that resulted from reconstruction (the cellars today are from the 18th and 19th centuries); most of them have a press in front and behind them are one or two more cellars for storing the wine.

Petrov près de Hodonín en Moravie du Sud est une commune typique de vignerons, avec de nombreuses caves, aménagés sous leur aspect actuel pour la plupart au XVIIIᵉ et au XIXᵉ siècle.

Petrov, en la región de Hodonín, es uno de esos pueblos de la Moravia Meridional animados por ringleras de cuevas que aún en la actualidad conservan todo el sabor que poseían en los siglos XVIII y XIX. La mayoría tienen instalada la prensa, y dos oquedades para el almacenamiento del vino.

116

In the forest compounds at the confluence of the Rivers Dyje and Morava, several unique alluvial primeval forest stands have survived. Three of the loveliest examples, from the alluvial primeval forest near Lanžhot, are Nature Reserves. In this area of frequent and lengthy flooding, there are lots of blind arms and pools where a great many water fowl build their nests.

Sur le confluent de la Dyje et de la Morava s'étendent les denses forêts caractéristiques du voisinage immédiat de l'eau, dont la richesse est due à l'absence de l'intervention de l'homme. D'innombrables bras morts des rivières et des lacs minuscules de ce terrain souvent inondé, abritent une multitude d'oiseaux aquatiques. Trois plus belles forêts de la région, dont celle de Lanžhot (voir cliché), ont été constituées en réserves naturelles intégrales.

En las grandes extensiones boscosas de la confluencia del Dyje con el Morava se ha conservado una vegetación selvática sobre un suelo cenagoso, lo cual constituye un fenómeno por demás singular en este país. Los tres bosques más hermosos de estos marjales fueron declarados reservaciones naturales. Nuestra foto muestra la selva que queda cerca de Lanžhot. En estos parajes, casi permanentemente anegados, hay numerosas rebalsas y ensenadas donde anidan enormes cantidades de aves acuáticas.

117

Bratislava, osídlená již v pravěku a v římské období, je od r. 1968 hlavním městem Slovenské socialistické republiky. Její panoráma nad Dunajem ovládá typická silueta hradu původem gotického přestavěného barokně a po požáru 1811 obnoveného v l. 1953—1968. Jeho JZ věž, zbytek hradu z doby po r. 1245, dostala název Korunní, protože v ní byly od 16. stol. uloženy uherské korunovační klenoty.

Братислава с 1968 г. является столицей Словацкой Социалистической Республики. Панораму города на Дунае определяет силуэт кремля (града), наиболее древней частью которого считается юго-западная башня под названием Корунни. С XVI в. в этой башне хранились вегнерские королевские регалии.

Bratislava ist seit 1968 Hauptstadt der Slowakischen Sozialistischen Republik. Das Panorama der Stadt wird am linken Donauufer von der charakteristischen Silhouette der Burg beherrscht. Ihr ältester Teil ist der Südwestturm, auch Kronturm genannt, weil er vom 16. Jh. an als Schatzkammer für die ungarischen Krönungskleinodien diente.

Devín, osazený pro strategickou polohu nad soutokem Dunaje a Moravy již Římany, se připomíná r. 864 jako velkomoravský hrad Dowina. Od 13. stol. tu postupně narůstal kamenný hrad, který v nynější zříceniny proměnila r 1809 napoleonská vojska. Krátce nato se stal symbolem slovanského odboje a shromaždištěm vlastenecké mládeže. — Mezi oběma řekami se otvírá výhled na Moravské pole, kde r. 1278 padl Přemysl Otakar II.

Девинский замок, благодаря своему стратегическому положению при слиянии рек Моравы и Дуная занятый еще римлянами, упоминается в 864 г. в качестве великоморавской крепости Довина. В 1809 г. готическая крепость была разрушена наполеоновскими войсками. Вскоре после этого здесь начали устраивать встречи патриотически настроенные молодые люди.

Devín war im Hinblick auf seine strategische Lage am Zusammenfluß der Donau und der Morava schon von den Römern besiedelt. Im Jahre 864 wird es unter dem Namen Dowin als Burg des Großmährischen Reiches erwähnt. Die nachmalige gotische Burg erfuhr i. J. 1809 ihre Zerstörung durch die Truppen Napoleons. Bald darauf wurde Devin zu einem beliebten Wallfahrtsziel der patriotischen Jugend.

Bratislavě, dnes městské památkové rezervaci, vévodí gotický dóm sv. Martina ze 14. stol., později upravovaný. Od r. 1536, kdy byla za tureckých válek Bratislava prohlášena sněmovním a korunovačním městem, bylo v chrámu korunováno devět uherských králů a osm královen; odtud se slavný průvod ubíral k Dunaji k umělému korunovačnímu pahorku, jehož pozdější barokní architektura zanikla teprve r. 1870.

Над Братиславой, ныне городом-заповедником архитектуры, возвышается готический собор св. Мартина (XIV). С 1536 г., когда еще во время турецких войн Братислава была провозглашена коронационным городом, здесь было короновано девять венгерских королей и восемь королев.

Bratislava, in der Gegenwart Stadtdenkmalschutzgebiet, wird von dem gotischen St.-Martins-Dom aus dem 14. Jh. beherrscht. Im Jahre 1536, zur Zeit der Türkenkriege, wurde Bratislava zur Landtags- und Krönungsstadt erhoben und seit damals wurden in dem Dom insgesamt neun ungarische Könige und acht Königinnen gekrönt.

Bratislava je také sídlem Slovenské národní galerie, zřízené r. 1948. Po dostavbě nového moderního křídla budovy (viz také str. 174) byly v únoru 1978 zpřístupněny sbírky počínaje díly gotického sochařství a malířství, do té doby zčásti instalované na zámku ve Zvolenu. Jedním z exponátů jsou křídla oltářní archy asi z r. 1499 s výjevy ze života P. Marie, pocházející ze Spišského Podhradí.

В Братиславе находится Словацкая национальная галерея, созданная в 1948 г. В новейшем крыле здания (см. снимок на стр. 174), в 1978 г. были представлены общественности собрания готической живописи и готической скульптуры. Одним из экспонатов являются створки алтаря (около 1499) из Спишске Подградие.

Die Nationalgalerie in Bratislava wurde i.J. 1948 instituiert. In dem modernen Flügel des Gebäudes (siehe Bild auf S. 174) sind seit 1978 u.a. die Sammlungen gotischer Malerei und Bildhauerkunst der Öffentlichkeit zugänglich. Unter diesen Exponaten befinden sich die aus der Zeit um 1499 stammenden Flügel der Altararche von Spišské Podhradie.

V rozlehlé nížině Ostrova (dříve Velký Žitný ostrov, přes 1600 km²) vytváří v dunajské oblasti řeka četná ramena, meandrující toky a ostrůvky, které svědčí o její skryté ničivé síle. Lužní lesy a porosty poskytují vhodný útulek vodnímu ptactvu, lužním jelenům, divokým prasatům a další zvěři. V suchých částech Ostrova žije největší evropský pták drop velký.

На широкой низменности Острова (свыше 1600 кв. км) Дунай образует многочисленные рукава и островки, свидетельствующие о его губительной силе. Пойменные леса и заросли облюбовали многие виды зверей и водоплавающих птиц. В более сухой части Острова обитает крупнейшая европейская птица — дрофа большая.

In der ausgedehnten Tiefebene von Ostrov (Flächenausmaß mehr als 1600 km²) bildet die Donau zahlreiche Arme und kleine Inseln, die von der latenten zerstörenden Kraft des Flusses zeugen. Die Auwälder und anderen Bestände sind ein Unterschlupf für Wasservögel und Wild. In dem trockenen Gelände von Ostrov kommt der größte Vogel Europas, die Großtrappe (Otis tarda), vor.

Topoľčianky bývaly až do r. 1950 letním sídlem čs. prezidentů. Zámek, dnes užívaný k rekreačním účelům ROH, vznikl renesančními a barokními přestavbami původně pozdně gotické stavby. Nejmladší částí je monumentálně řešené křídlo z l. 1825—1830 se sloupovým průčelím a kupolí nad ústředním sálem, jež patří k prvořadým ukázkám klasicistní architektury u nás.

Топольчанки до 1950 года были летней резиденцией чехословацких президентов. Замок, где сегодня отдыхают члены профсоюзов, возник после многочисленных перестроек объекта в стиле поздней готики. Последним был построен монументальный флигель в стиле классицизма (1825—1830).

Schloß Topoľčianky, bis 1950 Sommersitz der Präsidenten der Tschechoslowakischen Republik, heute Erholungsheim der Gewerkschaften, entstand durch den Umbau eines ursprünglich spätgotischen Bauwerks. Den jüngsten Teil bildet der monumental gestaltete klassizistische Fügel aus d.J. 1825—1830.

Since 1968, Bratislava has been the capital of the Slovak Socialist Republic. Its panorama above the Danube is influenced by the typical silhouette of the castle whose oldest part is the south-western tower known as Korunní (Crown), because from the 16th century the Hungarian crown jewels were kept here.

Depuis 1968, Bratislava est la capitale de la République Socialiste Slovaque. Le panorama de la ville sur le Danube est dominé par la silhouette caractéristique de son château. La tour sud-ouest qui est la plus ancienne, abritait dès le XVIᵉ siècle les joyaux de couronnement de Hongrie, d'où son nom de tour de la Couronne.

Bratislava, desde 1968 capital de la República Socialista de Eslovaquia. Dominando el Danubio contemplamos el castillo, cuya parte más antigua, la torre del lado suroeste, llamada la Torre de la Coronación, sirvió desde el siglo XVI para guardar las joyas de la Corona de Hungría.

Devín, built at the confluence of the Rivers Danube and Morava by the Romans because of its strategic location, was known in 864 A.D. as the Great Moravian castle Dowina. The later Gothic castle was destroyed in 1809 by Napoleon's troops. Shortly afterwards it became the destination of excursions by patriotic youth.

Le site de Devín, point stratégique sur le confluent du Danube et de la Morava, fut occupé tour à tour par un poste romain, un bourgwall de la Grande Moravie, mentionné en 864 sous le nom de Dowina, et un château gothique, détruit en 1809 par l'armée de Napoléon. Peu après Devín devint un lieu de rencontre des jeunes patriotes slovaques.

La fortaleza de Devín fue fundada por los romanos para defender el estratégico punto de la confluencia del Danubio con el Morava. Una mención del año de 864 lo cita como Dowina, alcázar del Imperio de la Gran Moravia. El castillo posterior, gótico, fue destruido en 1809 por las tropas napoleónicas pero poco después se convirtió en meta de las peregrinaciones de la juventud patriótica eslovaca.

Bratislava, today a National Historic Town, is dominated by the Gothic dome of the 14th-century Church of St Martin's. Starting from 1536, when Bratislava was declared the parliament and crown city during the Turkish wars, nine Hungarian kings and eight queens were crowned in the cathedral.

Au temps des guerres avec les Turcs, en 1536, Bratislava fut choisie comme lieu de la réunion de la diète et ville de couronnement des souverains de Hongrie. Le dôme Saint-Martin, de style gothique du XIVᵉ siècle, vit le sacre de neuf rois et le couronnement de huit reines.

El templo gótico de San Martín en Bratislava, ciudad de interés histórico-artístico, fue construido en el siglo XIV. Desde 1536, cuando durante las guerras contra los turcos Bratislava fue proclamada sede de las cortes y de la Corona, en este templo fueron coronados nueve reyes y ocho reinas húngaros.

Bratislava is also the seat of the Slovak National Gallery, set up in 1948. In the modern wing of the building (see photo on p. 174) the collection of Gothic painting and sculpture, among others, was opened to the public in 1978. One of the exhibits is the altar wings, c. 1499, from Spišské Podhradie.

Bratislava est le siège de la Galerie Nationale Slovaque, fondée en 1948. La partie moderne de son palais (voir cliché p. 174), renferme, entre autres, une collection de la peintures et de la sculptures gothiques, ouverte au public en 1978. En font partie ces volets d'un retable des environs de 1499, provenant de Spišské Podhradie.

En Bratislava se encuentra también la Galería Nacional Eslovaca, creada en 1948. El ala moderna de su edificio (véase la foto de la página 174), contiene entre otras cosas una colección de pinturas y esculturas góticas que está abierta al público desde 1978. En la foto: hojas de un arca de Spišské Podhradie (hacia 1499).

In the vast lowlands of Ostrov (more than 1,600 sq. km.) the Danube forms many arms and tiny islands, testifying to its hidden, destructive force. The alluvial forests and stand provide a suitable refuge for water fowl and animals. Living in the dry parts of Ostrov is the biggest European bird, the great bustard.

La vaste plaine d'Ostrov (plus de 1600 km²) est découpée par un enchevêtrement de bras morts du Danube qui témoignent de la force destructrice secrète de ce puissant cours d'eau. Les forêts et les broussailles qui couvrent les îlots constituent un abris pour les oiseaux aquatiques et pour le gibier. Sur la terre ferme on trouve la grande outarde qui est l'oiseau le plus grand vivant en Europe.

En la extensa planicie de la Isla (de más de 1.600 Km²), el Danubio forma numerosos brazos e islotes que son un testimonio de su fuerza avasalladora. Los bosques y breñales que crecen en sus esteros dan cobijo a aves acuáticas y otra suerte de fauna. En los parajes secos de este rincón de Eslovaquia vive la avutarda, que es el pájaro más grande de Europa.

Until 1950 Topoľčianky was the summer residence of the President of Czechoslovakia. The château, today a trade union recreation centre, came into being as a result of reconstructions of what was originally a Late Gothic building. The most recent part is the monumental Classicist wing built between 1825 and 1830.

Jusqu'en 1950, le château de Topoľčianky servit de résidence d'été aux Présidents de la République. L'édifice qui appartient aujourd'hui aux syndicats, fut successivement reconstruit à partir d'un château du gothique tardif. L'imposante aile néo-classique de 1825—1830 en constitue la partie la plus récente.

Topoľčianky fue hasta 1950 la residencia veraniega del Presidente de la República y sirve hoy de sitio de recreo para los trabajadores sindicalizados. El palacio, antiguo edificio gótico tardío, sufrió varias reconstrucciones. Su parte más reciente es la monumental ala clasicista que se construyera de 1825 a 1830.

Nemecká se stala 4. ledna 1945, na sklonku druhé světové války, dějištěm brutálního zásahu proti civilnímu obyvatelstvu. Památník z r. 1959, dílo architektů Mariana Beluše, Ervina Stančíka, Alexandra Bela, Alexandra Viky a sochařky Kláry Patakiové, připomíná, že v přilehlé vápence bylo tehdy německými fašisty a pohotovostními oddíly Hlinkovy gardy umučeno a upáleno více než 900 osob.

Немецка, поселок, в котором 4 января 1945 г. гитлеровские фашисты и глинковцы сожгли свыше 900 жителей на местном известковом заводе. В память об этом страшном событии в поселке в 1959 г. был воздвигнут памятник.

Der Ort Nemecká war am 4. Januar 1945 Schauplatz eines brutalen Massakers der Zivilbevölkerung. Ein i.J. 1959 errichtetes Mahnmal erinnert daran, daß damals in der nahegelegenen Kalkbrennerei mehr als 900 Personen von den deutschen Faschisten und den Bereitschaftsabteilungen der Hlinkagarde dem Flammentod überantwortet wurden.

Zvolen býval odedávna střediskem župy. Když dva starší hrady zpustly, převzal jejich funkci původně královský lovecký gotický hrádek z l. 1370—1382 při městě, který postupným opevňováním a renesanční přestavbou nabyl dnešní podoby. Čtenáři Jiráskova Bratrstva si jistě vybaví, že tu v l. 1440—1462 sídlel Jan Jiskra z Brandýsa, hájící zájmy českého krále Ladislava Pohrobka.

Зволен с давних времен был центром административного округа — жупы. Два первоначальных замка были запущены. Их функции взял на себя королевский охотничий готический замок (1370—1382) при городе, который постепенно был обнесен укреплениями и перестроен в ренессансном стиле.

Zvolen war von alters her Gauzentrum. Die beiden originären Burgen verödeten und ihre Funktion wurde von dem bei der Stadt gelegenen, ursprünglich i. J. 1370—1382 als königliches Jagdkastell dienenden Bauwerk übernommen. Seine heutige Gestalt erhielt es durch spätere Befestigungsbauten und umfangreiche Adaptierungen im Stil der Renaissance.

Banská Štiavnica, dnes městská památková rezervace, byla v 16. stol. jako řada jiných měst ohrožována tureckým vpádem. Protože neměla hradby, proměnili velký kostel v městský hrad a jako strážní věž — vartovku postavili nad údolím tzv. Nový zámek. Hornickou minulost města připomíná kromě názvu barokní věžovitá klopačka (vpravo), z níž se klepáním na prkno svolávali havíři do práce.

Банска Штявница, город-заповедник, в XVI в., как и многие другие города, находилась под угрозой турецких набегов. Из-за отсутствия городских укреплений в крепость был превращен крупный костел, а в качестве сторожевой башни над долиной возведен так наз. Новый замок.

Banská Štiavnica, nun städtisches Schutzgebiet, war gleich einer Reihe anderer Städte im 16. Jh. der Türkengefahr ausgesetzt. Weil es keine Stadtmauern gab, wurde die große Kirche zu einer städtischen Burg umgebaut und als Wachtturm über dem Tal das sog. Neue Schloß (Nový zámok) errichtet.

Bojnice, nyní sídlo muzea — svými věžemi a věžičkami, ochozy a cimbuřím dětem připomenou kouzelný zámek z pohádky, obklopený parkem, dospělým návštěvníkům zase francouzské hrady, jimiž se velmi pozdní romantická přestavba středověkého hradu v l. 1899—1909 inspirovala. Přilehlé městečko se již k r. 1113 uvádí jako podhradí, současně se zmínkou o tamních horkých pramenech.

Бойнице, замок с башнями и галереями, напоминает детям окруженный парком замок из сказки, взрослым — тип французского замка. Перестройка средневекового замка, осуществленная в 1899—1909 гг., именно этот тип и взяла за образец. В настоящее время в замке находится музей.

Bojnice mit seinen Türmen, Umgängen und Zinnen weckt bei Kindern die Vorstellung von einem wunderschönen, parkumrahmten Märchenschloß, während es erwachsene Besucher an den Typ französischer Burgen erinnert, von den sich der Projektant des erst in den Jahren 1899—1909 vorgenommenen Umbaus der mittelalterlichen Burg inspirieren ließ. Heute ist hier ein Museum untergebracht.

Hrušov postavený jako strážní hrad a zmiňovaný již r. 1253, byl postupně rozšiřován a modernizován, takže se ještě počátkem 18. stol. stal jedním z opěrných bodů vzbouřenců za protihabsburského povstání uherských stavů, vedeného Františkem Rákóczim II. Po jejich porážce byl hrad r. 1711 pobořen. Z konzervovaných malebných zřícenin se otvírá nádherný rozhled do okolí.

Грушов, сторожевой замок, упоминаемый уже в 1253 г., постепенно расширялся и модернизировался, но еще в начале XVIII в. во время антигабсбургского сословного восстания он играл роль опорного пункта восставших. После поражения восстания замок был в 1711 г. разрушен.

Das als Wachtburg erbaute Hrušov wird bereits i.J. 1253 erwähnt und wurde im Laufe der Zeit ausgebaut und modernisiert. Noch Anfang des 18. Jahrhunderts, zur Zeit des Ständeaufstands gegen die Habsburger, diente die Burg als Stützpunkt der Rebellen. Nach deren Niederlage wurde sie i.J. 1711 geschleift und es blieben nur Ruinen übrig.

Řeka Váh dala Považí jméno i charakteristický vzhled. Kaskáda považských přehrad začíná Liptovskou Marou (viz str. 168) a končí v klidných vodách Madunické přehrady, v níž se zrcadlí nedaleké vrcholky Povážského Inovce.

Река Ваг определяет название и облик Поважья. Каскад Поважских плотин начинается плотиной Липтовска Мара (см. стр. 168) и завершается спокойными водами Мадуницкой плотины, в которых отражаются вершины расположенных неподалеку гор Поважске Иновце.

Das Landschaftsgebiet Považí verdankt sowohl seinen Namen als auch sein charakteristisches Aussehen dem Fluß Váh. Die Reihe der Stauseen an diesem Fluß beginnt mit der Talsperre Liptovská Mara (siehe S. 168) und endet mit dem künstlichen See Madunice, in dessen stillen Wassern sich die Gipfel des nahen Gebirgsstocks Povážský Inovec spiegeln.

On January 4, 1945, Nemecká was the scene of a brutal attack against its civilian inhabitants. The memorial of 1959 is a reminder that in the nearby lime kiln the German fascists and emergency units of the Hlinka Guard burned more than 900 persons.

Le 4 janvier 1945, les Nazis et les membres des gardes mobiles Hlinka ont brûlé vifs plus de 900 personnes dans un four à chaux de la commune de Nemecká. Un monument élevé dans ces lieux en 1959 rappelle la tragédie.

La aldea eslovaca de Nemecká fue escenario de una acción brutal perpetrada contra la población civil el 4 de enero de 1945 por los fascistas alemanes y las guardias de asalto de Hlinka. El monumento fue erigido en 1959 en memoria de más de 900 personas inmoladas aquel día en un horno de cal aledaño.

Zvolen was a district centre for many, many years. The two older castles here were reduced to ruins and their function taken over by what, at first, was a royal hunting redoubt built in Gothic style in 1370—1382 near the town; it assumed its present appearance by the gradual addition of fortifications and a Renaissance reconstruction.

De temps immémorial, Zvolen fut un centre important de la vallée du Hron. Son château Renaissance a pour origine un pavillon de chasse royal de 1370—1382, lui-même précédé dans le site par deux châteaux forts successivement abandonnés.

Zvolen ha sido desde tiempos remotos el centro de toda la región. Las dos antiguas fortalezas fueron devastadas y toda la vida se concentró en el pabellón real de caza, construido en estilo gótico en las afueras de la ciudad. Este castillo fue fortificado y reconstruido más tarde en estilo renacentista, que es tal y como ha permanecido hasta nuestros días.

Banská Štiavnica, today a National Historic Town, like a number of other 16th-century towns was threatened by the Turkish invasion. Because it had no fortifications, the big church was turned into a castle and above the valley the so-called Nový zámok (New Palace) was built as a watch-tower.

Banská Štiavnica — aujourd'hui ville classée monument historique — fut au XVIᵉ siècle, comme tant de villes slovaques, menacée par les armées turques. Comme elle ne possédait pas de remparts, on transforma sa grande église en citadelle. Un poste de guet construit à la même époque au-dessus de la vallée, est maintenant désigné sous le nom de Château Nouveau.

Banská Štiavnica, actualmente ciudad de interés histórico-artístico, se mantuvo en el siglo XVI bajo la amenaza del ataque turco igual que otras ciudades del centro de Eslovaquia. Como no tenía murallas, los habitantes transformaron su gran iglesia en alcázar y sobre el valle construyeron una atalaya denominada hoy el Nuevo Castillo.

Bojnice—which houses a museum today—reminds children of the magic castles of fairy tales with its towers, galleries, battlements and surrounding park. For adult visitors it recalls French castles, evidently the source of inspiration in 1899—1909 for a very late adaption of this one-time mediaeval castle.

Bojnice — aujourd'hui aménagé en musée — évoquera aux yeux des enfants par ses tours, mâchicoulis, créneaux et chemins de ronde un château des contes de fées, tandis que les visiteurs adultes penseront aux châteaux français dont la reconstruction moderne de cette forteresse médiévale s'est inspirée en 1899—1909.

Con sus torres almenadas y sus galerías, Bojnice, hoy sede del museo, evoca en la imaginación infantil el mundo encantado de los cuentos de hadas, circundado como está por un extenso parque, mientras que en los mayores evoca el recuerdo de los castillos franceses en los que se inspiró su reconstrucción (1899—1909).

Hrušov, built as a lookout castle, and known as far back as 1253, was gradually enlarged and modernized; at the beginning of the 18th century, during an anti-Hapsburg rising, it was one of the rebels' strongholds. Following their defeat, it was destroyed in 1711 and remained a ruin.

Hrušov, mentionné comme un poste de guet dès 1253, subit au cours des siècles plusieurs reconstructions et agrandissements. L'un des bastions de l'insurrection des Etats contre le pouvoir des Habsbourg au début du XVIIIᵉ siècle, il devait être rasé après la défaite de la révolte en 1711.

Hrušov, construido como castillo custodio, era ya conocido en 1253. Después fue ampliado y modernizado, pero todavía a principios del siglo XVIII sirvió de punto de apoyo a los rebeldes durante la insurrección de los estados contra los Habsburgo. Después de su derrota en 1711 fue destruido y reducido a escombros.

The River Váh gave the Považí, the area along and around the river, its name and characteristic appearance. The cascade of the Považí dams begins at Liptovská Mara (see p. 168) and ends in the quiet waters of the Madunická Dam, which mirror the hills of the Povážský Inovec.

Le cours du Váh est aujourd'hui enfermé dans un corset des barrages, dont le premier est Liptovská Mara (voir cliché p. 168) et le dernier le barrage de Madunice, encadré des sommets du Povážský Inovec.

El río Váh imparte a toda esta región un aspecto característico. La cascada de las represas de este río empieza en Liptovská Mara (pág. 168), y termina en las tranquilas aguas del embalse de Madunice, sobre cuya superficie se reflejan los picos de Povážský Inovec.

Súľovské skaly jsou výrazně modelovaným skalním amfiteátrem z vápnitodolomitských slepenců. Na rozeklaných vrcholech, skalních věžích, v hlubokých roklích a strmých údolích se vytvořila pestrá mozaika s mimořádně bohatou vápencovou flórou a vzácným živočišstvem. Proto je toto území prohlášeno za státní přírodní rezervaci.

Суловске скалы представляют собой скалистый амфитиатр из известняково-доломитовых конгломератов чрезычайно выразительный по форме. На расчлененных вершинах и в глубоких пропастях образовалась пестрая мозаика растительных сообществ с целым рядом редких и охраняемых видов.

Das Felsengebilde Súľovské skaly, bestehend aus Konglomeraten dolomitischen Kalksteins, gleicht einem markant modellierten Amphitheater. In den wildzerklüfteten Gipfelpartien und in den tiefen Schluchten hat sich ein buntes Mosaik mannigfaltiger Pflanzengemeinschaften herausgebildet, unter denen sich manche seltenen, unter Naturschutz stehende Arten befinden.

Trenčín je proslulý římským nápisem, který r. 179 vytesali do skály vojáci II. legie na paměť vítězství nad Kvády u Laugaricia. Později tu vznikl královský župní hrad, který začátkem 14. stol. držel Matúš Čák Trenčiansky, šlechtic stranící českým králům Václavu II. a pak Václavu III. Zříceniny rozlehlého hradu s mohutným opevněním se od r. 1949 rekonstruují, jak dokládá i vstupní brána ze 16. stol. na cestě od města.

Тренчин прославился римской надписью, в 179 г высеченной в скале воинами II легии в память о победе римлян над макроманнами. Позднее здесь возник короловский жупный замок. Его развалины с 1949 г. реконструируются, как об этом свидетельствуют ворота (XVI) по дороге из города.

Die Stadt Trenčín ging in das Bewußtsein der Kulturwelt dank einer aus der Römerzeit stammenden Aufschrift ein, die i. J. 179 unserer Zeitrechnung von den Soldaten der II. Legion zum Gedenken an den Sieg über die Quaden bei Laugaritio in den Fels gehauen worden war. In späterer Zeit entstand an diesem Ort eine königliche Gauburg. Seit d. J. 1949 wird an der Rekonstruktion ihrer Ruinen gearbeitet, was u. a. auch durch die Eingangspforte vom 16. Jh. bezeugt wird.

Údolí Váhu pod Starým hradem, jeden z nejmalebnějších úseků Pováž31, odděluje Malou a Veľkou Fatru. Jeho svahy hýří pestrou zelení smíšených listnatých lesů. Příkře vystupující skály nesou na svých vrcholech trosky středověkých hradů, odkud shlížíme s uchvácením na stříbrné zákruty krásné řeky.

Долина реки Ваг под Старградом, одно из живописнейших мест Поважья между Малой и Большой Фатрой. Ее склоны покрыты пестрой зеленью смешанных лиственных лесов. На вершинах крутых скал сохранились развалины средневековых замков.

Das Tal des Váh-Flusses unterhalb von Starý hrad ist einer der malerischsten Abschnitte des ganzen Landschaftsgebiets Považie und bildet zugleich die Grenze zwischen den Gebirgsstöcken Malá Fatra und Veľká Fatra. Die Hänge schmückt das bunte Grün des Mischwalds, bestehend aus Nadel- und Laubbäumen, und auf den steilen Felsen thronen die Ruinen mittelalterlicher Burgen.

Strečno nad levým břehem řeky Váhu tvoří malebný protějšek Starhradu. Tento strážní hrad, budovaný od 14. do 16. stol., r. 1440 dobyl Jan Jiskra z Brandýsa pro krále Ladislava Pohrobka. R. 1678 hrad vyhořel a r. 1698 byl pobořen. — Památník na sousedním vrchu Zvonici připomíná francouzské partyzány padlé r. 1944 a památník a muzeum na Polomu těžké boje 1. čs. armádního sboru v dubnu 1945.

Стречно на левом берегу Вага представляет собой своеобразное визави Старграда. Этот сторожевой замок, построенный в XIV—XVI вв. в 1678 г. сгорел, а в 1698 г. был разрушен. Неподалеку стоит памятник французским партизанам, погибшим здесь в августе 1944 г.

Die Burgruine Strečno am linken Ufer des Váh ist das Gegenstück zu Starhrad am rechten Flußufer. Diese Wachtburg, an der vom 14. bis zum 16. Jh. gebaut wurde, brannte i. J. 1678 nieder und wurde 1698 geschleift. Das in unmittelbarer Nähe befindliche Mahnmal erinnert an die hier im August d. J. 1944 gefallenen französischen Partisanen.

Vrátna dolina patří k nejkrásnějším v chráněné krajinné oblasti Malá Fatra. Horský potok, ke kterému se přimyká úzká silnička, se prodírá místy kaňonovitým údolím, nad kterým se tyčí bělostné útesy vápencových skalisek. Svahy jsou zčásti porostlé bukovými smíšenými lesy, v nejvyšších polohách je pásmo kleče.

Вратна долина является одним из наиболее красивых мест охраняемой зоны природы Малой Фатры. Горный поток, к которому точно примкнула горная тропинка, порой пробивается среди каньонов из белоснежных утесов известняковых скал.

Das Tal Vrátna dolina zählt zu den landschaftlich schönsten im ganzen Naturschutzgebiet Malá Fatra. Der Wildbach, dessen Lauf eine schmale Straße folgt, muß sich seinen Weg stellenweise durch einen Cañon bahnen, der von steilaufragenden, grauweißen Kalksteinfelsen eingerahmt ist.

Z Veľkého Fatranského Kriváně (1709 m), dominujícího vrcholu Malé Fatry, je nádherný rozhled na táhlé zaoblené hřbety Veľké Fatry a vzdálený hřeben Nízkých Tater. Na oblých svazích sousedního Chlebu svádějí životní boj s nepříznivými vlivy horského klimatu ostrůvkovité porosty kleče, které jen obtížně osazují pohyblivé kamenité sutě.

С Велького Фатранского Криваня (1709 м), наиболее высокой вершины Малой Фатры, прекрасно видны вытянутые округлые хребты Большой Фатры и отдаленные хребты Низких Татр. На покатых склонах гор противостоят суровому горному климату островки низкорослой сосны.

Vom Veľký Fatranský Kriváň (1709 m), dem beherrschenden Gipfel der Malá Fatra, bietet sich ein wunderschöner Ausblick auf die langgestreckten, abgeflachten Bergkämme der Velká Fatra bis zu der entfernten Niederen Tatra hin. Die Knieholzinseln an den Hängen unterhalb der Gipfellinie haben angesichts des rauhen Gebirgsklimas hart um ihr Leben zu kämpfen.

Súľov Cliffs create a beautifully modelled rock amphitheatre of calcareous-dolomite conglomerates. On the jagged tops and in the deep gorges a lively mosaic is formed by various plant communities with a number of rare and protected types.

Les rochers de Súľov, de calcaire dolomitique, forment un vaste cirque délimité par des sommets abrupts et profondément entaillés. Leurs versants et leurs ravins ont accueilli des associations végétales très variées, comportant souvent des espèces rares et protégées.

Súľovské Skály (los Peñascos de Súľov) son formaciones calizas dolomíticas, que forman un anfiteatro rocoso de perfiles expresivos con sus hendidas cúspides y sus profundos barrancos, en donde —en un abigarrado mosaico— crecen plantas de especies raras que están protegidas.

132

Trenčín is famous for its Roman inscription which in 179 A.D. was hewn from a rock by the troops of the Second Legion to mark their victory over the Quadi near Laugaritio. A royal district castle was later built here. Its ruins have been under repair since 1949, as can be seen from the entrance gate built in the 16th century on the road from town.

Trenčín est connu pour l'inscription sculptée en 179 dans un rocher par les soldats romains de la IIe légion en mémoire de leur victoire dans une bataille contre les Quades, près de Laugaritium. Les ruines du château royal, construit plus tard dans le site, sont depuis 1949 l'objet d'une reconstruction, comme en témoigne l'état actuel de cette porte-tour du XVIe siècle.

Trenčín es famoso por la inscripción en latín que esgrafiaron en 179 los soldados de la segunda legión romana en conmemoración de su victoria sobre los cuados en Laugaritio. Más tarde se edificó aquí un alcázar, cuyos restos son objeto de reconstrucción desde 1949 como lo muestra el portón que data del siglo XVI y en el que culminaba el camino que venía de la ciudad.

133

The Váh Valley under Starý hrad Castle, one of the most picturesque sections of the Váh region, divides the Malá and Veľká Fatra Mountains. Its slopes are alive with the variegated green of mixed deciduous forests. On the top of steep, exposed cliffs are the ruins of mediaeval castles.

La vallée dominée par le Château Vieux, site le plus pittoresque de tout le cours du Váh, sépare la Petite et la Grande Fatra. Au-dessous des sommets rocheux, ses pentes abruptes sont couvertes de belles forêts mixtes.

El valle del Váh con el Starý hrad, o Castillo Viejo, es uno de los lugares más pintorescos de esta región y constituye la línea divisoria entre el Pequeño Fatra y el Gran Fatra.

134

Strečno on the left bank of the Váh forms the counterpart to Starhrad Castle. This castle, built from the 14th to 16th centuries, burnt down in 1678 and was destroyed in 1698. The nearby memorial is dedicated to French partisans who fell here while fighting in August 1944.

Le château de Strečno qui surplombe sur son rocher la rive gauche du Váh, donne réplique par-dessus la rivière au Château Vieux. Edifié du XIVe au XVIe siècle pour servir de poste de guet, Strečno fut endommagé par un incendie en 1678, et rasé en 1698. Un monument élevé non loin de son enceinte perpétue la mémoire des partisans français morts à cet endroit en août 1944.

Strečno, castillo situado frente al Starhrad, se levanta en la margen izquierda del Váh. Este castillo custodio edificado del siglo XIV al siglo XVI fue pasto de las llamas en 1678 y arrasado en 1698. Cerca de sus ruinas hay un monumento en memoria de los guerrilleros franceses caídos en este lugar en 1944.

135

Vrátna dolina is among the most beautiful Nature Reserves of the Malá Fatra Mountains. A mountain rivulet, bordered by a narrow road, works its way through a canyon valley over which loom white limestone cliffs.

La vallée Vrátna est une des plus belles de la réserve naturelle de la Petite Fatra. Un torrent que longe une route étroite s'encaisse dans les rochers calcaires d'une blancheur éclatante, en formant par endroits des gorges particulièrement pittoresques.

El valle de Vrátna dolina figura entre los rincones más bellos del Pequeño Fatra. Un arroyo serrano, a cuya vera corre una trocha, se interna a través de valles y cañones rematados por blancos peñascos de rocas calizas.

136

From Veľký Fatranský Kriváň (1,709 m), towering over the Malá Fatra massif, there is a magnificent view of the contoured ridges of the Velká Fatra chain and the more distant Lower Tatras. Islands of dwarf pine carry on a life and death struggle against the inclement weather on its rounded slopes.

Depuis le Veľký Kriváň (1709 m), le plus haut sommet de la Petite Fatra, on a une vue superbe sur les croupes arrondies de la Grande Fatra et sur la crête de la Basse Tatra, qui se dessine à l'horizon. Des formations d'arbrisseaux rabougris, accrochées à des pentes doucement modelées, luttent contre le rude climat.

Desde el pico del Gran Kriváň (1.709 m) en el Pequeño Fatra, se divisa una preciosa panorámica de las cumbres del Gran Fatra, y más lejos, la sierra del Pequeño Fatra. Sobre sus suaves pendientes vemos sólo pinos alpestres que libran aquí una lucha perenne por la supervivencia.

137

Ačkoli jsou technická díla v krajině většinou spíše rušivým elementem, neplatí to o vodní nádrži, vybudované na soutoku Bielé a Čierné Oravy. Tato rozlehlá vodní plocha zabírá plochu 35 km² a poskytuje útočiště vodnímu ptactvu a přirozeně rekreaci občanům. Rozkládá se v Oravské kotlině pod výběžky Oravské Magury.

Обычно крупные технические сооружения нарушают пейзаж, однако этого не скажешь об Оравской плотине, построенной при слиянии рек Биелой и Чиерной Оравы. Поверхность водохранилища составляет 35 кв. км. Это место отдыха трудящихся и гнездовье водоплавающей птицы.

Werke der Technik stellen in der Landschaft im allgemeinen eher einen störenden Faktor dar. Nicht so im Falle der Orava-Talsperre oberhalb des Zusammenflusses der Biela Orava und der Čierna Orava. Der hier entstandene künstliche See nimmt eine Fläche von 35 km² ein und ist gleichermaßen natürliche Erholungsstätte der Menschen wie Zufluchtsort für die Wasservögel.

Oravský hrad, tyčící se na skále 112 m nad hladinou řeky Oravy, patří k oněm hradům, jejichž panoráma je stejně známé, jako nezaměnitelné. Vznikal postupně od druhé třetiny 13. stol. do r. 1611 (od r. 1370 byl župním hradem) a dodnes je patrná jeho horní, střední a dolní část. Hrad nyní hostí Oravské muzeum a při obnově od r. 1953 tu byly odkryty gotické a renesanční nástěnné malby.

Оравский замок на скале, достигающей 112 м над уровнем реки Оравы, возникал постепенно с XIII в. по 1611 г. В замке находится сейчас Оравский музей. Во время реставрационных работ в 1953 году здесь была обнаружена готическая и ренессансная роспись.

Die Burg Orava thront auf einem steilen Felsen, der 112 m über den Wasserspiegel des Flusses Orava hinaufragt. Ihre Bauzeit erstreckte sich vom 13. Jh. bis z.J. 1611 und die einzelnen Etappen sind noch heute erkennbar. Bei den seit d.J. 1953 in Gang befindlichen Wiederherstellungsarbeiten wurden gotische und Renaissance-Wandmalereien freigelegt. Heute beherbergt die Burg das Museum des Orava-Gebietes.

Rozsochaté pásmo Západních Tater je vybudováno převážně žulami s krystalickými břidlicemi a nese výrazné stopy glaciální modelace. Náš pohled s vrcholu Volovce směrem k hřebenové cestě na Ostrý Roháč (2070 m) umožňuje i rozhled na velkolepé panoráma, jemuž dominují výrazné hřbety Vysokých Tater.

Членистая горная цепь Западных Татр отмечена следами ледниковой деятельности. Вид с вершины Воловец по направлению к дороге, ведущей на Острый Рогач (2070 м), представляет собой великолепную панораму, в которой доминируют выразительные горные хребты Высоких Татр.

Die Zone des Westlichen Tatra-Gebirges (Západní Tatry) trägt ausgeprägte Spuren ihrer Modellierung durch die Eiszeit. Der Blick vom Gipfel des Volovec in Richtung des Kammwegs zum Ostrý Roháč (2070 m) eröffnet zugleich die Aussicht auf das von den steilen Gipfeln der Hohen Tatra (Vysoké Tatry) geformte großartige Panorama.

Juráňova tiesňava je jednou z nejvýznamnějších kaňonovitých strží Západních Tater. Prudce tekoucí potok se zde zahloubil ve velmi úzkou soutěsku, kterou se prodírá přes skalní prahy a drobné vodopády. Velmi členitá úbočí kaňonu zdobí výrazné skalní věžičky z dolomitických hornin.

Юранева Тиеснява — один из наиболее резких обрывов Западных Татр. Бурный поток протекает в узком ущелье, образуя пороги и водопады. Чрезвычайно членистый склон каньона украшают скалы-башенки из доломита.

Die Juráňova tiesňava genannte Schlucht ist wohl die wildeste in der ganzen Westlichen Tatra. Von dem ungestüm dahineilenden Bach wurde eine enge Klamm ausgehöhlt, durch die er sich über Felsstufen und kleine Wasserfälle einen Weg bahnt. Über den reichgegliederten Wänden des Cañons thronen kleine Felstürme aus Dolomitgestein.

Jaskyňa Slobody, nejkrásnější v systému Demänovských jeskyní, oplývá bohatou krápníkovou výzdobou různých barev a četnými jezírky. Nejnižšími prostorami protéká podzemní říčka Demänovka, která byla hlavním činitelem utváření jeskynních prostor.

Пещера Свободы, наиболее красивая среди всех Деменовских пещер, отличается особенным богатством разноцветных сталактитов и сталагмитов, а также подземных озер. На самом дне пещеры протекает река Деменовка — основной фактор в образовании пещеры.

Die Jaskyňa Slobody, schönste in der ganzen Höhlengruppe von Demänovo, bezaubert durch die überaus zahlreichen, in den mannigfaltigsten Farbtönen gehaltenen Tropfsteingebilde, zu denen sich zahlreiche kleine unterirdische Seen gesellen. Die am tiefsten gelegenen Partien werden von dem unterirdischen Bach Demänovka durchflossen, der als stärkster Faktor bei der Entstehung der Höhlen anzusehen ist.

Ďumbier (2043 m) je nejen nejvyšším vrcholem Nízkych Tater, ale i významnou vysokohorskou přírodní rezervací, kterou tvoří hlavní hřeben a severní svahy této mohutné hory. Území je silně poznamenáno glaciální činností. V nejvyšších polohách se až do pozdního jara udržují sněhová pole. Za SNP roku 1944 došlo v prostoru Ďumbiera k těžkým bojům mezi partyzány a fašistickými okupanty.

Дюмбиер (2043 м), высочайшая вершина Низких Татр, является выдающимся высокогорным заповедником, который включает главный горный хребет и северные склоны этой горы. Во время Словацкого национального восстания в 1944 году в районе Дюмбиера происходили тяжелые бои между партизанами и фашистскими оккупантами.

Der Ďumbier (2043 m) ist der höchste Gipfel des Gebirgszuges Niedere Tatra (Nízke Tatry) und ein bedeutsames Hochgebirgs-Naturschutzgebiet, in das der Hauptkamm und die Nordabhänge dieses mächtigen Gebirgsstocks einbezogen wurden. Zur Zeit des Slowakischen Volksaufstands i.J. 1944 spielten sich im Bereich des Ďumbier schwere Kämpfe zwischen den Partisanen und den faschistischen Okkupanten ab.

Although, as a rule, technical constructions in a landscape are a disturbing element, this is not true of the Orava Dam, built at the confluence of the Biela and Čierna Orava Rivers. This large body of water covers an area of 35 sq. km.; it provides refuge for water fowl and forms a natural recreation spot for visitors.

Les grandes œuvres techniques de l'homme représentent souvent un élément discordant au milieu de la nature. Cette constatation n'est pas valable pour le barrage édifié sur le confluent de la Biela et de la Čierna Orava. Le lac qui occupe une surface de 35 km² constitue un abri idéal pour les oiseaux aquatiques et un admirable lieu de détente pour la population.

Las obras técnicas suelen ser un elemento perturbador en el paisaje. Sin embargo, esto no ocurre en el caso de la represa de Orava, construida en el lugar donde convergen el Orava Blanco y el Orava Negro. Este enorme embalse mide 35 Km² y ofrece esparcimiento al hombre y asilo a las aves acuáticas.

138

Orava Castle, standing on a cliff rising 112 m over the bed of the River Orava, was built between the 13th century and 1611, and this gradual process is evident even today. It now houses the Orava Museum; during renovation in 1953, Gothic and Renaissance wall paintings were discovered.

L'édification du château d'Orava, qui se dresse sur son rocher à 112 m au-dessus du niveau de la rivière, se prolongea du XIIIᵉ siècle jusqu'en 1611. Une restauration entreprise en 1953 permit de découvrir, à l'intérieur, des peintures murales du gothique et de la Renaissance. Le château est occupé aujourd'hui par les collections du musée de l'Orava.

En un peñasco que se yergue a 112 m sobre la superficie del río Orava fue construido del siglo XIII hasta 1611 el castillo de Orava y los diferentes estratos de su edificación son visibles hasta nuestros días. Actualmente es sede del Museo Regional. En el curso de las obras de restauración se descubrieron en su interior pinturas murales góticas y renacentistas.

139

The asymmetrical Western Tatra range bears substantial traces of glacial modellation. This view from the top of Volovec follows the path leading to the ridge of Ostrý Roháč (2,070 m) and also presents an imposing panorama dominated by the peaks of the High Tatras.

La chaîne accidentée de la Tatra Occidentale porte les traces profondes de l'érosion glaciaire. Depuis le sommet du Volovec, on découvre, au-delà du chemin de la crête qui mène à l'Ostrý Roháč (2070 m), le panorama grandiose dominé par la faîte aiguë de la Haute Tatra.

La accidentada cadena del Tatra Occidental ofrece huellas visibles de modelación glaciar. Desde el pico de Volovec nuestra vista alcanza hasta la senda que serpentea por las cumbres y lleva hasta el pico Ostrý Roháč (2.070 m) y abarca el monumental panorama del Alto Tatra.

140

Juráňova tiesňava is one of the most impressive canyons of the Western Tatras. A swiftly flowing stream created a very narrow pass, making its way over rocky boulders and tiny waterfalls. The highly articulated sides of the canyon are decorated with little towers of dolomite rock.

Juráňova tiesňava est un des ravins les plus sauvages de la Tatra Occidentale. Un torrent rapide s'y enfonce dans la roche, en creusant des gorges très étroites et tombant en cascades. Les versants raides et accidentés du canyon s'ornent de tourelles dolomitiques.

El barranco Juráňova tiesňava es uno de los más escarpados y tortuosos del Tatra Occidental. La corriente impetuosa del arroyo cortó aquí una garganta estrechísima formando minúsculas cataratas y abriéndose paso por entre acantilados. Las paredes del tajo, ricamente articuladas, están ornamentadas por torrecillas de minerales dolomitas.

141

Sľoboda (Freedom) Cave, the loveliest in the Demänová cave system, is extremely rich in dripstone decorations of various colours and many tiny lakes. The underground rivulet Demänovka, the main factor in creating these caves, runs through the lowest chambers.

La grotte de la Liberté qui est la plus belle des grottes de Demänová, possède de magnifiques concrétions colorées et s'anime de petits lacs. Au fond coule la rivière souterraine de Demänovka qui est à l'origine de toutes les splendeurs de cette région karstique.

La Gruta de la Libertad, la más bella de las Cavernas de Demänová, abunda en estalactitas y estalagmitas del colorido más variado, así como en lagunas. Por las grutas más profundas corre el riachuelo subterráneo Demänovka, que fue el factor principal de la formación de estas cavernas.

142

Ďumbier (2,043 m) is not only the highest peak of the Lower Tatras but also an outstanding Alpine Natural Reserve, consisting of the main ridge and the northern slope of this huge mountain. During the Slovak National Rising, in 1944, there was heavy fighting in and around Ďumbier between partisans and the fascist occupiers.

Le Ďumbier (2043 m), le plus haut sommet de la Basse Tatra, constitue une réserve naturelle importante qui comprend sa crête et son versant nord. En 1944, lors de l'Insurrection nationale slovaque, cette triste montagne fut le théâtre des combats acharnés entre les partisans et les nazis.

Ďumbier (2.043 m) es no sólo el pico más alto del Bajo Tatra, sino también una importante Zona Natural Protegida, formada por la cúspide y la vertiente septentrional de esta majestuosa montaña. Durante la Insurrección Nacional Eslovaca, en 1944, se libraron en Ďumbier y en sus alrededores encarnizados combates entre los guerrilleros y los ocupantes fascistas.

143

Nízke Tatry jsou rozsáhlé 92 km dlouhé horstvo, jehož osu tvoří granitový hřeben. Hlavní hřbet je modelován pleistocenními ledovci, které zde vytvořily strmé kary, srázy, skalní komíny. Severně od tohoto hlavního hřebenu je mírně modelované pásmo budované vápenci a dolomity. Náš snímek ukazuje horskou krajinu směrem k Prašivé a Tanečnici. V pozadí silueta Siné.

Низкие Татры представляет собой обширный горный массив, протянувшийся в длину на 92 км, осью которого является гранитный горный хребет. Основной хребет отмечен выразительной моделировкой плейстоценовых ледников, которые образовали здесь отвесные кары, крутые обрывы, скалистые печи. На снимке: горный пейзаж в районе вершин Прашива и Танечнице.

Die Niedere Tatra ist ein 92 km langer Gebirgszug, dessen Achse der aus Granit bestehende Kamm bildet. Der Hauptkamm wurde in markanter Weise von den Gletschern des Pleistozäns modelliert, unter deren Auswirkung sich hier steile Kare, jähe Abstürze und Felskamine herausbildeten. Auf dem Bild die Gebirgslandschaft in Richtung der Gipfel Prašivá und Tanečnica.

Typicky mírně modelovaná asi 16 km dlouhá Bocká dolina odděluje západní (ďumbierskou) část Nízkých Tater od východní (kraľovoholské). Údolím kdysi hornických obcí — dobývalo se tu i zlato — protéká meandrující potok Bocianka a pokračuje západně k Bocianskému sedlu.

Боцка долина разделяет западную и восточную часть Низких Татр. Долина тянется на расстоянии 16 км и отличается мягкой моделировкой. Здесь когда-то были горняцкие поселки, добывалось даже золото и до сих пор течет поток Босианка, образующий меандр.

Das typisch sanft gewellte, etwa 16 km lange Tal Bocká dolina scheidet den westlichen Teil der Niederen Tatra von dem östlichen. Die Dörfer zu beiden Seiten der sich gemählich dahinschlängelnden Bocianka waren früher Bergarbeitersiedlungen; u.a. wurde hier auch Gold gefördert.

Okno v masívu Ohnište je pozoruhodná 20 m vysoká skalní brána, nejvyšší ve vápencových horninách Nízkých Tater. Vzniká vyvětráním méně odolných hornin. Z jejího oblouku se otevírá široký pohled do okolí. Samotné Ohnište, členitý dolomiticko-vápencový masív se smíšenými porosty a bohatou květenou je státní přírodní rezervací.

Окно в массиве Огниште образуют своеобразные 20-ти метровые скалистые »ворота«, наиболее высокое известняковое образование Низких Татр. Ворота возникли в результате выветривания. Из арки ворот открывается широкий вид окрестностей.

Das 20 m hohe Felsentor Okno im Gebirgsmassiv Ohnište ist das höchste derartige Gebilde in der Kalksteinregion der Niederen Tatra. Es entstand durch Verwitterung der weniger beständigen Gesteine. Vom Torbogen bietet sich ein weiter Rundblick auf die Umgebung.

Kriváň (2694 m), jeden z nejznámějších vrcholů západní části Vysokých Tater, má charakteristický, nezaměnitelný tvar, který se stal symbolem existence a svobody v době národnostního útlaku slovenského národa. Stal se tehdy cílem tzv. národních vycházek, z nichž první se uskutečnila 16. VIII. 1841 za účasti Ľ. Štúra a M. M. Hodži.

Кривань (2694 м), одна из наиболее известных вершин западной части Высоких Татр, неповторимая по своей форме. Эта гора стала символом независимого существования и свободы словацкого народа в период национального угнетения.

Der Kriváň (2694 m) ist wohl der bekannteste Gipfel in der westlichen Hohen Tatra (Vysoké Tatry). Dank seiner einmaligen Gestalt wurde er in den Zeiten der nationalen Unterdrückung zum Symbol der Existenz und Freiheit der slowakischen Nation.

Štrbské pleso leží ve výšce 1350 m a je s Mlynickou dolinou střediskem zejména lyžařských disciplín ve Vysokých Tatrách. Toto velmi známé a navštěvované pleso patří k morénovému typu glaciálních jezer. Dosahuje hloubky až 18 m a velikosti 16,4 ha.

Штрбске плесо (озеро) расположено на высоте 1350 м и наряду с Млинской долиной является центром горнолыжного спорта в Высоких Татрах. Это чрезвычайно популярное озеро относится к моренному типу ледниковых озер. Глубина озера достигает 18 м, его площадь — 16,4 га.

Der Hochgebirgssee Štrbské pleso liegt in 1350 m Höhe und bildet zusammen mit dem Tal Mlynická dolina ein Wintersportareal, namentlich für den Schisport. Dieser wohlbekannte und oftbesuchte See ist dem Moränentyp der glazialen Seen zuzuordnen. Er hat eine Ausdehnung von 16,4 ha und die Tiefe beträgt bis zu 18 m.

Gerlachovský štít, vysoký 2655 m, je nejvyšší hora Vysokých Tater a celých Karpat. Jeho skalnatý vrcholek vystupující ze sněžného příkrovu připomíná arktické nunataky a vydává svědectví o dávných glaciálních dobách.

Герлах (2655 м), высочайшая гора горных массивов Высокие Татры и Карпаты. Скалистая вершина этой горы, выступающая из снежного покрова, напоминает пики айсбергов. Она является наглядным свидетельством древнего ледникового периода.

Der Berggipfel Gerlachovský štít (2655 m) ist der höchste in der Hohen Tatra und in den ganzen Karpaten. Die felsige, aus dem Schnee aufragende Spitze erinnert an einen arktischen Nunatak und legt Zeugnis ab von den Einwirkungen der Eiszeit.

The Lower Tatra Mountains are 92 km long, and their axis is formed by a granite ridge. The main ridge has been sedulously modelled by pleistocene glaciers which created steep cirques, scarps, and rock chimneys. Here is a view of the mountain scenery looking towards Prašivá and Tanečnica.

La Basse Tatra forme une chaîne longue de 92 kilomètres. La crête principale, granitique, est modelée par les glaciers, dont l'action explique ses versants raides et ses crevasses. Notre cliché montre la chaîne est avec les sommets de la Prašivá et de la Tanečnica.

El Bajo Tatra es una prolongada cordillera de 92 Km de extensión, cuyo eje lo forma una sierra granítica. La cresta principal fue profundamente erosionada por los glaciares del Pleistoceno, que dejaron aquí precipicios, despeñaderos y mesas. En la foto: el paisaje del Bajo Tatra cerca de los Montes Prašivá y Tanečnica.

144

The typical mildly undulating Bocká Valley, about 16 km long, divides the western and eastern parts of the Lower Tatras. The valley was a one-time mining community—even gold was mined here—through which the Bocianka stream meanders.

La paisible vallée de Boca, d'une longueur de 16 km environ, sépare la chaîne ouest et la chaîne est de la Basse Tatra. Au fond de la vallée coule en méandres le ruisseau de Bocianka et se blottissent des villages jadis miniers.

Los pintorescos meandros del riachuelo Bocianka forman una vega de 16 Km conformada de una manera muy singular, a la cual se le da el nombre de Bocká Dolina. Este valle constituye la línea divisoria entre la parte occidental del Bajo Tatra y su parte occidental del Bajo Tatra y su parte oriental.

145

The Window in the Ohnište massif is a remarkable 20 m tall rock gate, the highest in the limestone rock of the Lower Tatras. It came into being through the weathering out of less resilient rock. There is a grand view of the countryside from its arch.

Une vue admirable s'ouvre à travers une porte rupestre haute de 20 m, creusée par l'érosion éolienne dans la roche calcaire du massif de l'Ohnište, en Basse Tatra.

La Ventana, en el macizo de Ohnište, es un arco de 20 m de altura, el más alto de las rocas calizas del Bajo Tatra. Se formó por efecto de la desintegración de minerales suaves. Desde su arco se ofrece a la vista un precioso panorama sobre los alrededores.

146

Kriváň (2,694 m), one of the best known peaks of the western High Tatras, with its characteristic, immutable shape, has become the symbol of the existence and freedom of the Slovak nation in times of national oppression.

La silhouette du Kriváň (2694 m), un des sommets les plus caractéristiques de la chaîne occidentale de la Haute Tatra, est devenue pour la nation slovaque au temps de son asservissement un symbole de liberté.

Kriváň (2.694 m) es uno de los picos más conocidos del Alto Tatra. Su característica e inconfundible silueta fue el símbolo de la existencia y libertad de la nación eslovaca en la época de la opresión nacional.

147

Štrbské pleso lies 1,350 m above sea level and together with the Mlynická Valley is a centre of skiing disciplines, in particular, in the High Tatras. This very popular and frequently visited spot is of the moraine type of glacial lakes. It reaches a depth of 18 m and covers an area of 16.4 hectares.

Le lac de Štrbské pleso, situé à une hauteur de 1350 m, est avec la vallée de Mlynická dolina le centre des sports d'hiver le plus renommé en Haute Tatra. C'est un lac morainique d'une surface de 16,4 hectares et profond de 18 mètres.

Štrbské Pleso (el Lago de Štrba) está situado a 1.350 metros sobre el nivel del mar. Junto con el valle de Mlýnická Dolina es un centro deportivo; ahí se llevan a cabo competiciones en las diferentes disciplinas de esquí del Alto Tatra. Este famoso y muy concurrido lago pertenece al grupo de lagos glaciares con morrena. Llega a tener hasta 18 metros de profundidad y su superficie abarca 16,4 hectáreas.

148

Gerlach (2,655 m) is the highest mountain of the High Tatras and the whole Carpathians. Its rocky peak rises from a snow-covered blanket reminiscent of Arctic nunataks, confirming its glacial origin of long, long ago.

Le Gerlachovský štít (2655 m) est la plus haute montagne à la fois de la Haute Tatra et de l'ensemble des Karpathes. Son sommet rocheux qui apparaît parmi les langues de neige semble un rappel des époques glaciaires.

Gerlachovský štít (el Pico de Gerlach), de 2.655 metros, es el pico más alto del Alto Tatra y de los Cárpatos. Su crestón rocoso sobresale de la masa de neviza recordando los *nunataks* groenlandianos y testimoniando las épocas glaciares.

149

Litvorové pleso, jedno z mnoha glaciálních jezer Vysokých Tater, leží ve výšce 1863 metrů ve stejnojmenné kotlině pod severními srázy Litvorového štítu (2423 m). Jméno získalo podle litvoru (děhel větší, Archangelica officinalis), který se tu hojně vyskytuje. Pochmurné ticho míst občas naruší let orla skalního nebo kámen uvolněný prchajícím stádem kamzíků.

Литворове плесо, одно из ледниковых озер Высоких Татр, лежит на высоте 1863 м в одноименной котловине под северными склонами Литворского пика (2423 м). Мрачную тишину и неподвижность этих мест время от времени нарушает полет орла или же звук осыпающихся под копытами серн камней.

Einer der vielen glazialen Seen in der Hohen Tatra heißt Litvorové pleso und liegt in einer Höhe von 1863 m in dem gleichnamigen Gebirgskessel unterhalb der steilen Nordwand des Litvorový štít (2423 m). Die düstere Stille des Ortes wird zuweilen vom Flügelschlag eines Steinadlers oder durch Steinschlag unterbrochen, ausgelöst von einem Rudel flüchtender Gemsen.

Ždiar pod Tatrami patří k národopisně pozoruhodným místům nejen pro bohaté a pestré lidové kroje, ale především pro typickou dřevěnou, zčásti malovanou architekturu. Tvoří ji řadově stavěné uzavřené dvorce na úzkých dlouhých pozemcích. Do obytného stavení bez komínu se vstupuje neotopnou síní, za níž následují světnice (často se jménem stavebníka vyřezaným do trámu) a komora.

Ждяр-под-Татрами славится не только местными красочными национальными костюмами, но и типичной деревянной архитектурой, частично расписанной. Постройки представляют собой своего рода закрытые дома без дымоходов, расположенные на узких и длинных участках земли. В каждом таком доме насчитывается три помещения.

Die am Fuß der Hohen Tatra gelegene Ortschaft Ždiar bezaubert nicht allein durch bunte Volkstrachten, sondern noch mehr durch ihre typischen, zum Teil bemalten Holzhäuser. Diese stellen geschlossene, zu Reihen geformte Gehöfte auf schmalen Parzellen dar. Das Wohngebäude besteht aus drei Räumen und entbehrt des Schornsteins.

Ze Spišské kotliny se monumentálně zdvihají československé velehory — Vysoké Tatry. Jejich rozervané štíty mají komplikovanou geologickou stavbu, vynikající geomorfologii, vyskytují se zde přirozené lesní porosty a nepřeberné množství vzácných, ba unikátních rostlinných i živočišných druhů. Pro svoji jedinečnost a vysoký přírodovědný i vodohospodářský význam byly prohlášeny již v roce 1948 za první československý národní park.

От Спишске котловины вздымаются ввысь горные хребты Высоких Татр, первый чехословацкий национальный парк. Их пики отличаются замечательной геоморфологией, здесь множество лесов и уникальных растений и животных.

Aus dem Spišská kotlina-Talkessel steigt monumental das tschechoslowakische Hochgebirge, die Hohe Tatra, empor. Sie ist der erste tschechoslowakische Naturpark und ihre Gipfel zeichnen sich durch eine bemerkenswerte Geomorphologie aus. Natürlich gewachsene Waldbestände bedecken die Hänge und in Flora wie Fauna sind zahlreiche seltene Arten vertreten.

Pieniny, nejmenší, třetí národní park Československa vznikl na pomezí ČSSR a PLR v roce 1967. Tvoří bradlové pásmo budované převážně vápenci. Nejvyšší vrchol — Trzy Korony — leží již v Polsku. Pieniny se vyznačují výrazným geomorfologickým reliéfem poměrně úzké soutěsky prorvané řekou Dunajcem a výrazným bohatstvím unikátních druhů rostlin a živočichů (např. kopretina Zawadského, huseník pieninský aj.).

Пиенины, самый малый национальный парк на границе между ЧССР и ПНР, представляет собой зону тектонических утесов главным образом из известняка. Узкие ущелья Пиенин отличаются выразительным геоморфологическим рельефом, фактором в образовании которого была и река Дунаец. Здесь встречаются многочисленные уникальные виды растений и животных.

Der kleinste Nationalpark der Tschechoslowakei — die Pieniny — zieht sich an der Grenze zwischen der ČSSR und der Polnischen Volksrepublik hin. Die relativ enge Klamm des Dunajec-Durchbruchs gibt den Pieniny ein ausdrucksvolles geomorphologisches Relief. Darüberhinaus zeichnen sie sich durch einen großen Reichtum an seltenen Pflanzen und Tieren aus.

Výborná svým kostelíkem sv. Voršily připomíná v mnohém Kočí u Chrudimě. Ani zde gotická architektura ze 14. stol. netvoří nejvýznamnější část. Mimořádný dojem vytváří pozdější dřevěné malované vybavení interiéru, strop ze 16.—17. stol. na dvou vyřezávaných sloupech a dvoupatrová kruchta z 1. pol. 17. stol. s výjevy ze života Kristova dole a s postavami apoštolů v horním patře.

Выборна, местечко с костелом св. Воршилы (Урсулы) во многом напоминает Кочи близ Хрудима (см. снимок на стр. 44). Здесь также готическая архитектура XIV века уступает на второй план по сравнению с более поздним деревянным расписанным устройством интерьера. Внимание заслуживают потолок XVI—XVII вв. на двух столбах и хоры, датируемые первой половиной XVII в.

Die Gemeinde Výborná mit ihrem der hl. Ursula geweihten Kirchlein hat viel mit der Ortschaft Kočí bei Chrudim (Siehe Bild auf s. 44) gemein. Ebenso wie dort wird auch hier der gotische Baustil aus dem 14. Jh. zurückgedrängt durch die aus späterer Zeit stammende Ausstattung des Interieurs mit Holzmalereien, ferner durch die von zwei Pfeilern abgestützte Decke aus dem 16.—17. Jh.

Bardejov, městská památková rezervace s dochovanou středověkou parcelací, zástavbou a pozdně gotickým opevněním, bývá v půdoryse nebo v modelu uváděn jako příklad gotického města. Jeho výstavná pozdně gotická, renesančně doplněná radnice z l. 1505—1509 na náměstí je věnována Šarišskému muzeu a unikátní památkou je také kostel sv. Jiljí z 15. stol. (vzadu) se svými jedenácti křídlovými gotickými oltáři.

Бардейов, город-заповедник, сохранил древнюю планировку, укрепления и готическо-ренессансную ратушу (1505—1509), в которой сейчас находится Шаришский музей. В костеле св. Йульи (Эгидия), возведенном в XV в. (на заднем плане), заслуживают внимания одиннадцать готических алтарей.

Die unter Denkmalschutz stehende Stadt Bardejov hat sich ihren ursprünglichen Grundriß bewahrt; auch die Befestigungswerke und das spätgotische Rathaus aus d. J. 1505—1509 mit Zubauten im Renaissancestil sind erhalten geblieben. Heute beherbergt es das Museum des Šariš-Gebietes. In der St.-Ägidius-Kirche (Hintergrund) aus dem 15. Jh. bewundert man die 11 gotischen Altare.

Litvorové pleso, one of many glacial lakes of the High Tatras, lies 1,863 m above sea level in a cauldron of the same name under the northern scarps of Litvorový Peak (2,423 m). The eerie silence is broken occasionally by the flight of a golden eagle or falling stones, loosened by a fleeing herd of chamois.

Le Litvorové pleso, un des nombreux lacs de surcreusement glaciaire de la Haute Tatra, est situé à une altitude de 1863 m dans un bassin du même nom, au pied du versant nord du Litvorovský štít (2423 m). Le silence de ce lieu désert n'est troublé que par le vol d'un aigle ou une pierre qui roule sous les sabots d'un troupeau de chamois en fuite.

Litvorové Pleso, uno de los numerosos lagos glaciares del Alto Tatra, está situado a una altitud de 1.863 metros sobre el nivel del mar, en el seno de la hondonada al pie de la vertiente septentrional del pico Litvorový štít (2.423 m). El silencio sobrecogedor de estos parajes sólo de vez en cuando se ve interrumpido por el vuelo de un águila real o el despeñarse de una piedra que se desprende cuando las asustadas gamuzas huyen.

150

Ždiar under the Tatras is remarkable not just for its colourful costumes but mainly for its typical wooden, and often painted, architecture. The houses here are built on a very narrow, long strip of land enclosing the yard on all sides; the three-room house has no chimney.

Ždiar, commune au pied des Tatras, est célèbre pour le beau costume populaire de ses habitants et, surtout pour son architecture. Ses maisons en bois, en partie peint, sont à cour fermée, disposées en rangées sur des lotissements longs et étroits. L'habitation comporte trois pièces, sans cheminée.

Ždiar, al pie del Tatra, es digno de ser conocido no solamente por los abigarrados trajes folklóricos, sino ante todo por su típica arquitectura urbana acabada en madera policromada. Las fincas están dispuestas en angostas y largas parcelas cerradas y las casas, sin chimenea, constan de tres habitaciones.

151

The Spiš cauldron provides a view of Czechoslovakia's monumental mountains — the High Tatras — that form the first Czechoslovak National Park. Its jagged peaks have an outstanding geomorphological composition; in these parts natural forest flora can be found along with countless varieties of rare, one could even say unique, plants and animal types.

Les versants accidentés de la Haute Tatra s'élèvent à pic depuis le bassin de Spiš. Présentant un grand intérêt géomorphologique, couverte de forêts et abritant de nombreuses espèces végétales et animales rares ou même uniques, la chaîne de la Haute Tatra constitue un parc national qui est par son importance le premier en Tchécoslovaquie.

Vista desde la hondonada del Spiš, la sierra del Alto Tatra, el mayor macizo montañoso y Parque Nacional checoslovaco, se yergue majestuosa. Sus cumbres cortadas a pico ostentan una orografía magnífica. Están cubiertas de una vegetación silvestre constituida por tupidos bosques y una inmensa variedad de especies raras, y hasta exclusivas, de la flora y de la fauna.

152 · 153

Pieniny, the smallest National Park of Czechoslovakia, on the border between the ČSSR and the Polish People's Republic, forms a klippen zone mainly of limestone. The Pieniny mountains are characterized by the outstanding geomorphological relief of fairly narrow passes cut through by the River Dunajec and the exceptional richness of unique types of flora and fauna.

Les Pieniny, chaîne calcaire aux confins de la Tchécoslovaquie et de la Pologne, ne furent classés que récemment en parc national. De relief très accidenté et coupés par les gorges du Dunajec, ils abritent de nombreuses espèces végétales et animales rares.

Pieniny, el Parque Nacional checoslovaco de más reciente formación constituye la frontera entre la República Socialista de Checoslovaquia y la República Popular de Polonia. Consiste de una cadena de montañas de escarpadas vertientes calizas que se caracterizan por el pronunciado relieve orográfico de una estrecha garganta abierta por la corriente del Dunajec.

154

Výborná with its little Church of St Ursula is reminiscent in many ways of Kočí near Chrudim (see photo on p. 44). Here, too, even more impressive than the 14th-century Gothic architecture is the later wooden painted interior, the 16th and 17th-century ceiling resting on two columns and the second-story choir loft dating from the first hafl of the 17th century.

L'église Sainte-Ursule à Výborná fait penser à l'église de Kočí près de Chrudim (voir cliché p. 44). C'est la même sobre architecture gothique du XIVe siècle qui sert de cadre à un aménagement postérieur plus riche en bois peint: un plafond reposant sur deux colonnes des XVIe—XVIIe siècles et une tribune de la première moitié du XVIIe siècle.

La.pequeña iglesia de Santa Ursula, en la aldea eslovaca de Výborná, se parece a la iglesia de Kočí (pág. 44). Los tableros de la decoración interior acabados en madera policromada, al igual que el artesonado sostenido por dos columnas, son posteriores y proceden de los siglos XVI y XVII. El coro —de dos plantas— data de la primera mitad del siglo XVII.

155

Bardejov, a National Historic Town, has retained its old ground plan, fortifications and Late Gothic town hall from 1505—1509, with added Renaissance elements. It is now the Šariš Museum. The Church of St Giles, 15th century (in the background) surprises visitors with its eleven Gothic altars.

Bardejov, ville classée monument historique, a conservé son plan primitif, ses remparts et son hôtel de ville du gothique tardif, modifié dans le style de la Renaissance en 1505—1509, qui renferme aujourd'hui le Musée du Šariš. L'église Saint-Gilles du XVe siècle (à l'arrière-plan) se fait remarquer par ses onze autels gothiques.

Bardejov, ciudad de interés histórico-artístico, conserva hasta hoy la traza de la antigua ciudad, sus fortificaciones y su ayuntamiento construido de 1505 a 1509 en gótico tardío con elementos renacentistas, hoy museo de la región de Šariš. En la iglesia de San Egidio, del siglo XV (al fondo), nos maravillarán once altares góticos.

156

Kežmarok je další městská památková rezervace. Město se vyvinulo ze tří starších osad a střed jedné z nich můžeme tušit v areálu pozdně gotického kostela sv. Kříže, k němuž kromě protestantské školy z r. 1536 patří renesanční zvonice z l. 1586—1591 s atikou a drobnými štítky, typická pro spišská města. Stavěl ji místní mistr Materer a iniciálami H. B. se označil autor sgrafit.

Кежмарок это город-заповедник, возникший на месте трех древних поселений. В центре находится костел св. Креста в стиле поздней готики с ренессансной колокольней (1586—1591), завершенной аттиком с мелкими щипцами и сграффито, что является типичным для спишского города.

Ein anderes städtisches Denkmalschutzgebiet ist Kežmarok. Den Mittelpunkt der aus dem Zusammenschluß von drei älteren Siedlungen hervorgegangenen Stadt bildet die Heilige-Kreuz-Kirche mit einem Renaissance-Glockenturm aus d. J. 1586—1591. Abgeschlossen durch eine Attika und mit kleinen Giebeln sowie Sgraffitos ausgestattet, ist dieses Bauwerk für die Städte des Spiš-Gebietes typisch.

Levoča je rovněž městskou památkovou rezervací. Nad její opevnění, domy a radnici vyniká hlavní oltář ve farním kostele sv. Jakuba, dílo mistra Pavla z Levoče z l. 1508—1517, svými rozměry, výškou 18,6 m a šířkou 6 m, největší dřevěný gotický oltář na světě. Střed archy vyplňují sochy sv. Jakuba, Madony a sv. Jana Ev. a k životu obou světců se vztahují scény na křídlech; v predele je řezba Poslední večeře.

Левоча это также город-заповедник. По своему значению укрепления, дома и ратушу этого города затмевает главный алтарь в храме св. Якуба, созданный мастером Павлом Левочским в 1508—1517 гг. По своим размерам (высота — 18,6 м, ширина — 6 м) этот деревянный готический алтарь считается самым большим в мире.

Auch die Stadt Levoča ist Denkmalschutzgebiet. Wie sehenswert auch ihre Befestigungen, ihre Häuser und ihr Rathaus sein mögen, werden sie dennoch von dem Hauptaltar in der Pfarrkirche des hl. Jakob noch weit übertroffen. Ein Werk Meister Pavels von Levoča aus den Jahren 1508—1517, ist der Altar mit seiner Höhe von 18,6 m und seiner Breite von 6 m der größte gotische Holzaltar in der ganzen Welt.

Spišský hrad, středisko župy a místo občasného pobytu uherských králů, který dobyl Matúš Čák Trenčiansky pro krále Václava III., znají čeští návštěvníci především jako sídlo jednoho z velitelů Bratrstva, Petra Axamita z Lideřovic v l. 1443—1453. Hrad, jehož jádro tvoří pozdně románský palác a věž, byl budovaný až do 17. stol. Je největší v Československu a z nejrozsáhlejších hradů střední Evropy.

Спишский замок, центр административного округа — жупы, в прошлом принадлежал венгерским королям и они его время от времени посещали. Ядро замка образует позднероманский дворец с башней. Замок постепенно расширялся и сегодня он считается крупнейшим замком в Чехословакии и одним из наиболее обширных в Центральной Европе.

Die Burg Spišský hrad war Mittelpunkt des Gaues und zeitweilige Residenz ihrer Eigentümer, der ungarischen Könige. Als Kern der Burg ist der spätgotische Palast mit Turm anzusehen. Spätere Zubauten machten die Burg zur größten auf dem Gebiet der heutigen Tschechoslowakei und darüberhinaus zu einer der weiträumigsten in ganz Mitteleuropa.

Rezervaci Veľký a Malý Sokol ve Slovenském raji tvoří 300 m hluboký kaňon s příkrými skalními stěnami porostlými původními smíšenými lesy. Jednou z jeho nejzajímavějších partií je Závojový vodopád, který se řítí zpěněnými vodami z výše několika desítek metrů.

Вельки и Малы Сокол это заповедник представляющий собой каньон трехсотметровой глубины. Его скалисте отроги покрыты смешанными лесами. Одной из наиболее интересных частей этого заповедника является Завойовы водопад, который обрушивает свои бурлящийе воды с высоты нескольких десятков метров.

Das Naturschutzgebiet Veľký a Malý Sokol umfaßt einen 300 m tiefen Cañon, dessen steile Felswände mit originärem Mischwald bestanden sind. Einer der interessantesten Abschnitte ist der sog. Schleierwasserfall (Závojový vodopád), über den die schäumenden Wasser des Baches Dutzende Meter tief hinabstürzen.

Ihla a Kazateľnica patří k četným výrazným vápencovým skaliskům v rezervaci Prielom Hornádu ve chráněné krajinné oblasti Slovenský raj. Příkré svahy i dno až 200 metrů hlubokého kaňonu, který zde vyhloubil Hornád, jsou porostlé smíšenými porosty borovice, jedle, modřínu, buku a tisu.

Игла и Казательница относятся к числу многочисленных известняковых скалообразований в заповеднике Приелом Горнаду в Словацком Рае. Крутые склоны и дно двухсотметрового каньона, где протекает река Горнад, покрыты зарослями сосны, ели, лиственницы, бука и тиса.

Ihla und Kazateľnica gehören zu den zahlreichen Kalksteingebilden des Hornád-Durchbruchs in dem Naturschutzgebiet Slovenský raj (slowakisches Paradies). Die steilen Hänge und die Talsohle des bis zu 200 m tiefen Cañons sind mit Mischwald bestanden, vorwiegend Kiefern, Tannen, Lärchen, Buchen und Eiben.

Rimavská Baňa si uchovala jeden z oněch hrazených kostelů, v jejichž renesančních protitureckých opevněních spatřoval Alois Jirásek hradby z dob Bratrstva. Kostel, dnes evangelický, původem pozdně románský (z té doby je i část křtitelnice) byl goticky přestavován a vyzdoben v polovině a na konci 14. stol. nástěnnými malbami; kruchta v lodi je z r. 1726 a strop z r. 1783.

Римавска Банья славится своим ныне евангелическим костелом с ренессансным укреплением, защищающим от турецких набегов. Костел возник в позднероманскую эпоху (сохранилась часть купели с того времени, перестраивался в эпоху готики, а расписан был в XIV в. Неф дополнен хорами (1726), а потолок относится к 1783 г.

In der mittelslowakischen Stadt Rimavská Baňa hat sich die ursprünglich spätromanische Kirche mit Renaissance-Befestigungswerken gegen die Türken erhalten (aus der gleichen Zeit stammt auch ein Teil des Taufbeckens). Die Kirche wurde im Laufe des 14. Jh. gotisch umgebaut und mit Malereien ausgeschmückt. Das Kirchenschiff wird durch den Chor aus d. J. 1726 und die Decke aus d. J. 1783 vervollständigt.

Kežmarok is another National Historic Town. It is the result of three older communities and the centre of one of them is the Church of the Holy Rood with its Renaissance belfry from 1586—1591, typical of Spiš towns whose attics have small gables and sgraffiti.

Kežmarok, une autre ville classée monument historique, avait englobé trois communes plus anciennes. Au centre de l'une d'entre elles s'élève l'église de la Sainte-Croix avec un clocher isolé de 1586—1591 qui, par son couronnement et par ses sgraffites, est typique des villes du Spiš.

Kežmarok, otra de las ciudades eslovacas de interés histórico-artístico, resultó de la fusión de tres poblaciones originales. En el centro de una de ellas está la iglesia de la Santa Cruz con su campanario renacentista construido de 1586 a 1591 y que es típico de las ciudades de la región de Spiš por su coronamiento almenado y esgrafiado.

Levoča is also a National Historic Town. Even more important than its fortifications, houses and town hall, is the main altar of the Parish Church of St James, the work of Master Pavol of Levoča in 1508—1517. It is 18.6 m high and 6 m long, making it the largest wooden Gothic altar in the world.

Levoča, à son tour ville classée monument historique, a conservé ses remparts, ses vieilles maisons et son hôtel de ville gothique, reconstruit à la Renaissance. Elle est célèbre pour le retable du maître-autel de son église Saint-Jacques, œuvre du Maître Paul de Levoča de 1508—1517, qui, par ses dimensions de 18,6 m sur 6 m représente le plus grand retable gothique sculpté en bois du monde.

También Levoča es ciudad de interés histórico-artístico. Posee fortificaciones, casas y un ayuntamiento interesantes; pero es famosa, sobre todo, por el altar mayor de la iglesia de Santiago, obra del maestro Pablo de Levoča, de 1508 a 1517, que por sus dimensiones (18,6 m de altura y 6 m de ancho), es el retablo gótico tallado en madera más grande del mundo.

Spiš Castle, a district centre, was visited from time to time by the Kings of Hungary to whom it belonged. Its core consists of a Late Romanesque palace with a tower. Through later expansion it became the largest castle in Czechoslovakia and one of the biggest in Central Europe.

Le château de Spiš appartenait jadis au rois de Hongrie qui venaient de temps à autre y séjourner. Son noyau consiste en un palais roman armé d'une tour, qui devait s'entourer au cours des âges de nouveaux bâtiments et de nouvelles enceintes. C'est aujourd'hui le château le plus grand de Tchécoslovaquie et l'un des plus grands d'Europe centrale.

El castillo de Spiš fue antaño residencia temporal de los reyes húngaros, a quienes pertenecía. Su núcleo está formado por un palacio de estilo románico tardío con una torre. Con el correr de los tiempos este castillo se fue agrandando hasta convertirse en el mayor de Checoslovaquia y uno de los más grandes de Europa Central.

The Veľký and Malý Sokol Reserve consists of a 300 m deep canyon with steep rocky walls overgrown with what were originally mixed forests. One of its most interesting sections is the Veil (Závojový) Waterfall, whose foamy waters drop from a height of several dozen metres.

La réserve naturelle de Veľký et de Malý Sokol comprend un canyon profond de 300 mètres, dont les versants raides et rocheux sont couverts de forêts mixtes. Une chute haute de plusieurs dizaines de mètres, dite chute des Voiles, en constitue le plus grand attrait touristique.

Un cañón de 300 m de profundidad, con paredones rocosos de perfil abrupto y cubiertos de tupidos bosques constituyen la reservación del Gran Sokol y el Pequeño Sokol. Uno de sus rincones más pintorescos es la Cascada del Velo, cuyas espumosas aguas caen de una altura de varias decenas de metros.

Ihla and Kazateľnica are among the many important limestone cliffs in the Prielom Hornád Reserve of the Slovak Paradise (Slovenský raj) area. The steep slopes and bed of the 200-metre River Hornád canyon are covered with thickets of pine, fir, larch, oak and yew trees.

L'Ihla et la Kazateľnica sont deux rochers calcaires de la réserve naturelle Prielom Hornádu dans le Paradis de Slovaquie. Les pentes abruptes et le fond de ce canyon formé par le Hornád qui atteint jusqu'à 200 m de profondeur, sont peuplés de pins, de sapins, de malèzes, de hêtres et d'ifs.

Ihla y Kazateľnica son dos de las numerosas y típicas rocas calizas de la reservación el Paraíso Eslovaco. Las accidentadas vertientes y el fondo del tajo, por cuya torrentera a una profundidad de 200 metros corre el río Hornád, están cubiertos por una vegetación mixta de pinos, abetos, alerces, hayas y tejos.

Rimavská Baňa has preserved to this day the Protestant church with its anti-Turkish Renaissance fortifications, originally in Late Romanesque style (part of the baptistry also dates from that time). In the 14th century it was re-adapted in Gothic and decorated with paintings. The nave has a gallery built in 1726 and the ceiling is from 1783.

Rimavská Baňa a conservé son église protestante, fortifiée pendant les guerres avec les Turcs. Construite dans le style roman tardif (c'est à cette époque que remontent les fonts baptismaux), reconstruite et ornée de peintures dans le style gothique au XIVᵉ siècle, elle possède une tribune de 1726 et le plafond de 1783.

Rimavská Baňa conserva hasta nuestros días su iglesia con fortificaciones renacentistas construidas para defensa contra los turcos. La iglesia en sí es románica tardía, y románica es también su pila bautismal. El inmueble fue reconstruido en estilo gótico y decorado con pinturas del siglo XIV. La nave tiene un coro que se remonta a 1726 y el techo es de 1783.

Košice se mohou pochlubit největším chrámem na Slovensku. Je jím katedrála sv. Alžběty, stavěná od konce 14. stol. do r. 1508 a zejména uvnitř pozměněná při obnově v l. 1877—1896. V severním portálu z třetiny 15. stol. je v tympanonu reliéf Posledního soudu z konce 14. stol. a v nástavci reliéfy Ukřižování, P. Marie a Jana Ev. pod křížem a dva výjevy, jak sv. Alžběta pečuje o chudé a o nemocné.

В Кошице находится крупнейший в Словакии храм — кафедральный собор св. Алжбеты (Елизаветы), который строился от конца XIV в. по 1508 г. Северный портал, возникший в начале XV в., дополнен более древним тимпаном, рельеф в котором изображает сцену Страшного суда. Выше находится Распятие и две сцены, рассказывающие об уходе св. Елизаветы за бедными и больными.

Die Stadt Košice kann sich rühmen, den größten Dom in der Slowakei zu besitzen. Es ist dies die Kathedrale der hl. Elisabeth, deren Bauzeit sich vom Ausgang des 14. Jh. bis zum Jahre 1508 erstreckte. Dem Nordportal wurde ein das Jüngste Gericht darstellendes älteres Tympanon beigegeben; darüber die Kreuzigung Christi und zwei Szenen aus dem Leben der mildtätigen hl. Elisabeth.

Košice, krajské a druhé největší město na Slovensku, nejsou známé jen svou historickou částí, nynější městskou památkovou rezervací. Jako v minulosti, i v naší době se staly dějištěm významných událostí. Sem již 3. dubna 1945 přijeli z exilu prezident a příští československá vláda a zde byl 5. dubna 1945 schválen dokument, který vešel do dějin jako Košický vládní program.

Кошице, областной центр и второй по величине город Словакии, известен прежде всего как временная резиденция президента и первого правительства в начале апреля 1945 года, как город, в котором 5 апреля 1945 года была провозглашена Кошицкая правительственная программа. В настоящее время Кошице это город-заповедник.

Košice ist Bezirksstadt und zweitgrößte Stadt der Slowakei zugleich, darüberhinaus städtisches Denkmalschutzgebiet. In neuester Zeit ist die Stadt vor allem deshalb denkwürdig, weil sie von Anfang April 1945 an provisorischer Sitz des Präsidenten und der ersten tschechoslowakischen Regierung nach der Rückkehr aus dem Exil war und wir hier am 5. April 1945 das sog. Regierungsprogramm von Košice verkündet wurde.

Dukla se nesmazatelně zapsala do nejnovějších československých dějin jako místo, kde za těžkých bojů dne 6. října 1944 vstoupila vojska 1. čs. armádního sboru v SSSR na území republiky. Památník karpatsko-dukelské operace, postavený podle projektu arch. Hugo Grosse z l. 1947—1948 s pozdějším sousoším od Jána Kulicha, se tyčí nad hroby téměř tří tisíc československých a sovětských vojáků.

Дукла, место тяжелых боев I. Чехословацкого армейского корпуса, вступившего на территорию Чехословакии 6 октября 1944 г. Над могилами почти трех тысяч погибших бойцов в 1947—1948 гг. был возведен памятник, работы архитектора Гуго Гросса, а позднее и скульптурная группа, созданная Яном Кулихом.

Über den Duklapaß rückten am 6. Oktober 1944 die Truppen des in der UdSSR aufgestellten 1. Tschechoslowakischen Armeekorps zum ersten Male auf tschechoslowakisches Staatsgebiet vor. Über den Gräbern von nahezu dreitausend Gefallenen wölbt sich ein Mahnmal, das in den Jahren 1947—1948 von dem Architekten Hugo Gross geschaffen wurde; die später aufgestellte Statuengruppe stammt von Ján Kulich.

Kaskáda povážských přehrad začíná Liptovskou Marou, která nese jméno po jedné ze zatopených obcí. Jasnou vodní hladinu přehradního jezera, které zabírá plochu 32 km², rámují lesnaté stráně i vzdálené monumentální vrcholky Chočského pohoří.

Каскад поважских плотин начинается с Липтовской Мары, название которой когда-то принадлежало одной из затопленных деревень. Водохранилище, занимающее площадь 32 кв. км, обрамляют лесистые склоны и отдаленные монументальные вершины Хочских гор.

Erste Staustufe am Fluß Váh ist die Talsperre Liptovská Mara, benannt nach einer der in den Fluten versunkenen Ortschaften. Der klare Wasserspiegel des 32 km² messenden Stausees wird von bewaldeten Hängen umrahmt, über die die monumentalen Gipfel des Choč-Gebirges hinausragen.

Košice patří k našim předním průmyslovým střediskům. Východoslovenské železárny, které v jejich sousedství vyrostly po druhé světové válce, jsou jedním z dokladů plánovité přeměny dříve převážně zemědělského Slovenska v průmyslovou zemi. Jako největší hutní závod v republice vyrábějí — vesměs z dovážené sovětské rudy — čtvrtinu celostátní produkce surového železa a pětinu oceli.

Кошице это крупный промышленный центр. После второй мировой войны неподалеку от города вырос Восточнословацкий металлургический комбинат, крупнейший в Чехословакии, где в настоящее время производится четвертая часть чугуна и пятая часть стали всей страны.

Die Stadt Košice ist ein namhaftes Industriezentrum. Unweit von ihr wurden nach dem zweiten Weltkrieg die Ostslowakischen Eisenwerke errichtet, die den größten Hüttenbetrieb der Tschechoslowakei darstellen und gegenwärtig ein Viertel der gesamten Eisenproduktion und ein Fünftel der Stahlerzeugung der ČSSR decken.

Komárno na soutoku Dunaje a Váhu je naším významným dunajským přístavem a tamní Slovenské lodenice G. Steinera prosluly svými výrobky včetně luxusních rekreačních námořních lodí, bagrů aj. — V l. 1541—1592 tu byla postavena proti Turkům renesanční pevnost, rozšířená v l. 1663—1673 o samostatnou barokní část, jež odolala všem pokusům o dobytí, naposledy za maďarské revoluce 1848—1849.

Комарно лежит при слиянии Дуная с Вагом. Крупнейшим предприятием города являются Словацкие верфи им. Г. Стейнера, выпускающее суда самого разного назначения. Крепость вблизи состоит из более древней ренессансной части (1541—1592) и части барочной (1663—1673). Эта крепость устояла во время всех турецких набегов и ни разу не была захвачена неприятелем.

Das am Zusammenfluß des Váh mit der Donau liegende Komárno ist ein bedeutsamer Flußhafen und verfügt über eine Schiffswerft, genannt „Slovenské lodenice G. Steinera", die sich durch den Bau von Schiffen für die verschiedensten Zwecke einen Namen gemacht hat. Die nahe Festung gegen die Türken widerstand allen Belagerern. Der ältere Renaissance-Teil dieser Festung wurde in den Jahren 1541—1592 aufgeführt.

Košice has the biggest church in Slovakia, the Cathedral of St Elizabeth, dating from the end of the 14th century to 1508. Its northern portal, from the first third of the 15th century, supplements an older tympanon with scenes from the Last Judgement; above is the Crucifixion and two scenes showing St Elizabeth looking after the poor and the sick.

La cathédrale Sainte-Elisabeth à Košice, dont la construction se prolongea depuis le XIVᵉ siècle jusqu'en 1508, est le plus grand édifice cultuel en Slovaquie. Son portail nord du premier tiers du XVᵉ siècle est surmonté d'un tympan plus ancien qui présente, dans sa partie inférieure, une scène du Jugement Dernier et, dans sa partie supérieure, une Crucifixion encadrée de deux scènes de Sainte Elisabeth soignant les pauvres et les malades.

Košice se ufana de poseer el templo más grande de Eslovaquia: la catedral de Santa Isabel, construida de las postrimerías del siglo XIV al año de 1508. Su portal, que mira hacia el norte y que arranca de la primera mitad del siglo XV, tiene un tímpano con la escena del Juicio Final y, encima de él, la Crucifición y dos pasajes de la vida de Santa Isabel cuidando a los menesterosos y a los enfermos.

163

Košice, a regional centre and the second largest city in Slovakia, is not only famous as a National Historic Town but also as the provisional seat of the President and the first post-exile government from April 1945, and the place where the Košice Government Programme of April 5, 1945, was proclaimed.

Košice, par ordre de grandeur deuxième ville de Slovaquie, est connu non seulement comme une réserve artistique, mais aussi comme le siège du premier gouvernement tchécoslovaque après la seconde guerre mondiale. C'est ici que fut proclamé, le 5 avril 1945, son programme désigné maintenant sous le nom de Programme de Košice.

Košice, cabecera regional y segunda ciudad más grande de Eslovaquia es, asimismo ciudad de interés histórico-artístico, que en abril de 1945 se convirtió en asiento del primer gobierno checoslovaco y residencia del Presidente de la República. Fue aquí donde se promulgó el 5 de abril de 1945 el llamado Programa del Gobierno de Košice.

164 · 165

On October 6, 1944, after fierce fighting, the First Czechoslovak Army Corps in the USSR entered the territory of Czechoslovakia at Dukla. Over the graves of nearly three thousand men rises the memorial by Hugo Gross erected in 1947—48; the statuary by Ján Kulich was added later.

C'est par le col de Dukla que, le 6 octobre 1944, le 1ᵉʳ corps d'armée tchécoslovaque, formé en Union soviétique, pénétra sur le territoire de la République. Au-dessus des tombes de presque trois mille soldats s'élève le monument des années 1947—1948, œuvre de l'architecte Hugo Gross, orné plus tard de statues de la main de Ján Kulich.

Dukla, lugar donde el 6 de octubre de 1944, y tras de haber librado cruentos combates, los soldados del 1ᵉʳ Cuerpo del Ejército Checoslovaco en la URSS pisaron por primera vez el suelo patrio. El monumento erigido en memoria de los casi tres mil caídos en Dukla fue realizado de 1947 a 1948 por el arquitecto Hugo Gross y la estatua es de Ján Kulich.

166

The cascade of the Váh dams starts at Liptovská Mara, which bears the name of one of the sunken villages on this site. The clear surface of the dam water, covering an area of 32 sq. km., is framed by wooded slopes and the more distant peaks of the Choč Mountains.

Le barrage de Liptovská Mara, qui prit le nom de l'une des communes inondées, est le premier d'une suite d'ouvrages hydrauliques sur le Váh. Son lac d'une superficie de 32 km² est encadré de collines boisées, au-delà desquelles s'élèvent les sommets de la chaîne de Chočské pohorí.

La serie de represas escalonadas construidas sobre el río Váh empieza en Liptovská Mara, nombre que llevaba la población que ahí quedó sumergida. La límpida superficie de las aguas del embalse que cubre un área de 32 Km², está circundada de bosques. Al fondo vemos las monumentales cumbres de Choč.

168

Košice is a leading industrial centre. The East Slovak Iron and Steel Works, which grew up in its environs after the Second World War, is the largest of its kind in Czechoslovakia and presently produces one fourth of the country's iron and a fifth of its steel.

Košice, lui-même grand centre industriel, vit après la seconde guerre mondiale surgir dans son voisinage les immenses Usines sidérurgiques de Slovaquie de l'Est, aujourd'hui le plus grand complexe métallurgique de toute la République. La production représente un cinquième d'acier et un quart de fer brut fabriqués en Tchécoslovaquie.

Košice es también un importante centro fabril. La Planta Siderúrgica de Eslovaquia Oriental, cerca de Košice, instalada después de la Segunda Guerra Mundial, produce una cuarta parte de la producción nacional de hierro en bruto y la quinta parte de la de acero, con lo cual se puede considerar como el establecimiento siderúrgico más grande de toda Checoslovaquia.

169

Komárno, at the confluence of the Váh and the Danube, is an outstanding inland port. The Slovak G. Steiner Shipyards, which build boats for many different purposes, are located here. The nearby fortress, which was never conquered by the Turks, is in part Renaissance (1541—1592), although sections of it are of a later, Baroque dating (1663—1673).

Komárno, port important sur le confluent du Váh et du Danube, possède des chantiers navals où l'on construit les bateaux de destinations les plus diverses, qui date des guerres avec les Turcs jamais conquise par l'ennemi, comporte une partie Renaissance, de 1541—1592, et une partie baroque, de 1663—1673.

Komárno, en la confluencia del Váh con el Danubio, es un importante puerto fluvial. Sus astilleros son renombrados en la construcción de navíos destinados a los usos más diversos. La cercana e invicta fortaleza levantada contra los turcos consta de dos partes: una antigua, renacentista, edificada de 1541 a 1592, y otra más reciente, barroca, cuya obra duró de 1663 a 1673.

170

Nitra, v 9. stol. sídlo panovníků Velkomoravské říše a místo, kde kolem r. 830 dal kníže Pribina postavit první křesťanský kostel na území nynější republiky, město v r. 1663 téměř zničené Turky, se po r. 1945 rozrůstá o nové části. Patří sem i komplex Vysoké školy zemědělské z l. 1961—1966, budovaný podle projektu Vlastimíra Dedečka a Rudolfa Miňovského, s posluchárnou čočkovitého tvaru.

Нитра уже в IX в. была городом правителей Великоморавского княжества. Около 830 г. здесь возник первый христианский костел на территории сегодняшней Чехословакии. Среди современных построек города внимания заслуживает комплекс зданий Высшей сельскохозяйственной школы, построенный в 1961—1966 гг.

Nitra wird bereits im 9. Jahrhundert als Sitz der Herrscher des Großmährischen Reichs erwähnt. Um das Jahr 830 entstand hier die erste christliche Kirche auf dem Gebiet der heutigen Tschechoslowakei. Aus der modernen Bautätigkeit der rasch wachsenden Stadt ging u. a. auch der in den Jahren 1961—1966 errichtete Komplex der Landwirtschaftlichen Hochschule hervor.

Chopok (2024 m), druhý nejvyšší vrchol v hlavním hřebeni Nízkých Tater ve skupině Ďumbiera, je přístupný sedačkovým výtahem po severní příkré skalnaté stráni z Jasné. Druhá, jižní trasa vede k vrcholu od Srdiečka s mezistanicí u horského hotelu Kosodrevina.

Канатная дорога на вершину Хопок (2024 м.), доступ на южную и северную стороны горного хребта Низких Татр, где находится немало прекрасных мест для лыжного спорта.

Die Seilbahnen am Chopok (2024 m) in der Niederen Tatra haben den weitgestreckten Kamm dieses Gebirgsstocks mit seinen zahlreichen Schipisten erschlossen, und zwar sowohl von Norden als auch von Süden.

Banská Bystrica a Zvolen jsou nyní spojeny úsekem dálnice, jenž je součástí celostátní dálniční sítě plánované v délce 1700 km v poněkud odlišné koncepci od sotva rozestavěné dálnice západ-východ z l. 1938—1942. Větší úseky se však nyní budují na trase Praha—Brno—Bratislava a výpady z těchto tří měst, které byly dány do provozu v l. 1972—1973, se postupně prodlužují.

Банску Быстрицу и Зволен соединяет участок автострады, который является частью общегосударственной системы автострад. Предполагается, что эта система достигнет 1700 км. Первая часть автострады была проложена по маршруту Прага-Брно-Братислава и введена в строй в 1972—1973 гг.

Die Städte Banská Bystrica und Zvolen wurden neuerdings durch eine Fernverkehrsstraße untereinander verbunden, einem Abschnitt des gesamtstaatlichen Autobahnnetzes, das den Plänen nach eine Länge von 1.700 km erreichen soll. Als erste wurde die Autobahn Prag—Brno—Bratislava in Angriff genommen. Die Ausfallstrecken von diesen drei Städten sind bereits in den Jahren 1972—1973 für den Verkehr freigegeben worden.

Bratislava je sídlem Slovenské národní galerie, jíž byla věnována budova bývalých vodních kasáren. Jsou to ony ze známé písně Pod Prešpurkem kraj Dunaja . . . a byly postaveny v l. 1759—1763 mezi hradbami a dunajským břehem. V r. 1940 zbořili čelní křídlo a tak nynější prostorové potíže galerie vyřešila moderní dostavba podle projektu Vlastimíra Dedečka, zpřístupněná r. 1978 (viz str. 123).

В Братиславе с 1948 года открыта Словацкая национальная галерея, которая размещается в здании бывших казарм (1759—1763). В 1940 году переднее крыло здания было разрушено. Нехватка помещений была решена с помощью современного строительства. Новые помещения были открыты в 1978 г. (см. снимок на стр. 123)

Die seit dem Jahre 1948 bestehende Nationalgalerie in Bratislava ist in einem Bauwerk aus den Jahren 1759—1763 untergebracht. Da der Stirnflügel des Gebäudes im Jahre 1941 abgerissen worden war, löste man die bestehende Raumnot durch einen modernen Zubau, der i. J. 1978 der Öffentlichkeit zugänglich gemacht wurde (siehe Bild auf S. 123).

Bratislava má od r. 1971 na Kamzíku vlastní moderní televizní věž, projektovanou Jakubem Tomašákem a Jiřím Kozákem. Výškou 200 m se řadí na deváté místo mezi evropskými vysílači a kromě technického poslání je vybavena v nejširším místě vyhlídkovou kavárnou pro sto hostů s otáčivou podlahou (jejíž dobu otočení lze regulovat od 20 do 60 minut), dostupnou rychlovýtahem.

В 1971 на горе Камзик в Братиславе была сооружена двухсотметровая современная телевизионная башня, которая кроме своего основного технического назначения служит также местом отдыха — здесь оборудовано панорамное кафе с вращающимся полом, причем время вращения можно регулировать от 20 до 60 минут.

Bratislava verfügt seit dem Jahre 1971 über einen eigenen, modernen, 200 m hohen Fernsehturm am Kamzík-Hügel. Neben seiner technischen Funktion dient er auch als Aussichtsturm, da in seinem breitesten Teil ein Café mit rotierendem Flur eingebaut wurde. Die Umdrehungszeit kann im Bereich von 20—60 Minuten eingestellt werden.

Ztracenec, kóta 1055 v Javorníkách, byla 3. května 1945 při osvobozování Velkých Karlovic zkropena krví tří padlých vojáků 4. úderného praporu 1. čs. armádního sboru v SSSR; na jejich paměť tu r. 1969 odhalili památník, dílo akad. sochaře Josefa Vajce. Působivá tvarová kompozice, připomínající lidové vyřezávané kříže, neobyčejně citlivě srůstá s nádhernou krajinou moravskoslovenských hranic.

Зраценец, высота 1055 в горах Яворники. 3 мая 1945 г. во время боя за взятие Вельких Карловиц стал местом гибели трех солдат I Чехословацкого армейского корпуса в СССР. Впечатляющий памятник, созданный скульптором Йозефом Вейце с учетом окружающей природы, был открыт на этом месте в 1969 г.

Bei der Höhenkote 1055 in der Nähe von Ztracenec im Javorníky-Gebirge wurde die Erde am 3. Mai 1945 von dem Blute der drei Soldaten des 1. Tschechoslowakischen Armeekorps in der UdSSR getränkt, die hier bei der Befreiung von Velké Karlovice fielen. Das eindrucksvoll gestaltete und mit großem Feingefühl in die Landschaft eingesetzte Mahnmal des Bildhauers Josef Vajce wurde i. J. 1969 enthüllt.

Back in the 9th century Nitra was the seat of the rulers of the Great Moravian Empire and *c.* 830 A.D. the first Christian church on the territory of today's Czechoslovakia was put up here. The campus of the School of Agriculture, built in 1961—1966, is among the modern constructions that have been mushrooming as the town has expanded.	Dès le XIᵉ siècle, Nitra fut le siège des souverains de la Grande Moravie qui y élevèrent, en 830, la première église chrétienne sur le territoire de l'actuelle Tchécoslovaquie. L'ensemble des bâtiments de la Haute école des études agricoles de 1961—1966 fait partie des quartiers modernes de cette ville aujourd'hui en pleine expansion.	Nitra era en el siglo IX sede de los soberanos del Imperio de la Gran Moravia. Hacia el año 830 se erigió aquí la primera iglesia cristiana, o sea, la primera en el territorio de la actual Checoslovaquia. El complejo de la Escuela Superior de Agronomía, construido de 1961 a 1966, pertenece al aspecto moderno de la ciudad.	171
Ski lifts to Chopok (2,024 m.) give access to the southern and northern slopes of the extensive Lower Tatra ridges with their many ski runs.	Le téléférique du Chopok (2024 m) permet d'atteindre la crête de la Basse Tatra aussi bien du nord que du sud. La station est recherchée pour ses excellentes pistes de ski.	Las telesillas que comunican las vertientes sur y norte del Chopok (2.024 m) con su cumbre hacen asequible la cúspide del Bajo Tatra, en donde se hallan numerosas pistas apropiadas para esquiar.	172
Banská Bystrica and Zvolen are linked by a motorway, part of a nationwide network planned to extend 1,700 km. The first section of it now under construction is the Prague—Brno—Bratislava route and traffic on the sally-roads leading out of these three cities began in 1972—1973.	Banská Bystrica et Zvolen viennent d'être reliés par une autoroute, partie d'un réseau d'une longueur totale de 1700 km, actuellement en édification. Les trois premiers tronçons — à la sortie de Prague, de Brno et de Bratislava — furent mis en service dès 1972—1973.	Entre Banská Bystrica y Zvolen se ha abierto al tráfico un nuevo tramo de la autopista que forma parte de la red nacional de autopistas de 1.700 Km de longitud que se han planificado. Ya antes se había inaugurado el tramo de Praga a Bratislava a través de Brno. Partes de esta autopista eran ya transitables desde 1972—1973.	173
Since 1948, Bratislava is the home of the Slovak National Gallery, housed in the former water barracks built in 1759—1763. Because the front wing collapsed in 1940, the shortage of rooms was solved by a modern reconstruction and the museum was opened to the public in 1978 (see photo on p. 123).	Depuis 1948, Bratislava est le siège de la Galerie Nationale Slovaque, installée dans un palais de 1759—1763, bordant le quai du Danube. L'aile d'entrée, démolie en 1940, fut remplacée par une construction moderne, ouverte au public en 1978 (voir cliché p. 123).	Desde 1948 Bratislava es la sede de la Galería Nacional Eslovaca, instalada en el edificio del antiguo cuartel naval construido de 1759 a 1763 y cuya ala frontal fuera destruida en 1940. Con el propósito de ganar espacio para la pinacoteca se procedió a la construcción de una nueva parte, inaugurada en 1978 (véase la foto de la pág. 123).	174
Since 1971, Bratislava has had its own modern television tower. The tower is 200 m tall and, apart from its technical equipment and purpose, has a lookout café with a revolving floor at its widest point. The café can be regulated to revolve from 20 to 60 minutes.	Bratislava possède dès 1971 une tour de télévision moderne sur la colline de Kamzík. D'une hauteur de 200 m, elle est dotée d'une sorte de belvédère aménagé en café qui tourne lentement autour de son axe, effectuant une révolution complète en l'espace de 20 à 60 minutes.	Bratislava cuenta también desde 1971 con una moderna emisora de televisión de 200 m de altura, situada en la colina de Kamzík (Gamuza). La torre de esta emisora tiene, además de las instalaciones técnicas, una cafetería panorámica con piso giratorio, de velocidad de giro regulable desde 20 hasta 60 minutos por vuelta.	175
On May 3, 1945, during the liberation of Velké Karlovice, Ztracenec, 1,055 m above sea level in the Javorníky Mountains, was soaked with the blood of three soldiers from the First Czechoslovak Army Corps in the USSR. This moving memorial, sensitively situated so as to harmonize with the setting, was unveiled in 1969. It is the work of Josef Vajce.	Le Ztracenec, cote 1055 dans les Javorníky, vit la mort héroïque de trois soldats du 1ᵉʳ corps d'armée tchécoslovaque formé en Union soviétique, qui se dirigeait le 3 mai 1945 vers Velké Karlovice. Cet événement est rappelé par un monument heureusement adapté au site, œuvre du sculpteur Josef Vajce, inauguré en 1969.	Ztracenec (El Perdido), así se llama la cota 1.055 en la montaña Javorníky regada con la sangre de tres soldados del 1ᵉʳ Cuerpo del Ejército Checoslovaco en la URSS durante los combates que se libraron en este lugar el 3 de mayo de 1945 para liberar al pueblo de Velké Karlovice. El impresionante monumento que armoniza perfectamente con el paisaje es obra del escultor Josef Vajce (1969).	176 · 177

Brno je centrem kultury a již tradičně městem tvorby moderní architektury. V l. 1960—1965 tu k dosavadnímu divadlu z r. 1882, dnes Mahenova, přibyla novostavba Janáčkova divadla, pojmenovaná po světoznámém skladateli Leoši Janáčkovi. Budovu (na obr. zadní průčelí) projektovali Otakar Oplatek, Vilém Zavřel a Ivan Ruller, sochy spisovatelů bratří Mrštíků vytvořil Vincenc Makovský.

Брно, крупный культурный и административный центр, обогатилось в 1960—1965 гг. новым зданием театра (на снимке задний фасад), который носит имя композитора Леоша Яначека. Здание проектировали: Отакар Оплатек, Вилем Завржел и Иван Руллер, автор скульптуры — Винценц Маковский.

Brno als kulturelles Zentrum und Mittelpunkt des modernen Architekturschaffens erhielt im Jahre 1965 ein in fünf Jahren Bauzeit fertiggestelltes neues Theater (Bild zeigt die Rückseite). Das Projekt für das nach dem Komponisten Leoš Janáček benannte Theater stammt von Otakar Oplatek, Vilém Zavřel und Ivan Ruller, die Statuen wurden von Vincenc Makovský geschaffen.

Ostrava, kde se v r. 1767 začalo s povrchovou těžbou černého uhlí a v r. 1828 byly založeny Vítkovické železárny, se po druhé světové válce stala průmyslovým kolosem. Bývá nazývána ocelovým srdcem republiky, protože se tu a v přilehlých provozech (Vítkovicích, Kunčicích, Třinci a dalších) zajišťují tři čtvrtiny celostátní produkce surového železa a dvě třetiny surové oceli.

Острава, где в 1767 г. началась открытая добыча каменного угля, а в 1828 г. основан Витковицкий металлургический завод, после второй мировой войны превратилась в крупнейший промышленный центр. А так как здесь производится основная часть сырой стали и железа, то город получил название »стальное сердце республики«.

In Ostrava begann man bereits i. J. 1767 obertägig Steinkohle zu fördern und sodann wurde im Jahre 1828 das Eisenwerk Vítkovické železárny errichtet. Nach dem zweiten Weltkrieg entwickelte sich Ostrava zu einen Industriekoloß. Weil seine Betriebe den Großteil des in der ganzen ČSSR erzeugten Rohstahls und Roheisens liefern, wird Ostrava „Stählernes Herz der Republik" genannt.

Ostrava dnem i nocí pulsuje provozem dolů a hutí a večerní nebo noční odpichy taveb vykreslují bizarní siluety domů, věží a komínů. Kdo zná tuto Ostravu nebo její novou čtvrti jako Porubu, bude překvapen, spatří-li uprostřed města zbytky jeho středověkého jádra s obnoveným gotickým trojlodním kostelem sv. Václava nebo nedaleké zříceniny hradu ve Slezské Ostravě.

В Остраве днем и ночью пульсирует трудовая жизнь, вечерние и ночные плавки стали озаряют силуэты домов, башен, труб. Трудно поверить, что в центре этой современной Остравы можно натолкнуться на готический костел св. Вацлава, а в Слезской Остраве — на развалины замка.

Tag und Nacht fühlt man in Ostrava den Pulsschlag der Hüttenwerke. Bei Abstichen am Abend oder in der Nacht heben sich vom dunklen Hintergrund bizarre Silhouetten der Häuser, Türme und Schornsteine ab. Wer dieses moderne Ostrava kennt, dem würde es nicht einfallen, im Zentrum der Stadt die gotische Kirche des hl. Wenzel und in Slezská Ostrava die Ruinen einer Burg zu suchen.

Žírná krajina Jižní Moravy proslula zemědělskou velkovýrobou, která jí vtiskla přízvisko „Moravská Kubáň". Nicméně se i zde dochovaly zbytky zeleně nezbytné pro tvářnost krajiny.

Плодородная Южная Моравия славится своим сельскохозяйственным крупнотоварным производством, поэтому ее часто называют »Моравская Кубань«. Однако и здесь сохранились островки некультивированной природы, необходимые для создания гармоничного пейзажа.

Südmähren mit seinem fruchtbaren Boden war seit jeher durch seine landwirtschaftliche Großproduktion bekannt, die ihm den Beinamen- „Moravská Kubáň" nach der südrussichen Getreidekammer am Kubanfluß eintrug. Nichtsdestoweniger haben sich auch hier Reste des für ein schönes Landschaftsbild unentbehrlichen Grüns erhalten.

Plzeň, s dosud značným množstvím památek, nabyla světové proslulosti především pivem Prazdroj z Měšťanského pivovaru z r. 1842 a strojírenskými výrobky Škodových závodů, nynějších Závodů V. I. Lenina — ZVIL (na obrázku vzadu), založených r. 1859 Arnoštem z Valdštejna, r. 1869 zakoupených Emilem Škodou a obnovených po bombardování na jaře 1945.

Пльзень, областной центр с большим количеством сохранившихся памятников. Город получил всемирную известность благодаря продукции местного машиностроительного завода »Шкода«, ныне Завод им. В. И. Ленина (на снимке на заднем плане), основанного в 1859 г., а также благодаря пиву марки »Праздрой«, которое варят на местном пивоваренном заводе.

Die Bezirkstadt Plzeň verfügt noch immer über nicht wenige Denkwürdigkeiten, doch ihren Weltruhm verdankt sie vor allem dem Pilsner Urquell und den Maschinenbauerzeugnissen der Škodawerke, heute genannt Závody V. I. Lenina, abgekürzt ZVIL (auf dem Bild im Hintergrund). Die Geschichte der Škodawerke geht bis auf das Jahr 1859 zurück.

Rok od roku stoupá počet turistů, kteří směřují na Lipno, aby poznali mohutnou stavbu socialismu — „jihočeské moře". Přehrada postavená v letech 1950—1959 má sice nevysokou sypanou hráz (22 m), ale zadržuje v plochém údolí velké množství vody (srv. legendu ke stranám 74—75).

С каждым годом растет количество туристов, направляющихся к Липно, грандиозной стройке социализма — »южночешскому морю«. Плотина, возведенная в 1950—1959 гг. не слишком высока (22 м), однако и этого достаточно для того, чтобы собрать в плоской долине большое количество воды (см. текст к снимкам 74—75).

Von einem Jahr zum anderen wächst die Zahl der Touristen, die es zum Stausee Lipno, dem „Südböhmischen Meer", drängt. Diese in den Jahren 1950—1959 errichtete Talsperre, ein grandioser Bau des Sozialismus, hat zwar einen geschütteten Damm von nur geringer Höhe (22 m), staut jedoch auf ebenem Grunde eine riesige Wassermenge (vgl. Legende zu den S. 74—75).

Brno, a centre of culture and a city of modern architecture, acquired a new theatre (the front portal on the photo) in 1960—1965, named after the composer Leoš Janáček. It was designed by Otakar Oplatek, Vilém Zavřel and Ivan Ruller; the statues are the work of Vincenc Makovský.

Brno, grand centre culturel, s'enrichit en 1960—1965 d'un nouveau théâtre qui porte le nom du compositeur Leoš Janáček (nous reproduisons sa façade postérieure). Son projet architectonique est dû à Otakar Oplatek, Vilém Zavřel et Ivan Ruller, les sculptures sont de la main de Vincenc Makovský.

Brno, eminente centro cultural y arquitectónico moderno, cuenta con un nuevo teatro (1960—1965), que lleva el nombre del gran compositor moravo Leoš Janáček. (En la foto, la fachada trasera. Proyectistas: Otakar Oplatek, Vilém Zavřel e Ivan Ruller. Vincenc Makovský es el autor de las estatuas).

178

Ostrava, where the open-cast mining of black coal began in 1767, and in 1828 the Vítkovice Iron and Steel Works was founded, became an industrial colossus after the Second World War. Since it is where most of the iron and steel in the ČSSR is manufactured, it is known as the steel heart of the republic.

Une première mine de charbon à ciel ouvert est mentionnée à Ostrava en 1767. La fondation des Usines sidérurgiques de Vítkovice remonte à 1828. En plein expansion depuis la deuxième guerre mondiale, la ville est aujourd'hui surnommée «le cœur d'acier de la République»: c'est de ses hauts fourneaux que sort la presque totalité de l'acier et du fer produits en Tchécoslovaquie.

Ostrava, donde ya en el año de 1767 empezara la extracción de hulla en minas de superficie, en 1828 fundó la Siderúrgica de Vítkovice, que se transformó después de la Segunda Guerra Mundial en un verdadero coloso de la producción. Como produce la mayor parte de hierro y acero de Checoslovaquia se le denomina también «El Corazón de Acero» de la República.

179

Ostrava by day and by night is alive with metallurgical work, and in the evening or at night tapping heat paints bizarre silhouettes of houses, shafts and chimneys. Anyone knowing modern Ostrava would not look in the middle of town for the Gothic Church of St. Wenceslas or the ruins of a castle in Slezská Ostrava.

Le rythme de travail bat son plein à Ostrava vingt-quatre heures sur vingt-quatre. La nuit, les flammes sortant des hauts fourneaux dessinent sur le ciel des silhouettes bizarres des maisons, des tours et des cheminées. Celui qui connaît cette ville moderne d'Ostrava, sera étonné de découvrir, au centre même de l'agglomération géante, l'église gothique Saint-Venceslas ou les ruines d'un château médiéval.

Día y noche palpita el trabajo en las minas y fundiciones de Ostrava. Las sangrías nocturnas iluminan con rojos resplandores las siluetas de las casas, torres y chimeneas. Quien conoce esta Ostrava moderna no buscaría aquí, en el centro de la ciudad, la iglesia gótica de San Venceslao ni las ruinas del castillo de Slezská Ostrava.

180 · 181

The big plains of southern Moravia, famed for large-scale agricultural output, have earned the nickname the "Moravian Kuban". Yet greenery, so essential for filling in the picture of the countryside, has survived here too.

Les terres fertiles de la Moravie du Sud ont permis la formation de grandes entreprises agricoles. Le paysage a néanmoins conservé les restes de la verdure, nécessaire au point de vue écologique.

La feraz región de Moravia Meridional se hizo famosa por su gran producción agropecuaria. Sin embargo, aún aquí se preservan islotes de verdor que resultan tan necesarios para mantener la faz de este paisaje.

182 · 183

Plzeň, a regional town which still has a great many landmarks, acquired world fame thanks to its beer, Pilsner Urquell, and its engineering products from the Škoda Works, now known as the V. I. Lenin Plant (ZVIL) (in the background of the photo), founded in 1859.

Plzeň, chef-lieu de la région qui possède un nombre impressionnant de monuments historiques, est connu en premier lieu pour sa bière, le *Pilsner Urquell*, et les produits des Usines Škoda, maintenant Usines V. I. Lénine (à l'arrière-plan), fondées en 1859.

Plzeň, capital de Bohemia Occidental, pese a que cuenta con numerosos edificios históricos, es conocida más bien por la cerveza Pilsen (Urquell) y por las manufacturas mecánicas de la empresa Škoda (ahora empresa V. I. Lenin), fundada en 1859 (al fondo).

184

From year to year, the number of tourists heading for Lipno, a big construction site of socialism—"the South Bohemian Sea"—keeps growing. The dam, built between 1950 and 1959, does not have a very high level (22 m), but contains a large amount of water (compare captions for pp. 74—75) in a flat valley.

D'une année à l'autre augmente le nombre de touristes qui viennent à Lipno, au bord de la «mer de Bohême du Sud», grande réalisation du socialisme. Le barrage, construit en 1950—1959 possède une digue de hauteur seulement moyenne (22 m), mais qui retient une masse impressionnante d'eau (voir cliché pp. 74—75).

Año con año aumenta el número de turistas que visitan Lipno, el enorme embalse en la Bohemia Meridional. La represa, construida entre 1950 y 1959, tiene un dique de sólo 22 m, pero aun así retiene en un extenso valle tendido una gran cantidad de agua (pags. 74 y 75).

185

Karlovy Vary, světoznámé lázně, založil Karel IV., když prý na lovu narazil na tamní horké prameny (42—72 °C). Nejsilnější z pramenů je Vřídlo (u Dienzenhoferova kostela sv. Maří Magdaleny), tryskající z hloubky 2—3 tisíc m do výše 10—15 m. V l. 1969—1975 byl zapojen do novostavby Vřídelní kolonády J. A. Gagarina (jehož socha stojí u jednoho z vchodů kolonády). Autorem vítězného návrhu je Jaroslav Otruba.

Карловы Вары, курорт с мировой известностью, основал Карел IV, который якобы во время охоты натолкнулся на горячие источники (42—72 °C). Наиболее сильный источник Вржидло, струя которого достигает 10—15 м, в 1969—1975 гг. был включен в новый строительный комплекс Вржидельной колоннады им. Ю. А. Гагарина.

Der weltbekannte Badeort Karlovy Vary (Karlsbad) wurde der Legende nach von Karl IV. angelegt, nachdem er bei der Verfolgung des Wildes auf die dortigen heißen Quellen (42—72 °C) gestoßen war. Die ergiebigste dieser Quellen, Vřídlo genannt, schießt bis zu einer Höhe von 10—15 m empor. Sie wurde in den den während der Jahre 1969—1975 errichteten Neubau der Gagarin-Sprudelkolonnade geleitet.

Záluží u Mostu je součástí jednoho z největších středisek chemického průmyslu u nás a sem, do závodů Chemopetrol, směřuje československá větev ropovodu Družba. — V nedalekém městě Most probíhal r. 1975 za nesmírného zájmu veřejnosti přesun velkého pozdně gotického kostela P. Marie z l. 1517—1549 na vzdálenost 841 m, mimo území rozšiřovaného povrchového hnědouhelného dolu.

»Залужи« близ Моста, одно из крупнейших предприятий химической промышленности. Сюда, к заводу »Хемопетрол« подходит чехословацкая ветка нефтепровода »Дружба«. В городе Мост был на расстояние 841 м перемещен готический костел, что было вызвано открытой добычей угля в этих местах.

Das Chemiewerk Záluží u Mostu ist eines der größten in der Tschechoslowakei und in seinen Teilbetrieb Chemopetrol mündet der tschechoslowakische Zweig der Erdölfernleitung Družba. Die gotische Kirche der benachbarten Stadt Most wurde des Obertags-Braunkohlenbergbaus wegen auf einen neuen, 841 m entfernten Standort gebracht.

Ještěd u Liberce je již tradičně vyhledáván turisty a sportovci, jak dokládají vznik turistické útulny (1847), po ní hotelu (1906) a zavedení kabinové lanovky (1933). Po požáru hotelu v r. 1963 změnilo siluetu Ještědu do r. 1971 nové televizní středisko s hotelem a restaurací. Za jejich neobvyklé architektonické a konstrukční řešení byli autoři Karel Hubáček a Zdeněk Patrman odměněni cenou A. Perreta.

Ештед близ города Либерец, место туристов и любителей зимних видов спорта, славится новым сооружением — телевизионным центром с гостиницей и рестораном — строительство которого было закончено в 1971 г. на месте старой, сгоревшей в 1963 г. гостиницы. Авторы проекта получили ценную премию А. Перрет за необычное архитектурное и конструкционное решение.

Am Gipfel des Berges Ještěd bei Liberec erwartet den Touristen und Wintersportler ein mit dem Fernsehturm verbundenes neues Hotel mit Gaststätte, das i. J. 1971 fertiggestellt wurde, nachdem das ältere Hotel i. J. 1963 einem Brand zum Opfer gefallen war. In Anerkennung der originellen architektonischen und konstruktiven Lösung wurde den Autoren des Projekts der A. Perret-Preis erteilt.

Ondřejov proslul svou astrofyzikální observatoří ČSAV, která se řadí k deseti nejvýznamnějším na světě. Z původní hvězdárny z l. 1891—1905, věnované zakladatelem Josefem J. Fričem r. 1928 státu, se v poslední době stal moderní ústav. Observatoř na Žalově má 16 m vysokou kupoli s obřím dalekohledem. Anténní systém, který uvádíme na snímku, přijímá vědecké signály z čs. vysílače na družicích Interkosmos.

В Ондржееве находится известная астрофизическая обсерватория Чехословацкой академии наук, одна из десяти наиболее важных в мире. Система антен на снимке предназначена для приема научных сигналов чехословацкого передатчика, включенного в программу »Интеркосмос«.

Das astrophysikalische Observatorium der Tschechoslowakischen Akademie der Wissenschaften in Ondřejov befindet sich unter den zehn bedeutendsten Beobachtungsstationen der ganzen Welt. Das Antennensystem am Bild ist zum Empfang wissenschaftlicher Signale von dem tschechoslowakischen Sender des Programms Interkosmos bestimmt.

Hradec Králové, krajské město, se skládá z historického jádra, dnes městské památkové rezervace, a stejně cenné nové části, od počátku 20. stol. urbanisticky jednotně řešené předními architekty Janem Kotěrou a Josefem Gočárem. Ke stavbám navazujícím na tuto moderní část patří také módní dům Don s keramickou fasádou, projektovaný r. 1968 Janem Doležalem a postavený v l. 1969—1974.

Градец Кралове включает часть, провозглашенную городским заповедником, и новый комплекс, возникший в начале XX в. на основании градостроительных планов архитекторов Яна Котеры и Йозефа Гочара. К зданиям, являющимся продолжением этой современной части, относится и магазин »Дон«, построенный в 1969—1974 гг.

Hradec Králové gliedert sich in einen heute unter Denkmalschutz stehenden alten Teil und in ein neues Stadtgebiet, seit Beginn des 20. Jh. von den Architekten Jan Kotěra und Josef Gočár städtebaulich gestaltet. Zu den neuen Bauwerken, die sich an die moderne Verbauung anschließen, gehört auch das Modehaus Don, entstanden in den Jahren 1969—1974.

Praha má letiště pro civilní dopravu již od r. 1920. Tenkrát bývalo ve Kbelích a teprve r. 1937 se přestěhovalo do Ruzyně. Po druhé světové válce se provoz zvýšil natolik — v Praze přistávají letadla více než dvaceti zahraničních společností — že v l. 1962—1968 bylo vedle starého vybudováno nové letiště s prosklenou odbavovací budovou, na jehož projektu se podílela řada předních architektů.

Первый аэродром для самолетов гражданского флота возник в Праге в 1920 г. Сначала он находился в районе Кбели, а с 1937 г. — в районе Рузинь, где в 1962—1968 гг. был сооружен новый аэродром с новым современным зданием аэропорта. Сегодня этот аэродром принимает самолеты свыше двадцати аэрокомпаний.

Über einen Zivilflugplatz verfügt Prag bereits seit dem Jahre 1920. Ursprünglich in Kbely, befindet er sich seit d. J. 1937 in Ruzyně, und hier wurde auch in den Jahren 1962—1968 der neue, mit einer modernen Abfertigungshalle ausgestattete Flugplatz angelegt. Heute starten und landen auf seinen Rollbahnen auch die Maschinen von über zwanzig ausländischen Fluggesellschaften.

Karlovy Vary (Carlsbad) is a world famous spa founded by Charles IV, who is said to have come across its hot springs (42—72 °C) one day, while hunting. Its strongest spring, Vřídlo, shooting up to a height of 10 to 15 m, was incorporated into the newly constructed Y. A. Gagarin Vřídlo Colonnade, built in 1969—1975.

Karlovy Vary, station thermale de renommée mondiale, fut fondée par l'empereur Charles IV qui aurait découvert ses sources (42° à 72° C) lorsqu'il chassait un jour dans la vallée. La source la plus puissante, le *Vřídlo* qui jaillit à une hauteur de 10 à 15 m, fut en 1969—1975 entourée d'une colonnade, portant le nom de Y. A. Gagarine.

Karlovy Vary (Carlsbad), el conocidísimo balneario fundado por Carlos IV, quien descubrió sus manantiales de aguas termales (entre 42 y 72 grados centígrados) en el curso de una cacería. El surtidor más potente, denominado Vřídlo, lanza su chorro a alturas entre diez y quince metros. Entre 1969 y 1975 se agregó a su columnata la nueva, de J. A. Gagarin.

186

Záluží near Most is one of the biggest Czechoslovak enterprises of the chemical industry; the Czechoslovak branch of the Friendship Oil Pipeline extends to the Chemopetrol Works here. In the vicinity of Most, a Gothic church was moved intact a distance of 841 m because of open-cast coal mining.

Záluží près de Most est la capitale de l'industrie chimique tchécoslovaque. C'est ici, dans l'usine Chemopetrol que débouchera la branche tchécoslovaque du gazoduc soviétique. Dans la ville de Most, l'extraction du charbon à ciel ouvert a rendu nécessaire le transfert d'une église gothique qui se trouve maintenant à une distance de 841 m de son emplacement primitif.

En Záluží se encuentra instalada una de las mayores empresas de la industria química checoslovaca, la Chemopetrol. Hasta ella llega uno de los ramales del oleoducto Amistad. Cerca de Záluží queda la ciudad de Most, cuya iglesia gótica fue trasladada a una distancia de 841 metros del sitio donde fuera originalmente edificada.

187

Ještěd near Liberec welcomes tourists and lovers of winter sports with a newly built television centre containing a hotel and restaurant. Construction was completed in 1971 on the site of an older hotel that burned down in 1963, and its architects won the A. Perret Prize for an unusual architectonic and construction design.

Le mont de Ještěd près de Liberec salue les touristes et les skieurs par sa nouvelle tour de télévision construite en 1971, qui comprend également un hôtel et un restaurant. Son projet fut récompensé par le prix Auguste Perret.

El cerro Ještěd, cerca de Liberec, da una bienvenida acogedora a turistas y aficionados a los deportes de invierno. La torre de retransmisión televisiva, que cuenta con un hotel y restaurante, fue construida en 1971 y valió a sus autores el Premio A. Perret por su singular solución arquitectónica y de construcción.

188

Ondřejov is known for its astrophysical observatory of the Czechoslovak Academy of Sciences, which ranks among the ten most famous in the world. The antenna system, shown on the photo, is for receiving scientific signals from the Czechoslovak transmitter of the Intercosmos programme.

Le mont d'Ondřejov possède un observatoire d'astrophysique qui se range parmi la dizaine d'observatoires les plus importants du monde. Son système d'antennes est, entre autres, destiné à capter les signaux du poste émetteur tchécoslovaque de l'Intercosmos.

En Ondřejov, cerca de Praga, está el observatorio astrofísico de la Academia de Ciencias Checoslovaca, el cual forma parte de los diez observatorios más importantes del mundo. Las antenas del radiotelescopio, tal y como las vemos en la foto, captan las señales de la emisora científica checoslovaca del programa Intercosmos.

189

Hradec Králové consists of what is today a National Historic Town and new sections, dating from the beginning of the 20th century, laid out by architects Jan Kotěra and Josef Gočár. Among the buildings of the modern part is the Don House of Fashions, constructed from 1969 to 1974.

Hradec Králové comporte un noyau ancien qui est classé monument historique, et des quartiers modernes dont le plan urbaniste fut élaboré dès le début du XXᵉ siècle par les architectes Jan Kotěra et Josef Gočár. C'est à leur conception qu'obéit la construction du grand magasin Don en 1969—1974.

Hradec Králové posee una parte antigua que es objeto de protección por considerarse ciudad de interés histórico-artístico, y otra nueva, de comienzos de siglo, proyectada por los arquitectos Jan Kotěra y Josef Gočár. Entre los edificios que amplían esta parte de Hradec Králové de nuevo cuño está el de la casa comercial Don, construido entre 1969 y 1974.

190

Prague has had an airport for civil aviation since 1920; at first it was in the Kbely district but since 1937 it has been at Ruzyně. A new airport with a modern clearance building was erected here from 1962 to 1968. Planes of more than 20 foreign airlines have stopovers in Prague.

Le premier aéroport civil de Prague fut construit en 1920 à Kbely, le deuxième en 1937 à Ruzyně. Le nouveau aéroport de Ruzyně, aménagé en 1962—1968, voit atterrir les avions de plus de vingt compagnies étrangères.

El primer aeropuerto civil de Praga fue construido en 1920, en el barrio de Kbely. Desde 1937 se utilizó para el tráfico civil el aeropuerto de Ruzyně, lugar en el que se construyó entre 1962 y 1968 un nuevo aeropuerto, dotado de todas las más modernas facilidades para los viajeros y los servicios técnicos y administrativos. En la actualidad aterrizan en Ruzyně las naves aéreas de más de veinte compañías de aviación comercial.

191

Praha již po léta zdokonaluje tělovýchovný komplex tří stadiónů na Strahově. Pro Mistrovství Evropy v atletice, konané v Praze na přelomu srpna a září 1978, byl zmodernizován stadión Evžena Rošického (nazvaný po novináři a rekordmanu v běhu na 800 m, umučeném nacisty r. 1942); při tom se speciálním tvarováním střech tribun podařilo téměř úplně vyloučit rušivý vliv větru na lehkoatletické výkony.

В течение целого ряда лет совершенствуется комплекс трех стадионов в Праге на Страгове. Легкоатлетический чемпионат Европы 1978 года проходил на модернизированном стадионе им. Эвжена Рошицкого. Этот стадион назван так в честь журналиста и спортсмена, замученного в 1942 г. нацистами.

Der Komplex der drei Stadien am Strahov in Prag wird seit Jahren stetig ausgebaut. Nach Abschluß der Leichtathletik-Europameisterschaften, die hier Ende August—Anfang September 1978 stattfanden, wurde das Evžen Rošický-Stadion modernisiert. Der Journalist und Sportler, dessen Namen es trägt, wurde 1942 von den Nazis ermordet.

Řež u Prahy byla vybrána pro sídlo Ústavu jaderného výzkumu ČSAV, vybudovaného v l. 1954—1966 a pro místo jaderného reaktoru a cyklotronu. Československo však vstoupilo do „atomového věku" nejen na poli vědeckovýzkumném, ale také praktickým využíváním nového zdroje energie: v Jaslovských Bohunicích na Slovensku již v r. 1972 zahájila pokusný provoz první naše atomová elektrárna a tři další se budují.

Ржеж близ Праги, городок, где находится сооруженный в 1954—1966 гг. Институт ядерных исследований Чехословацкой академии наук, снабженный ядерным реактором и циклотроном. Чехословакия готовится к практическому использованию ядерной энергии в мирных целях. Первая ядерная электростанция начала опытное производство энергии в 1972 г.

In Řež bei Prag befindet sich das Kernforschungsinstitut der Tschechoslowakischen Akademie der Wissenschaften, das in den Jahren 1954—1966 errichtet wurde und mit einem Kernreaktor sowie Zyklotron ausgestattet ist. Die Tschechoslowakei bereitet sich jedoch auch auf die praktische Nutzung der Kernenergie vor — namentlich in Atomkraftwerken, deren erstes bereits im Jahre 1972 den Probebetrieb aufnahm.

Praha se dne 9. května 1974 přidružila k městům, jejichž obyvatelé i návštěvníci mohou k přepravě použít podzemní dráhu — metro: tehdy byl zahájen provoz na trase C. Dne 12. srpna 1978 se metro — stavba československo-sovětské spolupráce — rozšířilo na trasu A; nástupiště její stanice Malostranská se zeleným rozlišovacím pruhem z eloxovaných hliníkových desek ukazuje náš obrázek.

9 мая 1974 г. Прага вошла в число городов, обладающих подземным видом транспорта — метро. В этот день было открыто движение на первой линии »С«. 12 августа 1978 г. метро — стройка чехословацко-советской дружбы — расширилось за счет линии »А«. На снимке изображена одна из станций этой линии — »Малостранска«.

Am 9. Mai 1974 wurde der Verkehr auf der Linie C der Prager Metro aufgenommen und damit reihte sich Prag unter die nicht sehr zahlreichen Städte ein, die über eine Untergrundbahn verfügen. Am 12. August 1978 begann der Betrieb auf der Linie A der Prager Metro, genannt „Bau der tschechoslowak-sowjetischen Zusammenarbeit". Auf dem Bild eine der Stationen dieser Linie — Malostranská.

Praha od středověku až po začátek 19. stol. vystačila s rozlohou vymezenou hradbami a teprve pak ji začaly obklopovat předměstí, nové čtvrti a sídliště. Avšak i v pohledu od moderního plaveckého stadiónu v Podolí ústředním motivem panoramatu zůstává silueta Hradu nad Malou Stranou a protilehlého, pověstmi opředeného Vyšehradu. Vlevo se připojuje táhlý vrch Petřín a pod ním průmyslový Smíchov.

Для Праги, превратившейся в крупный современный город, до сих пор характерна — особенно с южной стороны, плавательного бассейна в районе Подоли — историческая панорама, включающая петршинский холм, Пражский Град, силуэты Малой Страны и овеянного преданиями Вышеграда.

Unbeschadet dessen, daß es sich zu einer modernen Großstadt entwickelt, wird Prag auch weiterhin durch sein historisches Panorama gekennzeichnet, beispielsweise beim Blick vom südlich gelegenen Schwimmstadion Podolí dank den Umrissen des langgestreckten Petřín-Hügels, Hradčany und der Kleinseite (Malá Strana), sowie dem sagenumwobenen Vyšehrad-Felsen hoch über der Moldau.

Milín a jeho část Slivice vešly do historie jako místo, kde padly dne 11. května 1945 poslední výstřely evropské části druhé světové války, když tu partyzáni a revoluční gardy za rozhodujícího přispění sovětských vojáků zneškodnili zbytky nacistických vojsk. Tuto událost připomíná nejen název ulice — 11. května — v Milíně, ale především zdaleka viditelný žulový památník z r. 1970, navržený arch. Václavem Hilským.

Милин и его часть Сливице известны тем, что здесь 11 мая 1945 г. прозвучали последние залпы в европейской части стран, принявших участие во второй мировой войне. Об этом событии напоминает и мраморный памятник архитектора Вацлава Глинского, открытый в 1970 г.

Die Stadt Milín mit ihrem Ortsteil Slivice ist in die Geschichte als jener Ort eingegangen, wo am 11. Mai 1945 die letzten Schüsse des Zweiten Weltkriegs auf europäischem Boden fielen. Daran erinnert ein weithin sichtbares Mahnmal aus Granit. Es wurde von dem Architekten Václav Hilský entworfen und im Jahre 1970 enthüllt.

Říp, vyvřelá hora nápadného zvonovitého tvaru, je dávnými bájemi spjat se samými počátky českého národa jako místo, kde stanul se svým lidem mýtický praotec Čech. Ne náhodou tu dal r. 1126 kníže Soběslav I. postavit rotundu sv. Jiří na paměť vítězství nad vojsky císaře Lothara a Říp pak hrál významnou roli v politickém i kulturním životě českého národa a v dílech umělců jako symbol vlasti.

Ржип, магматическая гора, по форме напоминающая колокол, упоминается в древних легендах и преданиях в качестве места, где остановился праотец Чех, когда привел племя чехов в эти края. Гора, на которой в 1126 г. был возведен костел-ротонда св. Иржи (Георгия), до сих пор продолжает оставаться символом родины.

Der Berg Říp ist vulkanischen Ursprungs und hat eine auffällige glockenartige Gestalt. Im Jahre 1126 mit der Rotunde des hl. Georg gekrönt, ist der sagenumwobene Berg mit dem Ursprung der tschechischen Nation selbst verknüpft, denn hier sollen der mythische Urvater Čech und sein Volk ihr Ziel gefunden haben. Deshalb ist der Berg Říp bis in unsere Tage Symbol des Vaterlandes.

For years now, Prague has been improving its compound of three stadiums at Strahov. For the European Track and Field Championships, held in Prague in August—September 1978, the Evžen Rošický Stadium, named after the journalist and sportsman murdered by the Nazis in 1942, was modernized.

Depuis plusieurs années, Prague continue à aménager ses trois grands stades dans le quartier de Strahov. A l'occasion du Championnat d'athlétisme d'Europe, organisé à Prague en août—septembre 1978, celui d'entre eux qui porte le nom d'Evžen Rošický, sportif et journaliste mort en 1942 dans une prison nazie, reçut un nouveau décor et des équipements modernes.

Desde hace varios años Praga ha venido perfeccionando el complejo de tres estadios deportivos de Strahov. Para el Campeonato Europeo de Atletismo, que se celebró en Praga entre agosto y septiembre de 1978, fue modernizado el estadio que lleva el nombre de Evžen Rošický, deportista y periodista torturado y asesinado por los nazis en 1942.

Řež near Prague is the headquarters of the Institute for Atomic Research of the Czechoslovak Academy of Sciences. Built in 1954—1966, it is equipped with an atomic reactor and cyclotron. However, Czechoslovakia is preparing to utilize atomic energy in practical ways as well—in atomic power plants, the first of which began experimental operation in 1972.

Řež près de Prague est le siège de l'Institut des recherches atomiques de l'Académie des sciences tchécoslovaque, équipé d'un réacteur et d'un cyclotron. Au niveau de l'application industrielle, la Tchécoslovaquie prévoit le développement des centrales nucléaires, dont la première fut mise en service en 1972. L'Institut des recherches atomiques était fondé en 1954.

En Řež, en las cercanías de Praga, se encuentra ubicado el Instituto de Investigaciones Nucleares de la Academia de Ciencias Checoslovaca. Dicho instituto fue construido entre 1954 y 1966 y dispone de un reactor nuclear y un ciclotrón. Checoslovaquia se apresta a aprovechar la energía atómica también en la práctica, en centrales eléctricas nucleares. La primera de ellas empezó a funcionar en plan experimental desde 1972.

On May 9, 1974, Prague joined other cities with an underground transportation system. Its Metro began operation with the C Line. On August 12, 1978, the Metro—a Czechoslovak-Soviet co-operation project—was expanded by the A Line, whose Lesser Town Station (Malostranská) is shown on the photo.

Depuis le 9 mai 1974, Prague possède son chemin de fer souterrain — le métro, œuvre de la coopération tchécoslovaco-soviétique. Son deuxième tronçon fut ouvert au public le 12 août 1978. C'est la ligne A avec la station Malostranská (voir cliché).

El 9 de mayo de 1974 Praga se incorporó a las ciudades que disponen de Metro. El primer tramo, la línea C, fue inaugurado en esa fecha y el 12 de agosto de 1978 el Metro praguense, que Checoslovaquia construye en cooperación con la Unión Soviética, se amplió con la inauguración de la línea A. En nuestra foto: la estación de Malá Strana.

Prague is growing into a modern metropolis, but viewed from the south, from the swimming stadium in Podolí, it is characterized by the historical panorama of the long ridge of Petřín Hill, the Castle and Lesser Town, and the legendary bastion of Vyšehrad on the Vltava.

Prague s'étend et s'agrandit. Vue depuis le sud, par-dessus le toit de la piscine couverte de Podolí, la métropole moderne présente néanmoins son panorama plusieurs fois centenaire: celui de la colline de Petřín, du Château, de la Malá Strana et du légendaire Vyšehrad sur son rocher au-dessus de la Vltava.

Contemplada desde el estadio de natación de Podolí la panorámica de Praga, que se desarrolla como una gran urbe, muestra como puntos sobresalientes el Castillo de Hradčany, la luenga colina de Petřín, el barrio de Malá Strana, y el legendario Castillo de Vyšehrad, que se yergue en la ribera opuesta del Vltava.

Milín and a part of it, Slivice, entered history as the place where, on May 11, 1945, the last shots on the European front of the Second World War were fired. This event is marked by a granite monument, the design of Václav Hilský, which can be seen both near and far. The monument was unvelied in 1970.

C'est à Milín, ou plus précisément dans son quartier de Slivice, que retentirent, le 11 mai 1945, les derniers coups de la deuxième guerre mondiale en Europe. Cet événement est rappelé par un monument de granit, élevé selon le projet de l'architecte Václav Hilský et inauguré en 1970.

La población de Slivice y la colina Milín entraron en la historia como el lugar donde el 11 de mayo de 1945 sonaron los últimos disparos de la Segunda Guerra Mundial en Europa. Para dejar constancia de este hecho memorable se ha levantado ahí un monumento de granito visible desde muy lejos, obra del arquitecto Václav Hilský, que fuera develada en 1970.

Řip, an igneous, bell-shaped mountain, acquired the Rotunda of St George in 1126. It has long been linked by legend with the beginning of the Czech nation as the place where the mythical Great Father Čech settled with his people, and to this day remains a symbol of our homeland.

C'est sur la colline de Řip que s'arrêta, selon l'antique légende, le grand ancêtre de la nation, Tchèque, parti de l'Est à la tête de son peuple chercher une nouvelle patrie. Sur le sommet du Řip s'élève une rotonde de 1126, consacrée à saint Georges.

El cerro de Řip, una colina volcánica en forma de campana, fue rematado en 1126 por la Rotonda de San Jorge. Según reza la leyenda, Řip está ligado a los orígenes de la nación checa debido a que fue éste el sitio adonde llegó primero y se asentó con su pueblo el mítico patriarca Čech. Por ende, Řip es hasta nuestros días el símbolo de nuestra patria.

První strana přebalu Hora Říp. Viz legenda ke straně 200.

Čtvrtá strana přebalu Banská Bystrica se stala na dva měsíce, od 29. srpna do 27. října 1944, ohniskem Slovenského národního povstání a sídlem politického a vojenského vedení odboje. Tuto slavnou kapitolu aktivního protifašistického odporu směřujícího k obnově společného státu Čechů a Slováků, připomíná monumentální památník z l. 1964—1969 od Dušana Kuzmy, složený ze dvou částí netradičních tvarů.

Front Cover — Říp, the mythical mountain of the Czech nation veiled in legends (see entry on p. 200).

Premier plat de la jaquette: Říp, mont légendaire de la nation tchèque (voir cliché p. 200).

Fotos en la cubierta
Primera plana: Říp, el cerro legendario de la nación checa. (Véase leyenda de la página 200).

Back Cover — Banská Bystrica became the centre of the Slovak National Rising on August 29, 1944, and the headquarters of the anti-fascist resistance movement which led to the restoration of the joint state of Czechs and Slovaks. This chapter of history is enshrined in a memorial, built in 1964—1969, the design of Dušan Kuzma.

Quatrième plat de la jaquette: Banská Bystrica qui donna, le 29 août 1944, le signal de l'Insurrection nationale slovaque, était, pendant la guerre, le centre de la résistance et des efforts en vue de la restauration de l'Etat commun de Tchèques et des Slovaques. Le monument aux abords de la ville qui perpétue la mémoire de ces événements, est l'œuvre de Dušan Kuzma des années 1964—1969.

Cuarta plana: Banská Bystrica, ciudad en la que estalló el 29 de agosto de 1944 la Insurrección Nacional Eslovaca y que fue sede de la dirección de la resistencia antifascista, destinada a renovar el Estado común de los checos y los eslovacos. Este jalón en la historia checoslovaca se conmemora con el monumento de Dušan Kuzma, de los años de 1964 a 1969.

Front Cover — Říp, the mythical mountain of the Czech nation veiled in legends (see entry on p. 200).

Premier plat de la jaquette: Říp, mont légendaire de la nation tchèque (voir cliché p. 200).

Fotos en la cubierta
Primera plana: Říp, el cerro legendario de la nación checa. (Véase leyenda de la página 200).

AUTOŘI SNÍMKŮ

MILADA EINHORNOVÁ: 1, 2, 3, 5, 6, 15, 17, 19, 20, 21,
24, 26, 33, 37, 38, 39, 40, 41, 43, 44, 47, 49, 50, 51, 52, 54,
55, 56, 59, 63, 66, 69, 72, 73, 74, 75, 77, 81, 82, 83, 84, 85,
86, 88, 89, 90, 91, 93, 95, 96, 101, 103, 105, 107, 108, 110,
112, 114, 115, 117, 118, 119, 122, 123, 131, 132, 134, 135,
137, 139, 142, 143, 144, 145, 146, 149, 152, 153, 156, 158,
159, 163, 168.

ERICH EINHORN: Obálka přední a zadní, 4, 7, 8, 9, 10,
11, 12, 13, 14, 16, 18, 22, 23, 25, 27, 28, 29, 30, 31, 32, 34,
35, 36, 42, 45, 46, 48, 53, 57, 58, 60, 61, 62, 64, 65, 67, 68,
70, 71, 76, 78, 79, 80, 87, 92, 94, 97, 98, 99, 100, 102, 104,
106, 109, 111, 113, 116, 120, 121, 124, 125, 126, 127, 128,
129, 130, 133, 136, 138, 140, 141, 147, 148, 150, 151, 154,
155, 157, 160, 161, 162, 164, 165, 166, 167, 169, 170.

PHOTOGRAPHY
© MILADA A ERICH EINHORNOVI
1981

TEXT
© MIROSLAV IVANOV
1981

ZEMĚ MÁ
Milada a Erich Einhornovi
Slovem doprovází Miroslav Ivanov

Uměleckohistorický katalog sestavil dr. Jaroslav Herout,
katalog přírodopisný a zeměpisný dr. Marie Maršáková.
Cizojazyčná resumé přeložili: Jelena Rjuriková (do ruštiny),
ing. Lev Lauermann (do němčiny), Joy Moss-Kohoutová (do angličtiny),
Růžena Semrádová (do francouzštiny) a dr. Libuše Prokopová (do španělštiny).
Obálku, vazbu a grafickou úpravu navrhl Miloslav Fulín.
Odpovědný redaktor Pavel Keclík, výtvarná redaktorka Věra Šalamounová,
technická redaktorka Ivana Ledvinová.
1. vydání. Praha 1981. Edice: Naše vlast.
Vydalo nakladatelství Panorama jako svou 3756. publikaci.
Vytiskla Svoboda, n. p., Sazečská 8, Praha 10-Malešice.
AA 71,95   VA 74,62   402-22-859
272 stran textu včetně 170 barevných fotografií.
Náklad 100 000 výtisků.
09/18
11-050-81
Cena váz. výtisku 155 Kčs.